JN016031

ひとりぼっちのソユーズ

上

七瀬夏扉

ひとりぼっちのソユーズ

上

七瀬夏扉

contents

イラスト／まごつき
イラストディレクション／ぽぷりか
装丁・本文デザイン／5GAS DESIGN STUDIO
校正／福島典子（東京出版サービスセンター）

この物語は、フィクションです。
実在の人物・団体等とは関係ありません。

Intro　ユーリヤ

ユーリヤのことを思い出す。

あの満月の夜の再会を。

あの夏の星空を。

そして、二人で見上げたペーパー・ムーンを。

もう、あれからどれくらいたったんだろうって。そのたびに、もう、ずいぶんたったんだなって
——過ぎてしまった時間の膨大さに途方に暮れてしまう。そして、浮かび上がる思い出の数々に耳をかたむけて、そっと手を伸ばしてしまうんだ。

ユーリヤが言ったみたいに、僕たちはずいぶんと遠くまで行けるようになったんだよ。いろいろな問題を曖昧《あいまい》にして、棚に上げてしまったままだけど。

僕は、ユーリヤのスプートニクだった。

いつも、ユーリヤのそばにいた。

ユーリヤの話を聞いて、ユーリヤの背中を眺めて、ユーリヤがなびかせる長い髪の毛を猫のように追いかけていた。

こんなことを考え出すといろいろめそめそした気持ちになってしまうから、本当はもっと楽しいことを考えて、これから目の前に広がるはずの光景に胸をときめかせたり、隣に腰を下ろしているクルーにジョークの一つでもかましたりしたほうがいいと思うんだけど、やっぱり僕は考えずには

いられなかった。

だって、僕はもう一度ユーリヤの背中を追って、もう一度ユーリヤのスプートニクになりたくて、ユーリヤをひとりぼっちのままにしておきたくなくて――今、この場所にいるんだから。

そろそろカウントダウンが聞こえてくる。

僕は目をつぶって両手を強く組み合わせた。

それは、はたから見れば神さまに祈っているように見えたかもしれないけれど――

だけど、僕は絶対に神さまに祈ったりはしないんだ。

—— Track1

ひとりぼっちのソユーズ
Fly Me to the Moon

1　スプートニク

ユーリヤは変わった女の子だった。

日本という、とても高いところからこぼした雫《しずく》が飛び跳ねた形のような島国に住む、日本人とロシア人のハーフの女の子っていうだけでも変わってはいたんだけれど、外見というよりもおもに内面——その心や魂の形みたいなものが、ほかの女の子とは変わっていた。

ユーリヤは特別な女の子だった。

もちろん、誰にとってもというわけじゃなくて——僕にとって特別だった。

僕たちの家は近かった。ユーリヤの一家は突然引っ越しをしてきたご近所さんで、僕たちの母親同士はすぐに打ち解けて仲良くなった。それでご近所づきあいのようなものが生まれたから、僕たちも自然と仲良くなっていったんだと思う。そこら辺の記憶は曖昧《あいまい》っていうか、何度も思い出しているうちに記憶のほうが少しずつ美化されてしまっている可能性もあるから、まぁ、ご愛嬌《あいきょう》。特に幼い頃の記憶っていうものは、往々にしてそのようなことがあるんじゃないかって僕は思う。

思い出っていうのは不思議なもので、自分の中で大切にしまっていればいるほど、少しずつ形を変えて色鮮やかになってしまう、そんな気がするんだ。

だけど、僕とユーリヤとの出会いがお世辞にもよくなかったってことだけは——今でもばっちり鮮明に覚えているんだ。それは絶対に忘れることができない類の、僕にとってありとあらゆる意味で衝撃的すぎる出会いだったから。

そもそもは——僕の母親が最近引っ越してきたご近所さんに、お惣菜《そうざい》か何かをお裾分《すそわ》けに行ったのが、全ての始まりだった。

「玄関先で立ち話もなんだから」なんて、お決まりの台詞《せりふ》で井戸端会議の開催を宣言した後、僕たちはだだっ広いリビングに通された。そこからの話の長いこと長いこと。僕はすぐに、僕の遥《はる》か頭上を飛び交う、僕そっちのけで交わされる世間話にすっかり飽きてしまった。その美しい放物線を描いて交わされ続ける会話の離発着は、僕がどれだけ手を伸ばしても届かないもので、僕は呆然《ぼうぜん》とそれを見上げることしかできなかった。それに甘さ控えめのお上品なクッキーとか、豪華なカップで出される紅茶にも、がっくりと肩を落としていた。これぐらいの年頃の男の子ってさ、体に悪そうなお菓子とか甘すぎるジュースのほうがおいしいって思っちゃうんだよね。申し訳ない話だけれど。

僕が初めて目にした外国の女の人は、出されたクッキーや紅茶に負けないくらい上品な人で、かなり日本語が上手だったってことはなんとなく覚えている。そんな、立派な絵の中から飛び出してきたみたいな外国の女の人を前にして、僕は完全に委縮してしまっていた。僕って、案外人見知りだったりするんだよね。

そんな状況にたまらなくなった僕は——「おしっこ」なんて嘘《うそ》をついてリビングを抜け出した。それから、他人の家の中を探検と称してうろちょろし始めたんだ。宇宙人に捕らえられた少年が、宇宙船の中を逃げ惑うような感じで。まぁ、好奇心旺盛《おうせい》な男の子の衝動的な行動ってことで。

その家は本当に広かった。小さな体の僕には、それこそ巨大な宇宙船か秘密基地に見えてしまうくらいに。実際には三階建てで、部屋の数は十部屋もなかったんだけれど。大袈裟《おおげさ》な話、子供の頃の僕にはそれこそ百階建てくらい、部屋の数だって三百も四百もあるんじゃないかって思えたんだ。

正直な話、わずか3ＬＤＫのみすぼらしい我が家に比べると、ここはもう巨大な秘密基地と変わりがなかった。

探検隊員の僕はそんな秘密の扉を片っ端から開いて、その先に何か面白いことがあるんじゃないかってわくわくしっぱなしだった。

そして、僕はついにあの部屋の扉を開けたんだ。その扉は、開ける前から他の扉とは何かが違っているような気がしていた。きっと何か素敵なことが起きるんじゃないかって、そんな予感のようなものがあった。とても長い物語の最初のページを開くみたいな、そんな気がしたんだ。

だから金色のドアノブに手を伸ばして、ゆっくりとそれを回した時——僕の心臓はものすごく高鳴っていた。どくんどくんって。まるで、カウントダウンが始まったみたいに。

扉を開くと、そこは広々とした書斎だった。思い返してみれば、そこが立派な書斎だったってことはすぐに分かるんだけど、あの時は何だろう？

秘密の図書館にでも迷い込んでしまったような気分だった。

僕はたくさんの宝物を見つけたような気持ちで、扉の先に広がった光景を見回した。その秘密の図書館には、たくさんの宇宙船の模型が飾られていた。天井には太陽系の天体が透明な紐《ひも》でぶら下がっていて、僕はぴょんぴょんと飛び跳ねてそれを捕まえようとした。夜空の星に手を伸ばすように。

そこは、まるで小さな宇宙空間だった。

僕は、不思議な重力に引き寄せられたみたいにこの場所にたどり着いた。そして、飾られた宇宙船の模型を一つ手に取ってそれを眺めた。銃弾のような先端に、縦長の真っ白な機体。スカートのように裾《すそ》の広がった噴射口。あまりのかっこよさに、僕は思わず「わぁ」と声をあげた。

「勝手に触らないで」

突然、小さな宇宙を不機嫌で甲高《かんだか》い声が震わせた。

驚いて振り返ると、そこには小さな女の子が——

ユーリヤがいたんだ。

とても清潔そうな、たった今洗濯が終わったたって感じの白いワンピースを着た小さな女の子——大きな灰色がかった瞳の女の子が、僕を真っ直ぐに見つめていた。一目で、僕が知っている女の子とは違うんだって——その女の子は特別な女の子なんだって分かる雰囲気が、そこにはあった。

だけど、僕は怒られたんだと思って意気消沈してしまっていた。

「あの、ごめん。この宇宙船、君のなの？」

僕の目の前に現れた女の子は、背丈こそ僕とそんなに変わらなかったんだけど——僕はこの年頃の男の子の中では、とびっきりのチビだったんだ——なんとなく表情とか雰囲気が僕なんかよりもぐっと大人っぽくて、二つか三つくらい年上のお姉さんに見えた。年上の人に怒られるのって、この年頃だとけっこうめげちゃったりするよね。

「宇宙船じゃない。ボストーク1号」

僕の目の前まで来た女の子は、僕の手から宇宙船——じゃなくてボストーク1号を取り返すと、それを大事そうに両手で抱えて小さな胸に引き入れた。まるで帰還する宇宙船を迎え入れるような、そんな優しい表情が印象的だった。

「ボストークって、その宇宙船の名前？」

僕はびくびくしながら尋ねた。

「そうよ。世界ではじめて人を乗せて宇宙に行ったロケットなんだから。そんなことも知らないんだ？」

僕をつんと見つめて言った女の子は、少しだけ得意げだった。

「知らない」

僕は素直に白状して首を横に振った。

「あと、ここはパパの書斎なんだから勝手に入らないで」

「ごめん」

「人の家に来て、勝手にお部屋の扉を開けるなんて失礼だわ。信じられない」

女の子は唇をつんと尖《とが》らせて、できの悪い弟をしつけるような口調でそう言った。それを聞いた僕は、とんでもないことをしでかしてしまったんだという気持ちになって、それはもうびくびくしっぱなしだった。

「ほら、早く出ていきなさいよ。あんたのお母さんに言いつけてやるんだから」

「ええっ？」

その言葉を聞いた瞬間、僕は恐怖のどん底に突き落とされて頭の中で「どうしよう？」って一万回くらい叫びまくっていた。変な汗をかいて、胃袋がひっくり返って、世界が反転してしまったみたいだった。まるで生きた心地がしなかった。母親に怒られるってことは、ある意味では世界の終わりよりも怖かったりするんだよね。だってその先には、さらに恐ろしい父親が待っているんだから。ダースベイダーのテーマ――『インペリアル・マーチ』って知ってる？　本当にあれが流れてくるような感じなんだよ。マジな話。ダンダンダンダンダダンダンダダン。

そんな今にも泣きだしそうな僕を見て、女の子は意地の悪い笑みを浮かべた。とても冷ややかに。

「内緒にしてほしい？」

「うっ、うん」

情けない話なんだけど、僕は即行で頷《うなず》いた。藁《わら》にでもすがるみたいに。女の子はしかたないって調子で、立てた指を前につき出した。

「いいけど、一つだけ条件があるわ」

「条件って？」

「今日から、あなたは私のスプートニクになるの」

「す、ぷー、とに？」

僕は、生まれてはじめて聞く不思議な言葉――スプートニク――をうまく聞き取れず、言葉の意味を尋ね返した。

「スプートニク。人工衛星の名前よ。そんなことも知らないんだ」

女の子はあの年頃の子供がよくやるような、自分の知っていることをさも大袈裟《おおげさ》に披露する感じで「そんなことも知らないんだ」って、嫌味っぽく言ってみせた。それはユーリヤの口癖の一つだった。

「これのことよ」

女の子は並んだ模型の中から一つ選んで手に取り、それを僕に両手でしっかりと渡した。まるで宝物を扱うみたいに。その模型は、金属の玉に一方向に向かって四本の棒がついた――何だかわけの分からない形をした模型だった。

「これがスプートニク？」

なにかに。

「そうよ。それがスプートニク」

それは人工衛星っていうよりは、工作の時間に失敗したガラクタに見えた。あるいは金属の虫かなにかに。

もっとかっこいいのがいいなって思ったけれど、僕はそれを口に出したりはしなかった。この短いやり取りの中で、僕たちの立場――ヒエラルキーのようなものは、完璧に決定されてしまっていたから。それは、これから先も覆《くつがえ》ることのない決定的なヒエラルキーだった。

「人工衛星っていうのは、地球の周りをいつも離れずにぐるぐる回っているでしょう？」

「うっ、うん。たぶん？」

「そーなのよ。いつだってぐるぐる回ってるんだから。それが、あなたよ。つまり、私の後ろをいつもくっついていればいいの。とっても簡単でしょう？」

腰に手を当てて偉そうに言う女の子は、思い返してみればめいっぱい背伸びをしたおませさんで、とてもチャーミングだったんだけれど――あの日の僕には、それがとんでもない提案で、そんな提案をする女の子は、とてもひどい女の子に見えたんだ。だって、これって要するに――彼女の子分になれってことなんだからさ。

「いい？　これからあなたは私のスプートニクなのよ。だから勝手にどこかに行ったり、私の許可なく私の先に進んだりしちゃいけないんだからね」

母親に怒られることと、彼女の子分になることを天秤《てんびん》にかけて苦渋の選択の結果――僕はしぶしぶ頷《うなず》いた。

「わかったよ」

それを聞いた女の子は、大きな灰色の瞳をとびっきり輝かせて、満足げに頷いた。

「よろしい。私は――ユーリヤ・アレクセーエヴナ・ガガーリナよ」

ユーリヤは、白いワンピースの裾《すそ》をつまんで可愛らしくお辞儀をしてみせた。

その瞬間、僕は体が宙に浮かび上がったんじゃないかってくらい胸が弾んだ。

人生で初めての無重力体験だった。

ユーリヤは僕と目を合わせてにっこりと笑った。


「よろしくね、スプートニク」

2　宇宙飛行士

『秘密の図書館』でユーリヤに出会って、彼女のスプートニクに任命された日から――僕は毎日のようにユーリヤの家に遊びに行くようになった。休日なんかは、ほとんどユーリヤの家で過ごした。

僕たちは双子のようにいつも一緒だった。僕がユーリヤの背中を追い、僕の少し先をユーリヤが歩く。そして、不意に振り返る。そんなだるまさんがころんだみたいな無垢《むく》で心地よい関係を、僕たちはいつの間にか築き上げていた。

ユーリヤの家に行くと、まずは広々とした玄関でユーリヤのお母さんが僕を出迎えてくれる。その後で、母親の背中からひょっこりと顔を出したユーリヤが――「来るのが遅い」「待ちくたびれた」って、不機嫌そうにつんと唇を尖《とが》らせるのが毎度の光景だった。

そんなユーリヤを見ると、彼女の母親は毎回とても嬉《うれ》しそうに「せっかく来てくれたのに、そんなことを言うもんじゃないよ」なんてたしなめたりする。ときおり、「ユーリヤと仲良くしてくれてありがとうね」とか「わがままな子だけど、あなたと遊ぶようになってとっても素直に、それに明るくなったのよ」とか「家の中ではいつもあなたの話ばかりしているのよ。さっきまで必死におめかしをしていたんだから」なんて、楽しげに話をしたり。

ユーリヤは自分の前でそんな話を持ち出されると、そのたびに顔を真っ赤にして「余計なこと言わないでよ」とか、「おめかしなんてしてないっ。お母さんが私の髪の毛を勝手に結ったんでしょう」なんて、癇癪《かんしゃく》を起こして母親をぽこぽこ叩《たた》いたりした。

その度に、僕は何だか恥ずかしい気持ちになったりした。それにいちいちお礼なんか言われたりすると、なんだかとてももの悲しくて泣きたくなるような気持ちになった。やれやれって気分に。

だけどユーリヤの子供っぽいところが見られたりもして、やっぱりユーリヤも僕と同い年の女の子なんだなって思うこともできた。今思えば、ユーリヤの母親もいろいろ不安なことが多かったんじゃないかって思う。だからユーリヤに初めてできた友達が毎日のように遊びに来ることが、とても嬉しかったんじゃないかって思うんだ。やっぱりよく知らない土地で、違う国の人だったりするから、その不安は普通の母親の何倍も大きかったんじゃないかって。

たぶんユーリヤだって同じ気持ちで、カタカナの名前とか、外国人のお母さんとか、灰色の瞳とか、抜けるように白い肌とか、そういった周りと少しだけ違うことを、小さな彼女なりに敏感に感じ取っていたんだと思う。

その敏感に感じ取っていたことの全てが、ユーリヤが周りの子供たちと少しだけ違うってところの全てが——僕の目には特別で、とても素敵なものに見えていたとしても。

今思えば、そういったことの一つ一つを、しっかりと言葉にしておけばよかったんだって思うけれど、それはやっぱり恥ずかしかったりするんだよね。

そんなユーリヤは、僕の前では徹底的にお姉さんぶった。自分の知っていることをいつも僕に聞かせて、それをまるでこの世界で唯一の真実みたいに話した。大人たちが必死になって隠している陰謀みたいに、大袈裟《おおげさ》に語ってみせた。僕はいつもユーリヤの話に夢中だった。

「いい？　本当はアポロ11号は月に行ってないのよ。あれはアメリカの陰謀なんだから。アメリカっていう威張りん坊と、アームストロングっていう嘘《うそ》っぱちがでっち上げたデマなのよ。証拠だってたくさんあるんだから」

そう言いながら、ユーリヤはさも自分が長い年月をかけて調べ上げた彼女自身の偉業を披露するみたいに、次から次へと証拠を挙げて僕を説得にかかった。

アポロに乗った宇宙飛行士が撮影した写真には星が写っていないとか。四キロメートル離れているはずの映像が全く同じ背景であるとか。宇宙飛行士や岩などの影が平行になっていないとか。ロケットの噴射によるクレーターができていないとか。空気がないはずなのに星条旗がはためいているとか。エトセトラエトセトラ。

「それに、アメリカ以外はどこの国も月に行っていないでしょう？　他の国が月に行くとアメリカが月に行っていないってばれちゃうから、衛星で監視しているのよ。きっとミサイルなんかを向けて脅《おど》しているんだと思うわ。北方四島を賭けたっていいんだから」

『北方四島を賭けたっていい』。

これは、ユーリヤの口癖の一つだった。

僕と二人きりの時にしか絶対に口にしなかった。

「前にね、お母さんの前でこれを言ったら——北方四島を賭けたっていいって話したら、すごい怒られたの。ほっぺを打《ぶ》たれちゃって、その後でお母さんは泣きだしちゃった。お父さんにも怒られて、とっても参っちゃったんだから。ほんと、やれやれだわ」

ユーリヤは何でもないって調子でさらっと言っていたけれど、その声と小さな体は少しだけ震えていた。

その時の僕は北方四島が何かってことよりも、ユーリヤが叩《たた》かれたってことに驚いてしまい、その意味を深く考えたりはしなかった。

あの優しいユーリヤのお母さんが怒ったり泣いたりするなんてことが、僕には信じられなかったから。だからそれ以上、北方四島なんていう高いところから落とした雫《しずく》が飛び散って、さらに遠くまで飛び跳ねてできたみたいな小さな島については、考える余裕や興味すらなかった。それを考えるようになった時には、僕たちの間には越えられない国境線が引かれてしまっていたんだ。

あの頃から——僕と出会う以前から、ユーリヤの興味や好奇心の全ては宇宙に向かっていた。推力全開で大気圏を突破しようとするスペースシャトルみたいに、彼女はまっすぐに月へと向かっていった。

ユーリヤの父親がＪＡＸＡ――宇宙航空研究開発機構――で働いていて、物心つく前から宇宙についての話を聞かされていたからというのが、彼女が宇宙に行きたがることの大きな理由の一つだったんだけれど、もちろんそれだけじゃなかった。

それに気がつけたのは、もっとずっと後になってから。ユーリヤを暗くて冷たい宇宙空間に置き去りにしてしまってからだった。

僕らの小さな頃って、もう子供たちは宇宙とか自然の神秘みたいなものにはあまり興味がなかったんだ。だって、おもしろいことならいくらでも周りに溢《あふ》れていたから。

でも、僕はどうしてだろう？

ユーリヤの語る宇宙の話にすごく興味を惹《ひ》かれたんだ。

彼女の今にも爆発しそうな情熱はすぐに僕にも伝わって、それは僕の情熱にもなった。

ロケットのエンジンは二つ。

推力は二倍。

月へ向かう宇宙飛行士は――二人になった。

3　外国の女の子

僕とユーリヤは、いつも宇宙の話をして盛り上がった。同じ小学校に通っていたので登下校の最中も、休み時間にも、時には授業中にだって宇宙の話をした。休みの日も、公園で遊んでいても、音楽を聴いていても、僕たちはどうやったら月に行ってアメリカの陰謀を暴いてやれるのかってことを夢中で考えた。

ユーリヤはクラスの中でも人気者だった。変わった容姿をした外国の女の子――本当はハーフで半分は日本人なんだけれど、そんな細かいことを気にする子供はいなかった。

宇宙に詳しくて、みんなが知らないことをたくさん知っている勝気でおませな女の子。人懐っこい性格で誰とでも仲良くなれたから、男の子にも女の子にも人気があった。プライドが高いところが玉《たま》に瑕《きず》だったけれど。

ユーリヤもまんざらでもないって顔をして得意げだった。男の子の半分はユーリヤに恋をしていたんじゃないかって思う。

何よりみんなの注目を集めたのは、ユーリヤが名乗る彼女だけの特別な名前だった。ユーリヤは父親方の藤堂《とうどう》って苗字《みょうじ》だったんだけど――彼女は自己紹介の時に、絶対に藤堂って名乗ったりはしなかった。

「ユーリヤ・アレクセーエヴナ・ガガーリナよ」

澄ました感じで少しお高くとまっているのが、ユーリヤ流の自己紹介の仕方だった。

クラスの子供たちは初めて知る外国の言葉に驚き、そして興味津々だった。外国の言葉をもっと教えてほしいってお願いをしたり、自分の名前もロシア語にしてほしいなんてクラスメイトがダース単位で、百人以上は殺到したんじゃないかって思う。冗談抜きで。

そんな時のユーリヤは、まるでクラスの女王さまみたいだった。

だけど、ユーリヤ自身は母親の国の言葉であるロシア語をそれほど上手に話せるわけでも、理解していわけでもなくて――そのことを心の中では苦々しく、悔しく思っていた。そして、それが露呈してしまうことをひどく恐れていた。僕と二人きりでいる時なんかには、こっそりとロシア語の辞書を読んで勉強したりしていた。

「もうこの辞書、百万回くらい読んで内容なんて全部知っているんだけれど、言葉は正確な方がクラスのみんなも喜ぶでしょう？　だから仕方なく復習してるの」

これが彼女のもっぱらの言い草。この台詞《せりふ》を僕は百万回くらい聞いたと思う。

母親にこっそりと自分の知らない言葉や単語を尋ねたりもしていて、それをすぐに僕の前で披露するものだから、ユーリヤがロシア語に不慣れで、それを必死で隠しているなんてことはすぐに気がついた。だけど、僕はそのことを絶対に口にしたりしなかった。徹底的に気がついていないふりをした。

それに、ユーリヤは生まれつき体が弱く、体育は毎回見学していた。プールにも入らなかったし、長い間日差しを浴びているのもよくないってお医者さんに言われていた。だから僕がたまに体育で活躍すると、ユーリヤはいつも唇をつんと尖《とが》らせて不機嫌になった。水を浴びせられた猫のように癇癪《かんしゃく》を起こしたんだ。そうなったユーリヤは本当に手がつけられなくて、僕は毎回鳩《はと》が豆鉄砲を食ったみたいになった。

「私のスプートニクなんだから私よりも速く走っちゃダメだし、私より運動ができてもダメなの」

「そんなあ」

「いい？　スプートニクはいつだって私の後ろを追ってこなくちゃいけないんだから」

それはとても無茶苦茶な言い草なんだけど、あの頃の僕は本気でユーリヤよりも速く走ったり、運動ができたりしちゃいけないんだって思っていた。だから僕もユーリヤと同じように体育を見学できたり、彼女と同じくらい体が弱ければよかったのにって本気で考えていた。本当に子供っぽい話なんだけどね。

一度癇癪《かんしゃく》を起こしたユーリヤは、なかなか機嫌を直してくれなかった。声をかけても返事をせず、僕の顔をろくに見てもくれなかった。僕はあてもなく歩き続けるユーリヤの背中を無言で追うことしかできず、無言を貫き通す彼女の機嫌が直るまで、必死に一時間でも二時間でも待たなければいけなかった。ただひたすらに。嵐が過ぎ去るのを待つみたいに。

そんな時のユーリヤの背中は、いつも弱々しく震えていた。振り返った時、そこに僕がいなかったらどうしようって怯《おび》えているのが、幼い僕にも痛いほど伝わってきた。だから、ユーリヤの嵐が過ぎ去って彼女が振り返った時に見せてくれるほっと安心したような表情ととびきりの笑顔が、僕はたまらなく嬉《うれ》しかった。

ユーリヤのその笑顔が見られるなら、僕は何時間だってユーリヤの背中を追いかけて——何十日間、何百日間、その小さな背中を眺めていたってかまわないんだって、本気で思っていた。

ユーリヤの家ではよく映画を観た。音楽も聴いた。二人で同じ本を読んだりもした。たまに公園に出かけたりもした。ユーリヤのお気に入りの音楽は——マイ・フェイヴァリット・シングスは『フライ・ミー・トゥー・ザ・ムーン』だった。

『フライ・ミー・トゥー・ザ・ムーン』はジャズのスタンダードナンバーの一つで、『私を月につれて行って』という意味の曲。『アポロ計画』の真っただ中に流行した一曲で、人類がはじめて月を目指した時代のテーマソングだという。実際、アポロ10号と11号には『フライ・ミー・トゥー・

ザ・ムーン』のテープが持ち込まれた。

この頃の僕にはただの古い曲としか思えず、何がいいのかさっぱり分からなかった。ユーリヤだってジャズの良さなんてこれっぽっちも分かっていなかったと思うんだけど、大人ぶってそんなセレクトをして僕を驚かせた。

ユーリヤが口ずさむ『フライ・ミー・トゥー・ザ・ムーン』が、僕は大好きだった。

映画はＳＦを観ることが多かったんだけれど、ユーリヤの好みはかなり偏っていた。男の子として成長して過激になっていく僕の趣味とはだいぶ隔たりがあり、退屈なものが多かった。

ユーリヤは人間同士が宇宙で争ったり、戦争をしたりしない物語が好きだった。『Ｅ．Ｔ．』『コンタクト』『未知との遭遇』『２００１年宇宙の旅』あたり。争いや戦争のようなものがあるにしても、人類どうしが協力して地球侵略を目論《もくろ》む宇宙人に対抗する、そんな映画を好んだ。『インデペンデンス・デイ』『宇宙戦争』あたり。『スター・ウォーズ』みたいに、知性のある者どうしが宇宙で戦争を繰り広げるような映画は大嫌いだった。日本のロボットアニメを、心の底から軽蔑していた。

そういった類の映画やアニメを、僕は自分の家でこっそりと観てユーリヤには内緒にしていた。

「宇宙に出てまで人が争うなんてナンセンスよ」

お互いの好みについて徹底的に討論をした時に、ユーリヤは憤慨しながら言った。

「だって、宇宙には国境なんてないのよ。宗教もないし、肌の色の違いだってないし――神さまだっていないんだから。それなのに、このせまっ苦しい地球の下らないあれやこれやを宇宙まで持ち上げたり、引っ張っていったりしてどうしようっていうのよ？　本当に想像力の欠片《かけら》もないんだから」

「でも、ライトセーバーとかかっこいいよ」

この時の僕は、初めて観た『スター・ウォーズ』のすごさに感動して負けじと言い返した。

「僕もジェダイの騎士になってフォースが使えたらいいのになあ。フォースと共にあらんことを」

「バッカみたい。ダークサイドに堕《お》ちちゃえ」

「それにロボットとかも操縦してみたいなあ。単機で大気圏再突入するとか、かっこいいし」

「ぜんっぜんかっこよくないし、魂を重力に引かれているだけだわ。そんな奴らは、重力井戸の底に沈んでればいいのよ。男の子って本当に子供なんだから」

ユーリヤは不機嫌になってそっぽを向いてしまった。

「それに、宇宙は静かじゃなきゃダメなの。平和じゃなきゃ——ぜったいにダメなんだから」

そう言ったユーリヤの言葉はどこか切実で、どことなく何かにすがりつくみたいだった。ユーリヤの心の中の空と宇宙に、少しずつ暗い影みたいなものが差し込んでいて——彼女の心の中を曇らせはじめていたことに、幼すぎた僕は気づけないでいた。

4 無重力

小学校の高学年になって中学入学を目前に控えると、僕とユーリヤの関係はどんどん複雑になっていった。僕たちの関係がというよりも、僕たち自身が複雑になっていったんじゃないかって思う。

この頃になると、ユーリヤはもうアポロ11号のインチキやアメリカの陰謀の話なんてしなくなり、もっと実用的で専門的な宇宙についての知識を学び始めていた。ユーリヤはどんどんと尖《とが》っていき、先鋭的になっていった。とにかく先へ先へと、未知の空間に向かって突き進み——切り開いているように見えた。

僕はというと、日に日に増していくユーリヤの情熱と、それがもたらす推力に半ばついて行けずに、しがみついているだけで精一杯という始末だった。宇宙飛行士としては完全に失格で、スプートニクとしてはボロボロだったけれど、僕はまだ、かろうじてユーリヤの背中にしがみついていた。人類史上初の人工衛星となった実際のスプートニク1号は、宇宙空間に打ち上げられた後——五十七日目に大気圏に再突入して消滅した。スプートニクとしては、がんばっているほうだと思う。

それに、小学校の高学年にもなって女の子と登下校をしたり、女の子の背中にくっついて歩いているというのは、なかなか恥ずかしいことだったりする。そのことでクラスメイトから冷やかしを受けたり、からかわれたり、時にはいじめられたりと情けない思いをすることも多かった。

ユーリヤも、今まではクラスメイトたちに自然に溶け込み、馴染《なじ》めていたはずなのに、だんだんとそれができなくなっていた。ユーリヤの大人ぶった澄ました態度は、ときおりクラスの女子から反感を買うようになった。これまで一緒に過ごしていた女の子グループから除《の》け者にされたり、心無いあてこすりを受けたりと、少しずつ距離を置かれはじめた。

ユーリヤ自身はそれを取るに足りない、まるでどうでもいいことのようにあしらい、必死に気にしていないふりをしていた。そんな態度がまた反感を買って、不毛な繰り返しにはまっていた。

「もう少しクラスに溶け込んだほうがいいんじゃない？」

「溶け込んでどうするのよ？　にっこり笑って心にもないおべっかでも使えっていうの」

「仲良くすればいいんだよ」

「今より余計に反感を買うだけよ。私のぜんぶが気に入らないんだから」

「もう少しみんなに合わせてみるとかして、つんけんしたり澄ましたりするのはやめたほうがいいんじゃないかって思うよ」

僕が彼女のことを心配してそんな提案をすると、ユーリヤは毎回癇癪《かんしゃく》を起こして激怒した。でも、僕はめげずに声をかけ続けた。ピタリと閉じてしまった固い扉を叩《たた》き続けるみたいに。

だけど、その怒りがある境界線を越えた時、ユーリヤは突然金切り声を上げた。泣き叫ぶみたいに。そして、いつも以上に興奮して捲《まく》し立てた。

「うるさい。うるさい。うるさい。うるさい。うるさい。うるさいのよっ」

それは、彼女の踏み入れてはいけない領域に足を踏み入れてしまった――そんな激怒のしかたと、拒絶のしかただった。

「どうして私が、あんな子供っぽいクラスメイトたちに合わせなきゃいけないのよ？　私がみんなと違う目の色をしているからなんだっていうの？　私がみんなと違う肌の色をしてるからなんだっていうの？　私がロシア人だったら――ねぇ、なんだっていうのよ？　本当に下らない、みんな子供なのよ。バカみたい」

僕はその時はじめて、ユーリヤが自分のことをロシア人と言ったのを耳にしたと思う。ユーリヤが発したそのロシア人という言葉は、とても冷たかった。その場の空気や僕だけでなく、自分自身をも凍りつかせてしまうみたいに。まるでユーリヤが、どこか遠い場所に――飛び散った雫《しずく》の先の、寒く閉ざされた誰の声も届かないどこかに行ってしまうんじゃないかって、僕はものすごく不安になった。

そんなふうに、一度なにかがちぐはぐになって、こんがらがってしまうと、それを元通りにすることは無理なんじゃないかって思えた。僕たちは複雑に絡まってこんがらがってしまったんだってことを、その時、僕は嫌というほど思い知らされた。一度絡まってしまった糸を解こうとしても、それは余計に絡まってしまうんだってことを。

それは、もう二度と解けない類の——二度と元には戻らない類の絡まりかただった。そんな複雑な状況に入り込んでしまった僕は、どうしたらいいのかわからないまま日々を過ごした。

そして、小学六年生の最後の運動会で——百メートル走を全力で走ろうって、漠然と思いついた。ユーリヤに内緒で、毎日放課後に一人で練習をしたりして、とにかく速く走るんだって——何度も何度も自分に言い聞かせた。いろいろうまくいかないこと、ちぐはぐなこと、こんがらがってしまったことを、僕は忘れたかったんだと——そんな下らないことの全てを振り切りたかったんだと思う。

そして、もう一度ユーリヤの背中に追いつきたかった。

だから、全力で走ろうって思ったんだ。

ピストルの音が鳴って駆けだした僕は、ユーリヤと出会ってからはじめて全力で走った。もしかしたら、生まれてはじめて全速力で走ったのかもしれない。

全速力で走るトラックは、何だか特別な場所に思えた。足と腕は勝手に動いた。体中の筋肉は考える必要もなく全身をコントロールした。自分がどうやって走っているのかなんてぜんぜんわからないんだけれど、それはとても自然な動きで、とてもスムーズな動作だった。

僕の体は、前に前にと進んで行った。トラックを駆け抜ける僕の体は信じられないくらい軽くて、まるで無重力空間を——月の上を自由に飛び跳ねているような気さえした。それは、とても心地よい一瞬だった。

　ゴールテープを切った後、弾《はじ》けそうな心臓を押さえ込むように大きく肩で息をした。流れる汗が滴《したた》って足下に水たまりをつくっていた。

　そんな一瞬のできごとの後の景色を感じた時、僕は不意に気が付いたんだ。

　ああ、僕は大きくなっていたんだなって。

　きっともう今の場所には留《とど》まっていられないほどに、僕は大きく成長していたんだなってことに。今までユーリヤと同じように、まるで双子のように一緒に成長してきた僕の小さかった体が、ユーリヤよりも一回り大きくなっていたんだなってことに――僕ははじめて気がついて、それを自覚した。それは、とても悲しいことだった。僕とユーリヤのその差が、まるで僕と彼女を隔ててしまう大きな壁のように思えてしまったから。僕とユーリヤの間に、大きな壁ができてしまうような――その壁が少しずつ高くなっていくような、そんな気がしたから。

　僕たちを隔ててしまう大きな壁が。

　それを僕よりも感じていたのは、間違いなくユーリヤのほうだったと思う。

　一等賞の金メダルを手にした僕は、運動会を見学しているユーリヤに一秒でも早く会いたくて駆けだした。ユーリヤとの距離を少しでも縮めたくて、僕たちを隔てる壁を今すぐ乗り越えたくて、とにかく僕はユーリヤのところに急いだ。

　見学席に一人でぽつんと座っていたユーリヤは、僕の顔を見てすぐにそっぽを向いた。賑《にぎ》やかなお祭りの中、一人輪の外にいるユーリヤの姿が僕の胸を強く打った。彼女のほうは心細そうな表情を見せまいと体中を強張《こわば》らせて、何かに耐えるみたいに全身の筋肉に力を入れていた。ユーリヤの機嫌が悪いなんてことは、見るまでもなく分かっていた。そんなことは手に取るように分かっていたんだ。

だからユーリヤの機嫌が直るまで、彼女の隣に座って彼女の小さな背中を眺めているのが、僕たちのいつものやり方だった。そのはずだったんだ。

だけど、生まれてはじめて手にした金メダルの喜びに興奮していた僕は、我慢できずにユーリヤに声をかけた。僕は、自分の中から溢《あふ》れ出すたくさんのものを抑えきれずにいたんだ。

ユーリヤに話したくてしかたなかった。聞いてほしくてたまらなかったんだと思う。

「ねぇ、僕の走り見てくれた？」

僕の弾む声を聞いても、ユーリヤは背中を向けたまま。

「僕、一位だったんだよ」

そんな背中に、僕はめげずに声をかける。弱々しく震える背中に。

「ユーリヤ、ほら見てよ。金メダル。僕、金メダルをもらったんだ」

僕の言葉を聞き終わらないうちに振り返ったユーリヤの灰色の瞳には、何だか得体のしれないものが渦巻いていた。僕はその深い井戸の底みたいな瞳にからめ捕られて、一瞬のうちに呑《の》み込まれてしまった。その揺れる二つの瞳に込められた感情は、複雑な斑《まだら》を描いていた。まるで嵐のように。

僕にはユーリヤが怒っているのか、悲しんでいるのか、嫉妬しているのか、それとも泣きたいのか、叫びたいのか――まるで分からなかった。ユーリヤ自身も、自分の感情をどう扱っていいのか分からずにいるみたいだった。まるで自分自身を喪失してしまったみたいに。それに、ひどく混乱もしていた。

「なによ、こんなもの――」

ユーリヤは僕が手に持っていた金メダルを勢いよくひったくると、それをおもいきり地面に叩《たた》きつけた。僕は突然のことに驚いて何も言えず、ユーリヤは一瞬「どうしよう?」って表情を浮かべたけれど――もう後には引けないんだって感じで唇をつんと尖《とが》らせた。

「こんなの、ただの紙でつくったガラクタじゃない。それにたかが百メートル走なんかで一位になったのが、そんなに嬉《うれ》しいの? ほんと子供なんだから。バカみたい」

「そんな言いかたしなくたって。僕はこの金メダルを――」

「本当のことでしょう? そんなことをわざわざ私に話しにきたんだ? 全然興味ないんだから」

「でも、一生懸命走ったんだよ? それに、ユーリヤに――」

「たかが運動会くらいではしゃいでバカみたい。ほら、みんなのところに戻りなさいよ」

ユーリヤは意地悪くそう言うとつんとそっぽを向いた。

僕はその時、どうしてだか自分を抑えきれずにいた。

「ユーリヤなんか、いつも体育を見学してろくに走れもしないじゃないか?」

「なんですって?」

僕の言葉に、ユーリヤは目を見開いて言った。

その表情は明らかに混乱していて、後に続ける言葉がなかなか出てこないようだった。何度か口元を震わせたあと、ユーリヤはまくし立てる。

「べっ、べつに体育なんて出たくないわよ。走りたくなんてぜんぜんないんだから。そんなのちっともおもしろくないし、意味なんてまるでないじゃない? それより、あなたは私のスプートニクなんだから、私よりも先に行ったらダメだって――私よりも速く走ったらダメだって、約束したじゃない」

金切り声を上げたユーリヤの灰色の瞳は滲《にじ》んでいた。声はこれ以上ないくらいに震えて、とても弱々しかった。そんなユーリヤの表情を見てしまったら僕は溢《あふ》れ出す興奮を抑えきれず、名前の分からない感情に歯止めが利かなくなっていた。

「スプートニクって、まだそんなことを言ってるのかよ？」

「え？」

ユーリヤの表情が一瞬で凍りつく。その後で、彼女の線の細い体がバラバラになってしまいそうなくらい震えた。まるで氷の塊《かたまり》を大きなトンカチで叩き割ってしまったみたいに。

そんな青ざめた表情のユーリヤを見た僕は、どうしてかユーリヤに勝った気になっていた。そして自分の感情をどう扱っていいのかも分からず、興奮のままに身を委《ゆだ》ねてしまった。大きな感情の波に身を任せるみたいに。

「スプートニクなんて知らないよ。もう、僕のほうがユーリヤよりも速く走れるんだ。僕のほうがユーリヤよりも先に行ける。僕はもう、ユーリヤのスプートニクなんかじゃない」

僕はとても意地が悪くなっていた。興奮のままに、激しい感情に身を委ねていたはずなのに――僕の心は凍りついて、そして砕けてどこかに飛び散ってしまったみたいだった。

僕たちが必死になって積み上げてきた、築き上げてきた宇宙へ向かうための懸け橋は、そこで完全に壊れてしまった。二度と元に戻せないほど粉々に。

そして、離れていってしまうものに――バラバラになってしまうものに手を伸ばせるだけの勇気と誠意が、あの頃の僕にはなかった。

大声で泣きだし、来賓席《らいひんせき》の方に向かって駆けていくユーリヤの小さな背中を、僕はただ呆然《ぼうぜん》と見送ることしかできなかった。あんなに早く走れたのに、一等賞を取ったのに——僕はあの時、ただの一歩も前に進むことができなかった。ただの一歩も、ユーリヤに向かって踏み出すことができなかったんだ。

「なんだよ。逃げ出して。ユーリヤのほうが子供じゃないか。僕は知らないから」

地面に転がっている金メダルを拾い上げた時、僕はどうしてユーリヤに一秒でも早く会いたかったのか、何をユーリヤに聞いてほしかったのか、その理由をようやく思い出した。

一等賞になりたかったんじゃない。

速く走りたかったわけじゃない。

そんなことどうでもよかった。

ただ、この金メダルをユーリヤにあげたかったんだ。

満月みたいなこの金メダルを。

5　ユーリイ・アレクセーエヴィチ・ガガーリン

中学生になると、僕とユーリヤは会話すらしなくなっていた。同じ中学校に通って、同じクラスにいるのに――もう一緒に登下校をしたり、休みの日に彼女の家に遊びに行ったり、二人で宇宙の話をして盛り上がったりなんてことは一度もなかった。そんなふうに二人で過ごしていたことが嘘《うそ》みたいだった。何万光年も離れた場所で起きた遥《はる》か彼方《かなた》のできごとのように。

結局、それからユーリヤと一緒に登下校をすることも、休みの日に二人で遊ぶことも二度となかった。

ユーリヤは中学生になると今までよりもどんどん大人っぽくなって、見違えるように綺麗《きれい》になっていった。これまでだって誰の目にも留まるほどに可愛かったけれど、女の子でなくて女性になっていく、そんな感じの変わりかただった。

中学校でユーリヤが話題になることもしばしばあった。彼女と家が近くて、小学生の頃は仲が良かった僕に――「あの子、紹介しろよ」「携帯電話の番号教えろよ」「こんどユリヤちゃんも誘ってみんなで遊びに行こうぜ」なんて言ってくる男子生徒がダース単位でいたけど、僕は適当なことを言ってはぐらかした。そんな時、僕の胸はいつも痛んだ。

僕はどんどん綺麗になっていくユーリヤを見るのが、いつの間にかつらくなっていた。ユーリヤは成長すればするほどに、綺麗になればなるほどに――どんどん孤独になって、人を寄せ付けなくなっていった。

彼女はいつも一人でいたし、必要最低限の人付き合いしかしなかった。厚い氷が張ったような灰色の瞳は他人との関わりを否定し、長い冬が訪れたみたいに冷たい表情と白い肌は、友人というものを徹底的に拒絶しているみたいだった。感情をおもてに出さない態度は「自分の隣には誰も必要ありません」というスタンスを、完璧に貫き通していた。

だけど、どうしてだろう？

遠くから眺めることしかできない僕の目には——ユーリヤの背中が以前よりも小さく見えた。それにとても弱々しく。まるで寒さの中で凍《こご》えているみたいに。

中学生になってもユーリヤは体育の授業を休んでいた。たまに授業に出ても、すぐに疲れて休憩をしていた。一度授業中に彼女が倒れたと聞いた時は、気が気じゃなくてどうにかなりそうだった。

校庭の隅で一人ぽつんと座っているユーリヤは、まるで中身のないマトリョーシカのように見えた。いつも同じ顔をしたマトリョーシカ。でも、それはとても孤独で空っぽなマトリョーシカ。

ユーリヤは、もうあの自己紹介をしなくなっていた。


ユーリヤ・アレクセーエヴナ・ガガーリナ。


ユーリヤが自分自身につけた素敵な名前。僕が大好きだった彼女の名前を、ユーリヤは——藤堂ユリヤは名乗らなかった。彼女は完璧な日本語でしっかりと藤堂ユリヤと、本名で自己紹介をするようになっていた。その名前を名乗る時の彼女は感情を失ってしまったみたいに無表情で、まるで氷でできた仮面をかぶっているみたいだった。

彼女は藤堂ユリヤという氷の仮面をかぶることによって、ユーリヤ・アレクセーエヴナ・ガガーリナだった時の記憶や感情を、思い出や情熱を消し去っているみたいに見えた。長い冬の中、冷たい氷の中に自分を閉じ込めて、ユーリヤ・アレクセーエヴナ・ガガーリナを忘れ去っているんじゃないかって。

僕と過ごした思い出と共に。

『ユーリヤ・アレクセーエヴナ・ガガーリナ』。

彼女が自分に与えたその名前の意味を、この頃の僕はもうとっくに知っていた。

ユーリイ・アレクセーエヴィチ・ガガーリン。

それは、世界ではじめて宇宙に行ったロシア人宇宙飛行士の名前だった。

ボストーク1号に乗った偉大なる宇宙飛行士。

彼女がどれだけの思いや願いを込めて、その宇宙飛行士に自分自身を重ねていたのか、それは僕には分からない。だけどそう名乗らなくなった藤堂ユリヤは、もう全ての情熱を——月へ向かうためのエネルギーの全てを失っているようにさえ見えた。暗くて冷たい宇宙空間で一人、ただただ地球の周りを漂い続ける宇宙ゴミ——デブリみたいに。

そして中学二年生になると、僕たちは別々のクラスになった。それで、そんな胸の痛くなる彼女の姿を眺めることも少なくなり、僕も彼女のことをあんまり考えないようになっていった。それは長い冬の間に忘れ去られ、訪れては移ろっていく季節に流されていくみたいだった。

新しいいろいろなものが、どんどんと僕の中に入り込んでくる。新しいいろいろなものがどんどんと僕の中に重なり、積み上がっていく。幼い頃の思い出だったり、抱いた感情だったり、そこで交わした大切な言葉や約束の数々が少しずつ埋もれていき、新しい記憶や思い出の中に消えていく。それに苛立《いらだ》ち、それを寂しく思いながらも、僕にはどうすることもできず、何をすることもできなかった。手を伸ばすことも、耳をかたむけることも、振り返ることも、何一つ。ただ新しい自分と、新しい日常に流されるだけの日々が続いていく。そんな無為な毎日を、僕は過ごしたんだ。

僕とユーリヤは、引かれてしまった国境線のこちら側と向こう側にいた。そして、国境線に背を向けて——お互いに背中を向けて歩き出していた。

6　月の金貨

中学三年生の冬。僕たちは、一度だけ長く会話をしたことがあった。

高校受験を目前に控えたナーバスな時期で、僕は今までの自堕落だった生活を改め、何とか希望する都立高校に入学したくて、遅すぎる巻き返しを図っていた。僕は中学三年生になってから塾に通うようになっていて、それはその塾の帰り道のできごと。

長い坂道を上ろうとするところで、街灯の下にぽつんと立って夜空を見上げているユーリヤを僕は見つけたんだ。百メートルくらい手前から——たぶん、もっとずっと前から、その小さな背中がユーリヤだってことに、僕は気づいていたと思う。まるで北の孤島に一人で取り残されたような彼女の姿が、僕の胸を強く打った。それは、とても久しぶりに感じる現実感のある痛みだった。とてもソリッドで重みのある痛み。

なんとなく嘘《うそ》くさく、薄っぺらな毎日を過ごしていたあの頃の僕には、その痛みがとても懐かしく感じられた。

ユーリヤは、近づいてくる自転車の音に気がついて振り返った。僕たちは、お互いに目を合わせた。二つの星がそっと近づくみたいに。

ユーリヤは少し驚いたような顔をした後、ほっと安心したように表情を緩めた。そして、穏やかににっこりと笑ってくれた。ユーリヤのその表情を見た瞬間に、なんだかいろいろなものがゆっくりと溶けていくような気がした。だから、僕は自然と自転車のブレーキに力を込めた。

「なにをやってるの？」

「夜空を見ていたの。今夜は満月でしょう？」

「そういえばそうだね」

僕たちは二人して夜空の月を眺めた。なんだかその再会は、お互いの引力にもう一度引かれ合った、そんな感じの再会のしかただった。そんな月の見上げかた。

「ねぇ、久しぶりに宇宙公園に行ってみない？」

「私も、なんだか宇宙公園に行きたいなって思ってた」

意を決した僕の提案に、ユーリヤは微笑を浮かべて同意してくれた。

「じゃあ、自転車の後ろに乗って」

「私、スカートなんだけど、大丈夫かな？」

ユーリヤは、青いハイネックのセーターに黒のダッフルコート。膝下丈の裾《すそ》の広がったスカートに、黒いタイツとブーツをはいていた。それは、とても特別な服装に見えた。やっぱり僕よりも二つか三つくらい齢の離れたお姉さんに。

「大丈夫だと思うけど、心配なら歩いて行こっか？」

「二人乗りで行きましょう」

「わかった。じゃあ安全運転で行くよ」

「ううん。めいいっぱいスピードを出して。全速力よ」

僕は言われた通り全速力で自転車を走らせた。運動会の百メートル走を全速力で駆けたみたいに。それはいろいろなものを置き去りにして、いろいろなものを振り切ってしまうような——たくさんのわだかまりを振り払って、もやもやした僕たちの気持ちを吹き飛ばしてしまうような、そんな速度だった。

僕の腰に手を回してギュッとしがみついたユーリヤは、そっと『フライ・ミー・トゥー・ザ・ムーン』を歌い——くちずさんだ。だから、僕も一緒にくちずさんだ。

Fly me to the moon,
And let me play among the stars
Let me see what spring is like on Jupiter and Mars
In other words. Hold my hand!
In other words. Darling kiss me!

流れていく景色や、こぼれて夜に白い線を引く吐息が、なんとなく春の訪れと共に消えてしまう雪のように見えた。

僕たちは、どこに行くんだろう？

どこに向かって進んでいくんだろう？

そんなことを思いながら——『フライ・ミー・トゥー・ザ・ムーン』を歌ったんだ。

僕の背中で『私を月につれて行って』と静かに歌うユーリヤのその歌声はとても切実で、僕の胸の奥のレコードにいつまでも刻んでおきたくなる、そんな類の歌声だった。

宇宙公園は、僕とユーリヤの家の近くにある小さな公園。本当は別の名前があるんだけど、僕たちは勝手に宇宙公園って呼んでいた。幼い頃の僕たちは、この小さな公園をアメリカの陰謀を暴く最前線の基地に位置付けて、日々の活動に勤《いそ》しんでいた。ユーリヤから命令を受け、僕は任務についたのだ。

ブランコと砂場しかない寂しげな空間は、なんだか月の裏側みたいだった。そんな静けさが心地よかった。公園のベンチに二人で並んで座って、途中の自動販売機で買った温かいミルクティを二人で飲んだ。

「進学、どうするの？」

しばらく無言で月を眺めていると、ユーリヤが尋ねた。僕は、自分が第一志望にしている高校の話をした。すると、彼女は困ったように笑う。

「ずいぶんな高校に行くのね」

本当にずいぶんな高校だったので、僕はとても恥ずかしく、そして情けない気持ちになった。自分の自堕落さや無軌道さに憤りを覚えたのは、後にも先にもこの時だけ。

「じゃあ、ユーリヤはどこに行くんだよ？」

彼女をユーリヤと呼んですぐに、僕は「しまった」と思った。数年ぶりに口にするユーリヤという名前は、ひどく場違いな服を着て舞踏会に出る女の子みたいな響きだった。だけど、ユーリヤはそれをとても自然に、とても心地よさそうな表情で受け入れてくれた。手を取ってダンスをリードするみたいに。

僕の気持ちは途端に軽くなり、僕を縛り付けていたある種の重力がふっと消えてしまったみたいだった。

「私ね、実は引っ越すことになったの」

「え？　引っ越すってどこに？」

突然の言葉に、僕はとても驚いた。それにたぶん、ものすごく傷ついていたと思う。ようやくユーリヤとの距離が少しだけ縮まったと思った瞬間に、また遠く離れて行ってしまうなんてと。

ユーリヤはとても穏やかな表情で、言葉を続ける。

「お父さんがね、種子島《たねがしま》の宇宙センターで勤務することになったの。それで、私もついて行くことにしたの」

ユーリヤのお父さんがＪＡＸＡの職員だったことを、僕はその時思い出した。

「それって、どうしても行かなくちゃいけないの？」

絞り出した僕の声はとても弱々しくて、何かにすがりつくみたいに情けなかった。

「ううん。お父さんは東京に残ってもいいって言ってくれたんだけど、私がついて行きたいって言ったの」

「どうして？」

「種子島ってね、日本で二つしかないロケットの打ち上げをやっている島なの。それに、世界で一番きれいなロケット基地とも言われている島なのよ。大きな天体望遠鏡のある観測所もあるし。そんな宇宙の最前線に行けるなんて、とてもわくわくしない？」

ユーリヤは声を弾ませた後、頬を赤らめて僕を見た。興奮して話しすぎたことを恥ずかしがるみたいに。幼い頃とまるで変わらないユーリヤだったけれど、それでも少しだけ大人になったユーリヤが僕の隣にいた。そのことが僕は嬉《うれ》しかった。

「種子島って、すごい場所なんだね」

「そんなことも知らないんだ？」

僕の言葉に、ユーリヤは彼女のとびきりの口癖で返してくれた。

「ぜんぜん知らなかったよ。じゃあ、卒業したらすぐに引っ越すの？」

「ええ、たぶんそうなると思う。手続きとかもあるし、いろいろ準備で大変らしいから卒業式も出られないかも」

「そうなんだ」

僕は底抜けに落ちこんだけれど、それを表情や声に出さないようにした。嬉しかったり、懐かしかったり、落ち込んだりと――この時の僕の感情の変化は目まぐるしくて、まるでロケットに無理やり乗せられて、打ち上げと大気圏再突入を繰り返しているみたいだった。

「種子島の宇宙センターでは高校生のインターンを受け入れていてね、ＪＡＸＡの職員や元宇宙飛行士の人たちが授業をしてくれたりもするの。スタートラインってわけじゃないけれど——本格的に宇宙開発を学ぶには、打ってつけの環境かなって思うわ」

「スタートラインって——宇宙飛行士の？」

ユーリヤは、月を見上げた。

「当然でしょ？　アームストロングっていう嘘《うそ》っぱちの次に月に立つのは——この私なんだから。北方四島を賭けたっていいわ」

彼女はさも当然といった感じで言った後、思い出したようにくすくすと笑った。僕もつられて笑った。ユーリヤのその話しかたも、仕草も、表情も、口癖も——ぜんぶが幼い頃のユーリヤそのままだった。

彼女が幼い頃を、僕たちの距離が一番近かった頃を思い出しながら話をしているのが、手に取るようにわかった。触れあった肩を通して、ユーリヤの感情や温《ぬく》もりが流れ込んでくる。

僕たちは必死に思い出をなぞりながら、離れていた時間を埋めようとした。遠く離れていた距離を縮めるんだと、そんな気持ちになっていたんだと思う。

この年の頃になれば、もう北方四島なんていうデリケートな問題で笑ったりしてはいけないんだって当然わかっていた。どうしてユーリヤの母親が彼女の頬を叩《たた》いて泣いたのかだってわかっていたけれど、今この瞬間だけは北方四島を賭けて話したっていいだろうって気持ちになっていた。

それから僕たちは、久しぶりに宇宙の話をした。話をしたといっても、宇宙について語ったのはユーリヤだけで、僕は幼い頃のように彼女の話に耳を傾けて——その言葉に夢中になるだけ。

でも、それがよかったんだ。

それでよかった。

「——前世紀の有人宇宙飛行や月面着陸っていうと、冷戦構造の最中にお互いの国の威信をかけて行われていたでしょう？　ロケットの開発、衛星の打ち上げ、有人宇宙飛行、どれもただ一番乗りを目指して、その事実と技術をもって相手国への牽制《けんせい》とするためだけに。つまり、月面着陸っていう偉業はたんなる競争でしかなかったの」

「確かに、アメリカが月面着陸を成功させると、ロシアは月面着陸には意味がないみたいなコメントを出してたしね。行ったもん勝ちで、それに続く新しい宇宙開発はなかったね」

僕のコメントを聞いたユーリヤは、「よろしい」って感じで続きを口にする。

「そう。つまりその競争は未来への目標がなかったのよ。ただ一番乗りを目指すだけの子供っぽいものだったの」

僕は、僕たちが離ればなれになってしまったあの運動会の徒競走を思い出して胸が痛かった。

あの時、ただ一番になったことを喜んでいた僕の幼さや子供っぽさにユーリヤが機嫌を悪くしたのは、その先の未来に目標や展望のようなものがなかったからなのかもしれない、そんなふうに思った。

「だけど、今後の月面着陸には明確な目的や目標が、現実的な意味や意義が——大きな展望と人類の未来があるのよ」

ユーリヤはゴホンと喉を鳴らし、もったいつけるように間《ま》を空けた。過去を思い出している僕と違って、彼女はすでに未来だけを見ていた。それも自分だけの未来じゃなくて、人類の未来を。

「ここに大きなコップがあるとするでしょう？」

ユーリヤは指を一本だけ立てて話を続ける。

「コップの中には甘い水が入っているの。みんながその水を飲みたくて、その水で喉を潤したくてしかたがないの。アメリカ人がその水を十分の四飲んでしまう。続いてヨーロッパの人たちが、ロシア人も含めてね、その水を十分の三飲んでしまう。そして、次に日本人の私たちが、その水を十分の一飲んでしまう。コップの中に残った水は、あとどれくらいかしら？」

彼女は、まるで小さな子供に向けて授業しているみたいに尋ねた。

僕は苦笑いを浮かべて答えを口にする。

「十分の二だけ残っています」

「正解。じゃあ、その残りの水をみんなで――新興国や、これから発展する途上国も含めて、みんなで分けようって言ったらどうなるでしょう？」

「とりあえず、争いになるんじゃないかな？　みんなたくさんの水を欲しいだろうし」

これが何かの比喩《ひゆ》だってことには、ずいぶん前から気が付いていた。こうして二人並んで静かに会話をしている間も、世界のどこかでは争いが起きているってことにも。僕たちが今いる場所が争いの最前線じゃないというだけで――その争いの延長線上に、僕たちは立っているんだ。どうしようもなく。

ユーリヤは複雑な表情を浮かべて頷《うなず》いた。

「そうね。なかなかその甘い水をみんなで分け合うのは難しい。誰だって、おいしい水をたくさん飲みたいのは当たり前よね？　でもね、月を見上げてみると、そこにはもっとたくさんの甘い水があったの。星の金貨じゃなくて――まるで月の金貨が。それはね、まるで永遠にこの星に降り注ぐんじゃないかってくらいなの」

「永遠に降り注ぐ、月の金貨？」

「そう。それがヘリウム３」

「ヘリウム３？」

僕は聞きなれない言葉を繰り返した。幼い頃に、初めてスプートニクと口にしたみたいに。

「ヘリウム３はね、地球上にはほとんどないエネルギーで、それが月にはふんだんにあるの。要するに資源の採掘ね。これが、人が月へ向かう明確な目的と目標、現実的な意味や意義。それに大きな展望であり人類の未来なの」

「資源採掘が——人が月を目指す理由で、人類の未来？」

「そうよ。月の砂レゴリスには、ヘリウム３がふんだんに含まれていて、しかも今現在、世界全体で使われている電力の数千年分のエネルギーがレゴリスから得られるって、調査結果がすでに出ているのよ。もしもヘリウム３で日本全体の一年間の消費電力をまかなうなら数トンのヘリウム３があればいい。月の大きさを考えればお釣りがくるなんてものじゃなくて、使っても使っても使いきれないくらいなの」

僕とユーリヤの間に引かれてしまった国境線。それに背を向けて別々の道を歩きはじめてから、ユーリヤだけが前に進んでいたことを、僕は今この瞬間に知った。それを思い知らされた。ユーリヤがどれだけ必死になり、手の届かない夜空に手を伸ばし、その先に浮かぶ月に情熱を注ぎ続けてきたのか——僕はこの瞬間にようやく知ることができた。

ユーリヤはなにも変わっていなかった。

ユーリヤは空っぽなんかじゃなかったんだ。

僕は、今の彼女の隣にいる自分を情けなく思った。

「どう、これでも月を目指さない理由があるかしら？」

ユーリヤの灰色の瞳が昔のように、星のようにきらきらと輝いて僕をそっと照らした。夜空に浮かぶ月のように。

きれいだなって——僕は、そう思ったんだ。

「ないね」

「でしょう」

ユーリヤは誇らしげに頷《うなず》いた。

「でも、ヘリウム３ってそんなに簡単にエネルギーになったりするのかな？　地球を汚したり、放射能なんかを出したりするんじゃないのかな？」

僕が幼い頃のように疑問を口にすると、ユーリヤは立てた指を横に振ってみせる。

「実に日本人らしい疑問ね。だけど、ヘリウム３はとっても安価でクリーンなエネルギーなの。月の砂であるレゴリスを六百度以上で加熱すれば得られるし、陽子《ようし》の運動としてエネルギーを取り出せばより効率がいい。放射性廃棄物や二次的に出る放射線も、ほぼない。ヘリウム３は理想のエネルギーなのよ」

「すごいね。本当に月の金貨だ」

「そうなのよ。それに、月面着陸には現実的な意味と意義——大きな展望と、人類の未来があるって言ったでしょう？」

「うん」

「今話したのは、現実的な意味と意義のほう。大きな展望と人類の未来っていうのは、月面に発電所をつくって、そこでレゴリスを加熱してエネルギーをつくることなの。そして、そのエネルギーだけを地球に運ぶの」

そう力強く語る彼女は、すでにその未来が目前に迫っていることに胸を膨らませ、ときめかせていた。そして、今語った未来が来ることを確信していた。

「もちろん、あなたは――多くの人たちはこう考える。毎回毎回、月に宇宙船を飛ばして大丈夫なのか？　そんな費用はあるのか？　そもそも、地球の石油や石炭といった化石燃料を使い続けるのと、月でヘリウム3をつくってそれを地球に運ぶのでは、どちらが安くすむのだろうか？　それらは、我々の税金の無駄遣いじゃないだろうか？　ってね」

ユーリヤは、すでに月へ向かう宇宙飛行士のようだった。それを目前に控えて記者会見でもしているような、そんな口調と振る舞いでさえあった。

たぶん、ユーリヤはずっと想像してきたんだと思う。

自分が月へ行く姿を――

瞬間を。

未来を。

「でもこれから先の未来は、いちいち宇宙船を打ち上げて月に向けて飛ばす必要はなくなるの。十年もすれば軌道エレベーターの建設実験が行われる。さらにその数年後には、宇宙ステーションと軌道エレベーターのドッキングが行われて――地球と宇宙は一本の架け橋によって結ばれる」

ユーリヤは細い指の先で地上を――この星をなぞった後、そっと線を引くようにその指の先を夜空に向けた。何かを分かつためではなく、何かを繋《つな》ぐために優しく引かれたその線は――真っ直ぐに月を目指していた。

「そうなれば、誰もが気軽に宇宙に行ける時代が来る。そんな素敵な時代が、もうすぐそこまで来ているの。私はね、その第一歩になりたいの。人類の新しい飛躍の――第一歩に」

7　ソユーズ

「ねぇ――」

ゆっくりと立ち上がり、静かに歩きだすユーリヤ。公園の滑り台に上った彼女は、月を見上げながらこぼした。

「私ね、ずっと――ひとりぼっちだって思ったの」

震える声が、滑り台をすべって僕のところに届いた。それは長い年月をかけて――何千光年、何万光年も離れていた場所からようやく届いたような声と言葉だった。

見上げると、ユーリヤは満月を背負っていて青白い月の光を身にまとっていた。月からこぼれる銀色の雫《しずく》に縁どられた彼女は、妖精のように羽を広げて、そのまま月に飛んで行ってしまいそうに見えた。つまらない争い事や、意味も分からずに引かれすぎてしまった国境線だらけのこの星を置いて行ってしまうみたいに。

僕は、そんなユーリヤに手を伸ばそうとした。もう一度ユーリヤに手を伸ばして、彼女の言葉に耳を傾けようとした。

「私のまわりには、私とは少し違う人たちがたくさんいて――私はお母さんとも、お父さんとも少しだけ違っていたの。私はいったいなんなんだろうって、ずっと思ってた」

ユーリヤの声は心もとなくて、その言葉はさびしさや悲しさでいっぱいだった。

「だからね、私、神さまって意地悪なんだなってずっと思っていたの。だって、そうでしょう？　肌の色も違って、話す言葉も違って、考えかたも違う人たちをたくさんつくるなんて、そんなのとても意地が悪いじゃない？　そんなの私たちが言い争ったり、喧嘩《けんか》をしたりするようにつくったとしか思えないもの」

ユーリヤは、自分が子供の頃に感じていた自分と周囲との違いや、軋轢《あつれき》や、思っていたことや、内に秘めていたことを、少しずつ吐露《とろ》しはじめた。雪が解けた後に芽吹く春の草花みたいに、ユーリヤの言葉の一つ一つが僕の中に種を蒔《ま》き、根付き、芽生えていく――そんな気がした。

「でもね、そんな時、宇宙には神さまがいないって知ったの。人類ではじめて宇宙に行ったユーリイ・ガガーリンはね、宇宙に行った時、『ここに神は見当たらない』って言ったの。私は宇宙に行けばいいんだって、きっと宇宙に行けば平和なんだって、漠然と考えたの。いま思えば――ほんと子供よね？」

ユーリヤははにかみ、苦笑いを浮かべた。

それはとても胸を打つ笑顔で――おそらく、一生忘れられないたぐいの笑顔だなって思った。

「ねぇ、ソユーズって知ってる？」

とつぜん尋ねられ、僕は溢《あふ》れ出る感情のせいで胸が詰まりすぎてうまく声が出せなかった。

「ソユーズはね、本当は有人月面旅行のためにつくられた宇宙船だったの。人を乗せて月へ向かうはずだった。でも、結局は月に行けなかった」

ユーリヤはとても残念そうに、とても悲しそうに続けた。

「私ね、ずっと、私はソユーズなんだって思ってたの。結局、月に行くことができない――ひとりぼっちのソユーズなんじゃないかって。そんな不安を消し去りたくて必死だった。必死に大人ぶって、一生懸命意地を張って、自分は特別なんだって言い聞かせていた。でも、ほとんど失敗ばかり。だけど、そんなポンコツみたいな私にも、あなたが――スプートニクがいてくれた」

ユーリヤは親しみを込めて僕をスプートニクと呼んで、優しく僕を見つめた。

灰色の大きな月で僕を照らした。ユーリヤにスプートニクと呼んでもらえることが、僕にとって一番の誇りだった。僕の一番の喜びだった。そんな頃を、僕は鮮明に思い出していた。

「私は、ひとりぼっちじゃなかった。私には――私だけのスプートニクがいるんだって、そう思えるだけで私は嬉《うれ》しかったし、それだけで、私は前に進むことができた。私はずっと迷子だったけれど、少なくともひとりぼっちではなかった。それは、私にとってとても素敵なことだったの」

ユーリヤがどれだけの苦悩の末に、宇宙や月に自分の存在の意義や意味を、アイデンティティを求めたのかを、僕はこの時ようやく知ることができた。そして、それを知ることができて本当によかったと思った。

今まで複雑にこんがらがり、絡まっていたものが、そこでようやく解けたような気がした。いや、もしかしたら、それは今でもこんがらがり、絡まったままなのかもしれない。そのこんがらがり、絡まってしまったものを、ただそのまま受け入れられるようになっただけなのかもしれない。

僕は、それがどのような形でも受け入れることができるだろう。そう思った。

月を見上げるユーリヤの心の半分は——魂の片方は、すでにこの重力に縛られた星を離れて、月にあるような気がした。ユーリヤが幼い頃、はじめて宇宙と月に憧れを抱き、それを目指した瞬間に、彼女の半分はすでに月へ向かって行ってしまったんじゃないかって、そんな気がした。

「ねぇ、本当に地球って青いのかな?」

ユーリヤは尋ねた。

「本当に月って丸いのかな?」

ユーリヤは知りたがった。

「神さまって、本当にいないのかな?」

そして、ユーリヤは願った。

ここで僕がなんと答えたかは、無粋だし、まるで面白みのないものだから割愛して——記憶の奥底に留《とど》めておこうと思う。

「ねぇ、私ね——私がもしも死んじゃっても、地球のお墓には入りたくないって思うな。そうね、月にまいてほしい。なんだか、それってとても素敵じゃない? 私の一部が月で舞って、まるでダンスを踊るみたいで。だから、お願い——」

それが、この日のユーリヤの言葉。

この言葉を、僕は今でも思い出したことがない。

ひとときも忘れたことがないから。

あの日のユーリヤの言葉が、いつまでも僕の中でリフレインしていた。

宇宙公園の帰り道、ひとり夜空の下を歩きながら満月に手を伸ばしてみると、それはなんだかこの手につかめそうなくらい小さく見えた。なんだか、月がぐっと近いような気がしたんだ。

大きな満月が——あの運動会の日にユーリヤにあげることができなかった金メダルに見えた。そして、もう一度あの日の金メダルを——夜空に浮かぶ満月をユーリヤにあげることができるだろうかって思った。

この時、僕は漠然と確信したんだと思う——僕は、月へ行くんだって。ユーリヤが、ここまで僕を打ち上げてくれた。だからこの先は自分自身の力で、僕の中にある情熱と推力で、月へ向かうんだって。僕は、そんなふうに思ったんだ。

この日が、僕のはじまりの日。

僕の人生の原点。

ここから先に続いていく、月までの長い道のりの最初の一歩。その一歩はとても小さな一歩だったけれど、いずれ大きな飛躍になる、そんな確信のこもった一歩だった。そしてこの日から、『フライ・ミー・トゥー・ザ・ムーン』は僕の胸の奥で、いつだってリフレインしている。

今、この瞬間も。


私を、月へつれて行ってと。

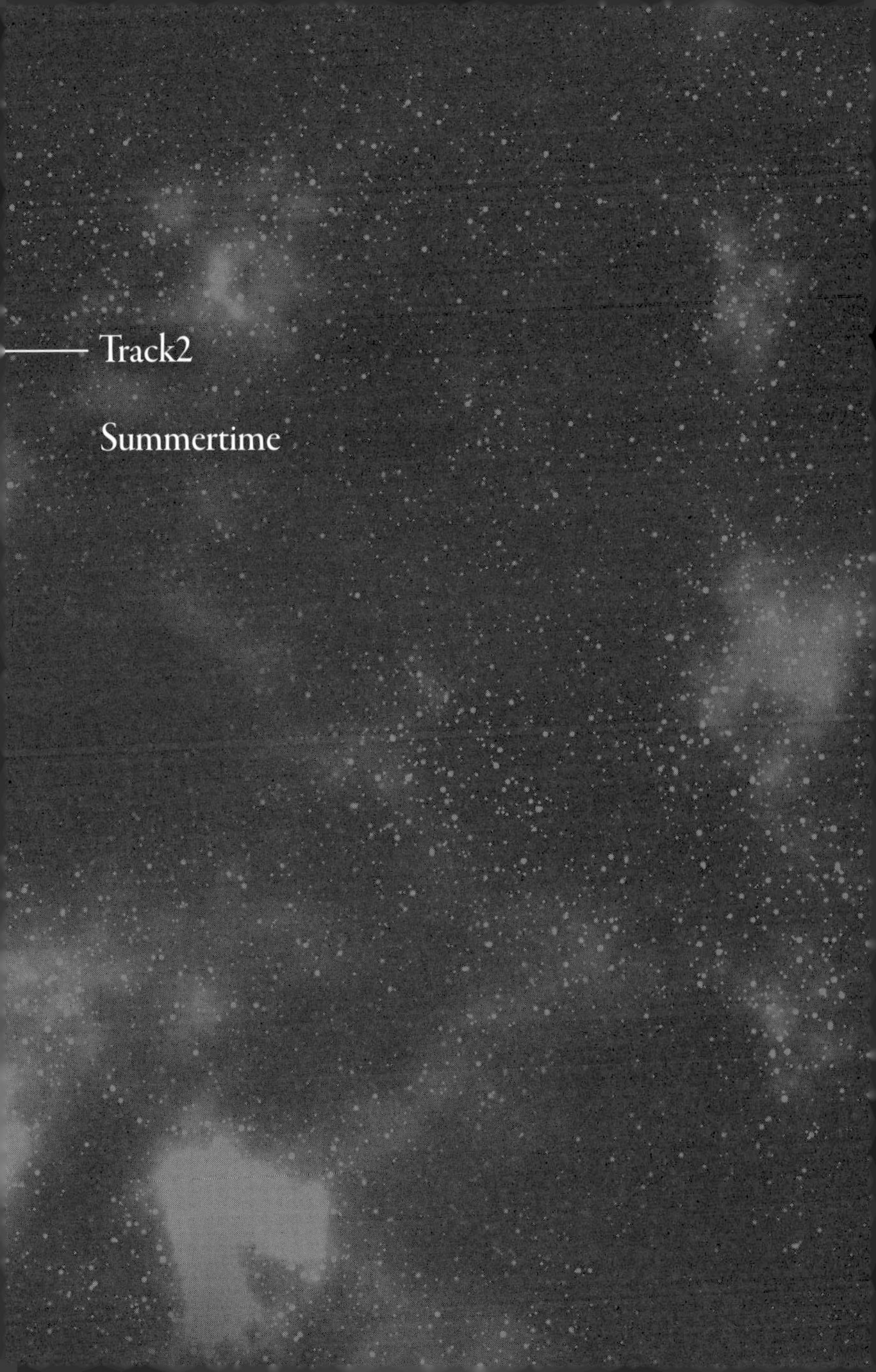

Track2

Summertime

1 38万４４００km

月までの距離を知っているだろうか？

答えは、38万４４００km。

地球を約９・６周する長さ。

時速３００キロの新幹線で約五十三日間。

宇宙船に乗りこんだとしても最低三日はかかる。

38万４４００km。

それが、地球から月までの距離。

高校生になったばかりの僕は、この六桁の数字を頭の中で何度も何度も繰り返して――僕の人生ではじめて直面したユーリヤのいない日々をやり過ごそうとした。

これまでの僕の日々や生活には、必ずユーリヤの存在があった。僕たちが疎遠になってしまった後――引かれてしまった国境線に背を向けて、別々に歩き出してしまった後でも、僕の日々や生活にはユーリヤの存在があった。

僕たちの家はご近所同士で、その距離は百メートルと離れていなかった。だから、たとえ直接言葉や会話を交わしたり目を合わせたりしなくても――そして同じ空間にいなくても、僕の身近にはユーリヤがいるんだっていう、ある種の救いのようなものがあった。でも、ユーリヤは遥《はる》か彼方《かなた》に引っ越してしまい、僕の前からいなくなってしまった。まるで、流れ星が過ぎ去ってしまったみたいに。

結局、ユーリヤは卒業式に出ることもなく、遠くの島に引っ越してしまった。別れの挨拶《あいさつ》もせず、最後に顔も合わせてくれずに、ユーリヤは僕の前からいなくなってしまったんだ。

種子島なんていう、どこにあるかも分からない島に。

なにも言わず、なにも説明せず——まるで、あの満月の夜の再会なんてなかったみたいに。そのことで僕は底抜けに落ち込んで、無性《むしょう》にやるせない気持ちになった。

地図帳を広げて、ユーリヤを連れ去った憎き小さな島を僕は何度も睨《にら》みつけた。その島には何の罪もなかったけれど、何かに当たり散らさなければ、何かに苛立《いらだ》ちをぶつけなければ、僕は正常にものを考えることもできなくなっていた。

十代の男の子であるということは、つまりそういうことなのだ。ナイーブで、センチメンタルで、傷つきやすく、感じやすい。そして常に何かに不満を抱き、何かに腹を立てている。世の中の全てに対してそんな態度をとってしまう。それが、十代の男の子というものなのだ。

だから僕は、その靴底みたいに平べったい小さな島に、とにかく腹を立てた。

種子島。

九州の鹿児島県に属し、大隅諸島《おおすみしょとう》を構成する島の一つ。

東京からほぼ千キロの距離に位置する島。

千キロ。

それまで歩いて五分、距離にしてわずか百メートルもなかった僕とユーリヤとの物理的な距離が、いっきに一万倍になってしまった。自転車で気軽に行けるような距離じゃないし、車でもほぼ丸一日かかる。飛行機で行けば二時間と少しで着くらしいけれど、往復のチケット代が二万円程度はかかる。つまり、ユーリヤはとてつもなく遠い場所に行ってしまい、僕たちはもう気軽に会えるような関係でなくなってしまったということだった。

それでも、38万4400㎞も離れた月に比べればご近所みたいなものだと、僕は何度も何度も自分に言い聞かせた。

まず、同じ星に住んでいる。月に比べれば種子島なんて三百八十分の一の距離しかない。メールや電話、手紙だってあっという間に届く。将来、宇宙飛行士になって月に行くユーリヤとの間にできる距離に比べれば、種子島なんてどうってことのない距離にあるんだと――僕は自分に言い聞かせて誤魔化した。

月までの距離を考えることで、僕はユーリヤとの現実的で物理的な距離を少しでもまぎらわせようとしたんだ。高校生になったばかりの僕は、それほど空虚で味気ない日々を過ごしていたから。

だからといって、中学生の頃みたいに無意味で無軌道な生活を送っていたわけじゃない。僕なりの計画や今後のスケジュールがあったし、僕はその計画やスケジュールに沿って少しずつ行動を開始していたんだ。高校に入学してすぐに新しい友達もたくさんできたし、新しくはじめた部活動も順調だった。アルバイトをはじめてみようという計画もあった。

それでも何かが決定的に足りないような、真っ白なパズルの最後の一ピースだけがないみたいな――そんな気持ちで日々を過ごさなければならなかった。手を伸ばすべき背中のない日々が、月のない夜空がこんなにも虚《むな》しく味気ないのかと、この時の僕は徹底的に思い知らされていたんだ。

だから、あの日――一通の手紙が僕の家のポストに入っていた時の喜びは、どんな言葉でも表すことができない。

しいて言うならば――

流れ星に手を伸ばし、それをこの手につかむことができたような、そんな感じ。

2　ユー・コピー?・&アイ・コピー

『ハロー、スプートニク。お久しぶりです』

鮮やかな青色の封筒の中には二枚の便箋《びんせん》が入っていて、その書き出しはこうだった。月と宇宙船のプリントされた可愛らしい便箋で、そこには懐かしいユーリヤの文字がびっしりと詰まっていた。

僕が何より嬉《うれ》しかったのは、ユーリヤがまだ僕のことをスプートニクと呼んでくれることだった。僕はまだユーリヤのスプートニクでいられる、彼女の背中を追っていける――そう思うだけで、それまで味気なく虚しかった僕の日々は一瞬で色づいた。

僕はもう一度あの秘密の図書館で出会った時のように、心地よい無重力を感じることができた。

『あなたに何も告げずに、お別れもしないで引っ越してしまったことを、まずは謝らせてください。ごめんなさい。なんだかめそめそした気持ちでお別れしたくないなって思ったら、どうしても言いだすことができなくて。この手紙も早く出さなくちゃって思って何度も書き直しているうちに、こんな時期になってしまいました。もう五月の半ばでしょ？　時間が経《た》つのってほんとあっという間なのね。信じられないわ。

少しだけ私の話をします。種子島での生活は思ったよりも順調です。通っている高校にも慣れてきて、新しいお友達もできました。あまり多くはないけれど。東京でうまくいかなかったことを私なりに反省して、スプートニクの意見を、まぁ少しは取り入れてみたりして、なんとかクラスにも溶け込んでいます。毎日天気が良くて過ごしやすいと言えば過ごしやすいのですが、太陽が苦手な私には少しばかり厳しかったりもします。夏は台風がたくさん上陸するらしいので、今から怖いです。

ＪＡＸＡのインターンでは、私を含めて数名の高校生と一緒に、宇宙開発について学んでいます。この手紙で私が学んだことを事細かに説明したいけれど、そうすると便箋《びんせん》が十枚あっても足りないし、あなたが目を回しそうなのでやめておくわね。こんどじっくりお話しする機会があればいいんだけれど。とまあ、今のところ私の新生活は順調と言えば順調です。

スプートニク、あなたの高校生活はどうですか？　新しいお友達はできましたか？　新しい活動ははじめましたか？　新しい発見はありましたか？　正直なところ、スプートニクが私の身近にいない生活に戸惑っています。今までなら、すぐに会える距離にあなたがいてくれて、そのことがとても心強かったんだけれど、今はこうしてやりとりを交わすのがせいいっぱい。と、ここまで書いていろいろ書きすぎているなあって少し後悔しはじめました。

私ってこんなにめそめそしていたかしら？　なんだか健気《けなげ》な女の子を演じているみたいでうんざ

りしちゃう。手紙だとダメですね。どうしてもセンチメンタルな気持ちになって、ついつい文字を書き進めてしまいます。

そこでひとつ提案なのですが、よかったらこれからはメールでやりとりをしませんか？　月に一回か二回くらい、お互いの近況を報告し合えたら、とても有意義なんじゃないかなあって思っています。もちろん、スプートニクさえよければ。私たちが幼い頃に使っていたフリーメールのアドレスに、この手紙の返事を書いてくれたらとても嬉《うれ》しいです。


スプートニク、you copy?

fromソユーズ

P.S. あなたから手紙や電話が来るんじゃないかって少し期待してたんだけど、一向に来ないから私から手紙を送りました。男の子なんだからたまにはリードしてよね？　でも、あの満月の夜に宇宙公園に誘ってくれたから今回は許してあげる』

びっしりと書きつづられたソユーズからの手紙を読み終えた僕は、泣きそうになっていた。便箋に書かれた文字が途中から滲《にじ》み始めて、その綺麗《きれい》な文字たちが魚みたいに泳いでいた。

ユーリヤから手紙が来たこともちろん嬉しかったけれど、それ以上に、ユーリヤも僕と同じ気持ちで――僕が身近にいない日々や生活に戸惑い、それを寂しく思ってくれていることが嬉しかった。僕たちは、離れていても同じ気持ちでいたんだ。たとえ、僕とユーリヤの間に千キロの距離があったとしても、僕たちの気持ちは国境線で隔てられていた頃よりも、ずっと近づいているような気さえした。

僕はすぐにノートパソコンを開いて、僕たちが幼い頃に使っていたフリーメールのアドレスを確認した。

それは、僕とユーリヤだけしか知らない秘密のアドレスだった。

二人だけの宛先。

二人だけの郵便ポスト。

お互いの両親に内緒でメールを交換していたわずかな時間を、僕はとても懐かしく思った。

高校生になった今、もう一度お互いの近況をメールで報告し合おうというユーリヤのその提案は、僕たちの関係をやり直し、それを修復していくうえで、とてもうってつけに思えた。電話でも携帯電話のメッセージアプリでもなく、ＳＮＳでもない。パソコンのメール。それも短いやり取りを交わすのではなく、月に数回お互いの近況を報告し合う。それはとてもユーリヤらしくて、僕たちらしかった。

その長い手紙は、本当にユーリヤらしさが詰まっていた。提案と言いつつも、僕がその提案に乗ることは当たり前の事実として話が進んでいる点なんか特に。もちろん、手紙の追伸には苦笑いを浮かべたけれど。

僕は昔から何かをリードするというのが苦手なのだ。たぶん、いつもユーリヤの背中ばかり追っていたからだと思う。だから、僕のリードが下手な理由の半分はユーリヤにある。

僕は、早速ユーリヤに返事を書こうとした。

メールソフトを立ち上げて、そこに言葉を打ち込もうとして思い悩んだ。僕はリードが下手であると同時に、自分のことを話すのが下手というか苦手なのだ。なんというか、自分のことを話そうとするといつも適切な言葉を見つけられずに困ってしまう。まるで、僕の中の辞書から言葉が次々と抜け落ちていくみたいに。たぶん、それは文章でも同じ。

それでも、書き出しだけは決まっていた。

『ハロー、ソユーズ。i copy』

スプートニク、you copy?

ユーリヤの手紙に綴《つづ》られていたこの言葉は、僕たちだけの特別なやり取りだった。

幼い頃に僕とユーリヤが使っていた秘密の挨拶《あいさつ》――二人で宇宙飛行士ごっこをした時に必ず使う僕たちだけの合言葉で、メールでやり取りをする時にも必ず使っていた。

『copy?』とは、無線用語で『了解したか?』を表す。『you copy?』と尋ねられたら『i copy』と――つまり『了解したよ』と返すのだ。

宇宙飛行士が無線でのやり取りに使用していることから、ある日幼いユーリヤは僕たちの合言葉に使おうと提案した。

「いい？　これから私が『ユー・コピー？』って尋ねたら、必ず『アイ・コピー』って返すのよ？

ハロー、スプートニク――ユー・コピー?」

「アイ・コピー」

ユーリヤに「ユー・コピー?」と尋ねられ、「アイ・コピー」と返すことが、僕の最大の喜びだった。僕が「アイ・コピー」と返すと、ユーリヤはいつもにっこりと笑ってくれた。

僕たちは、たどたどしい英語で何度もその合言葉を繰り返したんだ。

だから、ユーリヤがそのことを覚えていてくれたことが嬉《うれ》しかった。新しい環境ではじまった僕たちの新しい関係にも、その特別な挨拶《あいさつ》を使おうと提案してくれていることが、僕はたまらなく嬉しかった。

それから、僕は数日かけてユーリヤに送るメール――手紙を書きあげた。


『ハロー、ソユーズ。i copy』

もちろん、出だしはこうだ。

「了解したよ」と、まずは綴《つづ》った。

『まずは手紙ありがとう。お久しぶりです。あと、僕のほうから連絡できなくてごめん。ユーリヤが突然いなくなったことに戸惑って、正直どうしたらいいのか分からないでいたんだ。僕にとっても、ユーリヤが身近にいない生活ははじめてだから。

でも、ユーリヤから手紙が来て本当に嬉しかった』

なんだか言い訳っぽい文章を並べたてていて首をひねってしまうけれど、これ以上良い言い回しも思いつかないし、気の利いたことも書けそうにないので先を続ける。

『種子島でのユーリヤの生活が順調みたいでほっとしたよ。友達もできて、周りの人たちとも上手くやっていけているみたいで安心した。JAXAのインターンもとても楽しそうでよかった。

僕の生活のほうは、まぁまぁって感じかな？　新しい友達はできたし、今のところ勉強にもついていけてると思う。まぁユーリヤが言ったみたいに、ずいぶんな高校だから当たり前といえば当たり前だけど。高校では新しい部活動を始めたよ。陸上部に入部して短距離走をやってる。さっそく一つ上の先輩に才能ないって言われたけど。あと、アルバイトをしてみようかなって思ってるんだ。最後にユーリヤの提案だけど、僕もすごく有意義だし、すごく良いアイディアだと思う。ユーリヤからまた宇宙の話が聞けると思うととてもわくわくする。

昔みたいに気軽に会える距離じゃなくなっちゃったけど、これからはこうしてメールでやりとりできるんだって思うと、東京と種子島の千キロもある距離がぐっと近くなったって思う。今回の報告はこんな感じかな？　返事待ってます。ソユーズ、you copy?　スプートニクより』

僕は震える手で送信のボタンを押して、手紙が飛んでいくアニメーションを祈るように見つめた。千キロの距離を飛び越えて、しっかりとユーリヤにこのメールを届けてくれと願うみたいに。

メールを送り終えてどっと疲れた僕は、机の上に置かれたたくさんの紙をぼんやりと眺める。そこには、ここ数日何度も書き直したこの手紙の下書きがたくさんあった。書いては横線を引いて没を出し、書いてはいまいちすぎてくしゃくしゃにして捨てた下書きの数々が、ユーリヤに届けられなかった言葉の数々が、そこには転がっている。まるで落ち葉みたいに。

僕はメールに書かなかった一文、P.S.から続く最後の文章を眺めた。

それは、僕がユーリヤにどうしても伝えられなかった言葉。

『P.S. 僕も宇宙飛行士になろうと思って勉強を始めたんだ。両親に頼みこんで、週三回塾に通うことになったよ。もう一度ユーリヤのスプートニクとしてユーリヤに追いつけるように、僕もせいいっぱい頑張ろうって思ってる。月に行くために。

あと、アルバイトをしようと思う理由は、一年に一回くらいユーリヤに会いに種子島に行けたらなあって思ったからなんだ。迷惑じゃなかったら、ユーリヤに会いに行ってもいいかな?』

この文章を、この言葉を、僕は結局メールの最後に書き足すことができなかった。

あの満月の夜。ユーリヤと再会したあの日の帰り道。夜空に浮かぶ月を見上げた僕は、もう一度宇宙を、そして月を目指そうと思った。あの日の気持ちに嘘《うそ》や偽りはなかったけれど、それでも僕が本当に宇宙飛行士になれるなんて保証や確信はどこにもない。

だから、それを言葉や文字にしてしまうことの怖さを、ユーリヤに余計な期待をさせてしまうんじゃないかっていう不安を——それを叶《かな》えられなかった時の挫折《ざせつ》のようなものを、僕はどうしても拭《ぬぐ》い去ることができなかった。

素直にユーリヤに「会いたい」とだけ書くことも考えたんだけれど、僕は最後までそれを書くことができなかった。たぶん覚悟や資格のようなものが足りないんじゃないかって、そんなことを漠然と思っていたんだと思う。

ユーリヤに再会するための覚悟や資格のようなものを、僕は手に入れたかったんだと思う。本当はそんなもの必要ないって分かっていたんだけれど――僕は自分の背中を押してくれる何かを、列車へ乗るための切符を求めていたんだ。そういうものがなければ、ユーリヤに「会いたい」と言い出せない弱さや意気地のなさを、僕は捨てることができなかった。

そんなことをぼんやりと思いながら部屋の天井を眺めていると、ノートパソコンがメールが届いたことを知らせる音楽を鳴らした。チャイムのように短い音楽に驚いてパソコンの画面を見つめると、ユーリヤからの返信だった。

件名もなく送られてきた手紙の内容はとても短かった。

『手紙の返事がおそいっ。バカッ。いつまで待たせるのよ。その日のうちに返事が来ると思って、ずっと待ってたんだからね』

僕は慌てて返事を送った。

『ごめん。なんて書いたらいいのか分からなくて、ここ数日悩んでたんだよ。手紙なんて今までもらったことも返事を書いたこともなかったから、いろいろ戸惑って。ほんとゴメン』
メールの返信を送り終えた後、僕は戦々恐々としながらユーリヤの返事を待った。せっかくユーリヤがしてくれた提案が反故《ほご》になってしまうんじゃないかって気が気じゃなかった。
メールの返事は光の速さでやってきた。

『もう知らない。ふんだ』

『本当にゴメン』

『知らないんだから』

『ゴメンってば。ユーリヤだって、僕にすぐに手紙を書こうとして五月になっちゃったって書いてたじゃないか？　僕は数日で返したんだからマシなほうだよ』

『そもそも、スプートニクのほうから連絡するべきなのよ。you copy?』

『i copy. 今度からはそうするよ。でも、もとはといえばユーリヤが何も言わないで引っ越すからいけないんだ』

『それは手紙で謝ったでしょう？　女の子が謝ったことをわざわざむし返して、ほじくり返すなんて女々《めめ》しいんだから』

『わかったよ。僕が全部悪かったよ』

『はじめから素直にそう言えばいいのよ。少し離れている間に、ずいぶん生意気なスプートニクになったのね。いい？　あなたは私のスプートニクなんだから、私の後ろをいつもくっついていればいいの。今思うと、幼い頃とはいえ、これって相当恥ずかしい台詞《せりふ》よね？　思い出しながら穴があったら入りたくなってる。それでベッドの中でジタバタ悶《もだ》えてるわ。あーもー恥ずかしい』

僕は、その思いもしなかった返信内容に噴き出してしまった。あのプライドが高く、いつも澄ましていたユーリヤが、過去の自分を振り返って恥ずかしがったり悶えたりするなんて、今までの彼女からは考えられないことだった。

きっと僕の知らないたくさんの時間を過ごしてきたんだろうなって、僕はそんなふうに思った。ユーリヤの大きな瞳に張っていた氷を溶かし、身にまとっていた長い冬を終わらせてしまう出来事が、人を寄せ付けない氷柱《つらら》のように尖《とが》った心を丸くしてしまうだけの長い時間があったんだろうなって。

過去を振り返り、それを冗談にしてしまえるだけの強さを、ユーリヤは長い時間の末に手に入れていた。

『そんなことないよ。僕はその台詞すごい好きだったけどな。二人でアメリカの陰謀を暴いて、アームストロングって嘘《うそ》っぱちをコテンパンにしてやろうよ』

『やめてやめてやめて。恥ずかしくてどうにかなりそう。あーもー本当に子どもの頃の私ってバカ』

『そんなことないって、ユーリヤはクラスで一番頭がよかったし、物知りだったし、お洒落《しゃれ》で、特別だったよ』

『なんだか、今日のスプートニクは意地悪ね？　さては、私が健気《けなげ》にしおらしくしているから、これまでの恨みつらみを晴らせるって思ってるわね？』

『おかしいな？　本心なのに。でも、ユーリヤは今もぜんぜん健気でもしおらしくもないと思うけど』

『言ってくれるじゃない？　もうスプートニクなんか知らないんだから』

『ごめんって』

『知らない。一生真っ暗な宇宙を漂っていなさいよ』


この日、僕たちはこのような下らなくとりとめのないやり取りをいつまでも交わした。

子供の頃みたいに無邪気に言葉を交わせることが嬉《うれ》しくて、僕たちは離れ離れになってしまった千キロの距離を埋めようと必死になってメールを送り合った。

この日のやり取りは、長い間離ればなれになっていた星と星が再び巡り合ったような――天の川に橋を架けたみたいな、そんな一瞬のコンタクトだった。

僕とユーリヤは、このコンタクトをどうやって終わらせたらいいのか分からず、また終わらせてしまうことが名残惜しくて、本当にただ下らないメッセージのやり取りを延々とした。結局、どちらからこのやり取りを終わらせたのか分からないまま――高校に入学してから初となる僕たちのコンタクトは、無事に幕を下ろした。

千キロの距離に隔てられた、僕とユーリヤの新しい関係のはじまりとともに。

ねぇ、ユーリヤ。

あの日交わした本当に下らなくとりとめのないやり取りの一つ一つが、僕にはとても特別なものだったんだ。お互いの近況を報告し合う月に数回のメールのやり取りが、あの頃の僕にとっては本当にかけがえのないもので、僕を前に進ませるためのとびきりの推力だったんだよ。

ユーリヤから送られてくる手紙を、僕は何度も何度も読み返して——その一通一通に綴《つづ》られた手紙の文字と言葉を、僕の胸の中のレコードに刻みつけた。

その全ては、今も僕の中の宇宙で輝いている。

瞬《またた》く星のように。

3　夏へ

『ハロー、スプートニク。そろそろ夏が近づいてきて、種子島はうんざりするくらいの暑さに襲われています。日焼け止めを一センチくらいの厚さに塗りたくって、宇宙服みたいに分厚い日傘を差していても、日焼けというインベーダーに襲撃されてしまいます。全身火傷《やけど》したみたいにひりひりと痛くて、太陽にミサイルでもぶっ放してやろうかなって思ったりして。

そうそう、私はついに原動機付自転車の免許を取りました。島の高校生の移動手段はもっぱら原付——それもスーパーカブなので、みんな白いヘルメットをかぶって登下校にカブを使っています。ちょっと間抜けで恥ずかしいんだけれど。もうすぐ私のカブも届くので、私もついにバイクデビュー。チャイカって名前をつけて大切にするつもりです。あと、ついに大型の天体望遠鏡を買ってもらえました。最近は毎晩天体観測をしていて、天文学の勉強もはじめたの。天文学者にもなれちゃうわね。

それに、今度JAXAインターンでコンペが開かれて、トイレ付宇宙服のアイディアを募集することになりました。六日間宇宙服を脱がなくても快適に過ごせる排泄《はいせつ》システムのアイディアなんだけど、何か良いアイディアはないかしら？　最優秀賞は実際に宇宙服をつくるNASAで検討してもらえるんだって。すごくない？

スプートニクは、夏をどう過ごすのかしら？　素敵な夏を過ごしてね。you copy?』


高校に入学して初めての夏休みが目前に迫ると、僕の生活もだいぶ慌ただしくなっていった。

僕は、高校一年生ながら塾の夏期講習に参加することにした。というのも、ユーリヤ曰《いわ》くずいぶんな高校に入ってしまったことと、僕のもともとの学力が心もとなく情けないので、志望する大学に合格するには、この時期からしっかりと基礎学力をつけていかなければいけないと、塾の講師に釘《くぎ》を刺されていたからだった。それも、かなり念入りに。

並行して、部活動の練習もハードになっていった。弱小高のわりに練習に熱心で、夏休みもほぼ休みなく活動を続けているので、僕は夏期講習に支障ない程度に部活動にも精を出すことにした。そんな塾と部活を何とか両立させる僕の姿を見て、同じクラスの友人たちは目を丸くして驚いていた。

同じ中学だったクラスメイトの一人は、僕の体が何者かに乗っ取られたんじゃないかって本気で訝《いぶか》しんでいるくらい。

「おっ、おい、大丈夫か？　お前、別の誰かと入れ替わったりしてないよな？　それともエイリアンに乗っ取られてたりとか」

「あるわけないだろ。そんなSF小説じゃあるまいし」

「一年のうちから夏期講習って気が早くないか？」

「部活もサボらずに出てるし、お前、よくそんな体力あるよな？　俺なんてバスケ部ほとんど出てねーや。幽霊部員だ」

「なぁ、今度クラスの女子とみんなでプール行くんだけどさ、お前も来いよ。たまには息抜きもいいだろ？」

なんて声をかけられたりもしたけど、僕は頑《かたく》なに自分の計画とスケジュールを守り続けた。それは列車の時刻表のように正確でなければいけないと、常に自分に言い聞かせていた。わずかな遅れも許されないと。

「悪いな。夏休みは塾と部活に費やすよ。一日くらいは空いてる日もあると思うから、その時は連絡する」

「なんだよー」

「つれねーなー」

「おまえ、あれだろ？」

「あれって？」

「陸上部の先輩に気に入られてるから練習に精を出してるんだろ？」

「あの綺麗《きれい》な先輩か？」

「なに言ってるんだよ？　先輩はただのマネージャーだぞ」

「でも、校舎裏の水飲み場で二人で話しているのを見たぞ」

「休憩時間に話すくらい普通だろ」

「ずるいぞ。お前だけ」

「いや、本当にそんなんじゃないって」

黒いブレザーの制服から半袖のワイシャツに衣替えをした僕たちは、年頃らしい喧騒《けんそう》に包まれる教室でそんな男子高校生らしい会話をして、夏休みが来るのを待った。お互いの夏の予定や目標、時にはいかがわしい妄想なんかを話して、来る夏に思いを馳《は》せたり、胸を膨らませたり。

夏の日差しは日に日に強くなり、うだるような熱気と陽炎《かげろう》とともに蝉時雨《せみしぐれ》が降り注ぎはじめる。まるで僕の心を急《せ》かし、何かに追い立てるみたいに。夏の日差しや蝉時雨に急きたてられなくても、僕は十分に焦っていたし、焦燥にかられていた。

千キロも離れた島にいるユーリヤは、宇宙飛行士になるための勉強や訓練を日々重ねている。天体望遠鏡を買ってもらって天文学の勉強をしたり、ＪＡＸＡのコンペに参加して宇宙服の排泄《はいせつ》機能を考えたりと、前に進み続けている。宇宙飛行士の排泄事情に関してはあまり考えたいとは思わないし、六日間もトイレに行けずに垂れ流しの状態になるなんて、考えただけでも気が滅入ってくる話だけれど。

ユーリヤは少しずつ——それでも、着実に月に近づいていた。38万４４００㎞の距離を埋めようとしていた。それなのに、僕のやっていることといえば中学生の頃におろそかにしていた基礎学力の向上と、ゴールの見えないトラックを全力で駆け抜けるだけ。

　走れば走るほどに、僕の焦りは募っていくばかり。振り返れば何かに追いつかれてしまいそうな気がして、僕は余計に焦りを募らせて、その度に何かから逃げるように全力で走った。その何かに捕まってしまったら、どうしてだか足を止めてしまうような気が、二度と走りだせないような気がしたから。


「——こらこら、新人。そんなにがむしゃらに走ってもタイムは伸びないぞ」

　夏休み。部活動の休憩中。水飲み場で頭から水を浴びていると、汗ばんだ僕の背中に女性の声が張り付いた。振り返ると一学年上の先輩が立っていて、僕にスポーツドリンクの入ったプラスチックの水筒を投げてよこした。

「ミサキ先輩？」

「それと、夏場はとくに汗かいて塩分が足りなくなるんだから、水をがぶがぶ飲むんじゃなくて、効率よく水分補給をすること」

「ありがとうございます」

　僕はお礼を言ってからプラスチックの水筒を一押しして、スポーツドリンクを喉の奥に流し込んだ。糖分と塩分を含んだ冷たい液体が、僕の喉と胃を通じて体中にじわりと染み渡る。頭から水を浴びるよりも、何倍も心地よかった。

「ちょっと日陰に入って休憩しなよ。朝から休みなしで走りっぱなしでしょう？」

「はい。そうします」

僕たちは校舎裏の水飲み場の陰、庇《ひさし》のある校舎の壁に背を預けて腰を下ろした。少し離れたグラウンドでは、陸上部の部員たちがトラックを一生懸命に駆けている。長距離、中距離、短距離、ハードル、走り幅跳び、様々な競技に打ち込んでいる少年少女たちの姿が、夏の陽炎《かげろう》に揺らめいて、まるで幻みたいに見えた。手を伸ばせば消えてしまいそうに。

「調子どう？」

「あまりよくないですね。タイムも伸びないですし」

「君は短距離の才能ないからね」

僕の隣でズバリ言ったミサキ先輩は、意地悪く笑ってみせる。半袖短パンの運動着やユニフォームではなく、制服姿の彼女は見学やさぼりというわけではなく、ましてや僕をからかいに来たわけでもない。マネージャーとしての役目を果たしているのだ。

もともと女子陸上部で長距離を走っていたミサキ先輩は、今年の初めに故障してしまい、一年間はまともに走れないと診断されていた。その結果、怪我《けが》が治るまで人員の足りない男子陸上部のマネージャーをつとめることになったという。何でも男子陸上部の先輩がたの熱烈なオファーがあったとか。

「君はさ、絶対に長距離のほうが向いてるって。短距離はさ、超人たちの世界だよ？　才能が全てのシビアな世界。それに比べて長距離は、練習すればするほどタイムが伸びるから向いてると思うんだけどな」

短めに切りそろえられた髪の毛と、切れ長の目。小麦色に焼けた健康的な肌なのに、夏の風みたいに涼しげな雰囲気の先輩。そのせいか、彼女の嫌味はまるで嫌味に聞こえない。夏の通り風に煽《あお》られたみたいに、どこか心地よかった。その風の音に耳を傾けたくなるみたいに。

「朝から一生懸命走ってる選手に向かって言います？」

「そもそも、タイムなんか気にしてないでしょ？」

悪戯《いたずら》っぽく言って覗《のぞ》き込むミサキ先輩の表情は、どこか僕を見透かしているみたいだった。

「タイムは気にしてますよ。伸びれば嬉《うれ》しいし、大会で順位が上がればもっと嬉しいです。さすがに全国行けたり、選抜に入れるとかは思ってないですけど」

「なるほど。だったら普通はさ、短距離用の練習メニューを組まない？　君の練習メニューさ、ワンダーフォーゲル部っていうか、登山家みたいなメニューだよ？」

「うっ」

「短距離と無縁の練習をしてるんだからタイムも伸びないって」

「まぁ、そうなんですけどね」

僕は、ずばり指摘されて押し黙った。そして、雲一つない夏の青空を眺める。そこには欠けた薄い月が浮かんでいて、僕はその昼の月に手を伸ばしそうになった。

練習メニューに関しては、ミサキ先輩の言う通り。

僕のメニューの大半は、ただの体力づくりというか——過酷な環境でも長時間行動できるような体作りのためのメニューで、宇宙飛行士や登山家、トライアスロンの選手のトレーニングメニューを参考にしている。宇宙空間はとても過酷な環境で、月面は地球の六分の一しか重力がない。宇宙飛行士になるには、どのような環境や状況に置かれても、しっかりと行動し活動できる体が必要だと考えて組んだメニューだった。

つまり、この練習メニューをこなせばこなすほど短距離走は遅くなっていく。遅くはならないにしても、まぁ、タイムが伸びることもない。

それでも僕が短距離走を走っているのは、単純に短距離走が好きだから。一瞬で結果が出て、一瞬で全てが決まるから。百メートル走なら、わずか十数秒でこれまでの成果が全て出る——そんなただ真っ直ぐに走るというシンプルで分りやすい競技が、僕はなんとなく好きだった。

トラックのレーンに入ってスタートにつく。『On your mark』の合図でスターティングブロックに足を乗せる。『Set』の合図でスタートの姿勢を取り、レーンとゴールの先だけに意識を向ける。

そしてスターターピストルの音が鳴れば、後は一瞬の風になるだけ。余計なことを考える必要もなく、複雑な駆け引きも存在しない。

わずか十数秒間の真っ白の世界の中では——難しいこと、複雑なことの一切を忘れて風になれる。目の前に見えるゴールだけに向かって走ることができる。

千キロなんていう、走ってもたどり着けない距離じゃなく——

38万4400㎞なんていう、途方に暮れてしまいそうな距離でもない。

わずか百メートル先に明確なゴールがあるんだという事実が、僕にとっては重要で、なにより大切だった。なんとなく、その単純さに救われているような気さえしていた。

「まぁ、うちの高校は強豪ってわけじゃないから、べつにいいんだけどね。種目も練習メニューも、だいたい生徒に一任されてるし」

ミサキ先輩は静かに続ける。怪我《けが》をしている右の足首をそっと撫《な》でながら。

「でもさ、君の走りを見てるとさ——なんだか、とっても胸を締め付けられるんだよね。ものすごく焦ってるっていうか、切羽詰《せっぱつ》まっているような気持ちが伝わってきてさ」

「空回りしてるって思います？」

僕が尋ねると、ミサキ先輩は怪我に触れている手とは反対の手で僕の頬を撫でた。そして、とても優しく涼しげな目で僕を見つめる。

「どうだろう？　でも、君は長距離を走るタイプの選手だと思うよ。遠くの目標に向かって少しずつこつこつと前に進んでいくタイプだと思う。途中で躓《つまず》いても、転んでも、諦めそうになっても、最後まで走り抜こうって感じ」

ミサキ先輩は、僕の気持ちをずばり言い当ててにっこりと笑った。そして、そっと立ち上がって僕を見下ろす。

「まぁ、走れるうちにしっかり走っておくのがいいよ。私みたいに焦って練習して走れなくなったんじゃ意味ないからさ。それに選手でいられる時間って、思ってるよりも短いから」

彼女は、寂しげに空を眺めながら大きく背伸びをした。そして、先にグラウンドに戻っていった一つ年上の先輩の背中を——僕はしばらく瞼《まぶた》の裏に思い浮かべていた。

それからも、僕は短距離を走り続けた。一瞬で全てが決まる真っ白な世界を駆け続けた。ただ目の前のゴールを目指して。

4 陽炎《かげろう》

『ハロー、スプートニク。もうすぐ夏も終わりですね。ようやくこのうだるような暑さとお別れできると思うと、嬉《うれ》しいような、少しさびしいような。でもこっちに来てはじめての夏を乗り越えれて、まずは一安心って感じです。台風が島を直撃した時なんか、隕石《いんせき》が降ってきたみたいなすごい音と衝撃で、まるで世界の終わりみたい。私は家が吹き飛ばされるんじゃないかって気が気じゃなかったんだけど、クラスメイトや近所の人たちは慣れたもので、あっけらかんとしていました。

そうそう、種子島で毎年行われている種子島宇宙芸術祭で、私たちインターンの発表が芸術祭の展示スペースに置いてもらえることになったの。新型の宇宙服の模型と、その構造や素材の詳細をまとめたレポートで、現役の宇宙飛行士にもけっこう良い評価をもらえたのよ。

宇宙芸術祭は他にも見所たくさんで、スプートニクにも見せてあげたいくらい。洞窟の中にプラネタリウムを投影するっていうとっても素敵なイベントもあるのよ。『千座《ちくら》の岩屋《いわや》』っていう浜辺の洞窟でね、畳千畳分の広さだから千座っていうの。素敵な名前だって思わない？

スプートニクの夏はどうだった？　陸上部の競技会の結果は良かったのかしら？　それと夏期講習に通ってるって書いていたけど成果はどう？

来年は私も全国模試を受けようと思っているから、あなたのお手並み拝見ね。健闘を祈るわ。you copy?』

夏が過ぎるのはあっという間だった。高校生になって初めての夏休みは、夏期講習と部活動だけの日々だったけれど、それなりに成果はあったような気がした。

僕は、ユーリヤが近況で話していた『種子島宇宙芸術祭』をネットで調べながら、そのお祭りの雰囲気だけでも味わおうとした。

公式サイトのトップページは、種子島から打ち上げられたロケットが真っ直ぐに青い空に――その先の宇宙へ向かっていく画像だった。ロケットから噴射される推進剤が、白い煙の道を青空に描いている。まるで、地球と宇宙とをつなぐ懸け橋みたいに。

ユーリヤが以前教えてくれたように、種子島はロケットの発射場のある島で、これまで数多くのロケットが種子島から宇宙に向けて打ち上げられてきた。そんな宇宙にもっとも近い島で行われる芸術祭に参加して、日々の成果を発表しているユーリヤの姿が、僕の目にはとても眩《まぶ》しく見えた。

公式サイトでも、ユーリヤたちの活動は大きく取り上げられていて――『JAXA初の高校生インターンの発表に現役宇宙飛行士が太鼓判』と、題をつけられて紹介されていた。

これまでよりも軽量化され、体にフィットする形の新型宇宙服の前に立った少年少女たちの姿はとても誇らしげで、大きなスクリーンを背にして発表を行っているユーリヤの姿は、とても立派で精悍《せいかん》だった。

久しぶりに見るユーリヤの姿に、ますます大人びていく彼女の容姿に――僕の胸は、思いきり締め付けられた。そこには、僕のまるで知らないユーリヤがいた。僕の何倍も先を進んでいる彼女の姿と成果が、しっかりと映し出されていた。ユーリヤの背中がまたしても遠く離れていく、そんな気がした。その背中すら見えないほどに、遠く離れて行ってしまう、そんな気が。どれだけ走っても追いつけないような気が。

それでも、僕は走ることをやめなかった。

それをやめてしまうことだけはできなかったんだ。


「――今日は、走りが乱暴というか、がむしゃらすぎる。フォームもめちゃくちゃだし。それに、ずいぶん浮かない顔をしているね？」

水飲み場で頭から水をかぶっていると、汗ばんだ背中にいつもと同じようにミサキ先輩の声が張りつく。振り返ると、彼女はいつものようにプラスチックの水筒を僕に投げてよこし、涼しげに笑って「少し休憩しなよ」と言ってくれた。

夏休みの部活動の間に、僕たちの関係はずいぶんと打ち解けたものになっていた。練習の合間に、このグラウンドから離れた水飲み場で言葉を交わすのが僕たちの日課になるくらいに。

「心ここにあらずで走っていると、そのうち怪我《けが》するよ」

「はい」

僕は、心ここにあらずで返事をした。スポーツドリンクを体に染み込ませながら、どこにあるのか分からないゴールを眺める。

「やっぱり、心ここにあらずだ」

「すいません」

「悩みごと？」

「どうなんだろう？」

「私でよければ話を聞くよ？」

「話して解決するなら話したいんですけど、話してもどうしようもない問題だし――それに、どう話したらいいのか分からないんです」

僕が遠慮がちに言うと、ミサキ先輩はくすりと落とすように笑った。夏の間に伸びた髪の毛をそっと耳にかけて、僕の隣で「なるほど」と頷《うなず》く。

肩が触れ合う距離で並んで座った僕たちは、しばらく無言で夏の空を眺めた。あれだけうるさかった蝉時雨《せみしぐれ》も今はその勢いを落として、陽炎《かげろう》もその揺らめきを落ち着かせている。夏が終わりを告げて、次の季節に移ろうとしていた。

「ねぇ、君はなんでそんなに短距離走にこだわってるの？　それって、悩み事と関係があるんじゃない？」

僕はそう尋ねられて、なんて言葉を返せばいいのか分からなくなった。

僕は、どうして短距離走を走っているんだろう？

そんなふうに考えてしまうと、僕自身にも明確な理由がないような気がして不安になった。一瞬で全てが決まり、一瞬でゴールにたどり着ける単純さに惹《ひ》かれ――千キロや、38万4400㎞なんていう途方もない距離を忘れられる瞬間を、心のどこかで求めていたんじゃないかって思ったけれど、それも違っているような気がした。

僕は、胸の奥の思い出に手を伸ばした。

「小学生の頃――一度だけ、短距離走で一等賞になったことがあったんです」

僕は、おもむろにそう言った。誰に話しかけるというわけでもなく、自分自身に言い聞かせるように、そっと過去を振り返った。

「僕は、一等賞の金メダルを大切な女の子にあげたかったんです」

「その金メダルはあげられたの？」

ミサキ先輩は、僕の言葉の道筋を示すように尋ねた。僕はミサキ先輩のレーンに沿って話を進めることを自然と受け入れていた。

「うまく渡せなかったんです。その時、僕たちは些細《ささい》なことで言い争いをしてしまって」

それは、本当の意味では些細なことではなかったけれど——あの時の僕とユーリヤの気持ちをうまく伝えることは無理だろうって思った。

「それで、その女の子とはどうなったの？」

「遠くに引っ越してしまったんです。それも、千キロも離れた遠くの島に」

「じゃあ、君が陸上部に入って短距離走をがむしゃらに走っているのは、その女の子の背中を追ってるから？　それとも、うまく渡せなかった金メダルのことを引きずってるの？」

「引きずっているとかじゃないと思うんです。僕が金メダルを渡せなかった女の子は、もっと遠くに行ってしまうんです。僕の手の届かないくらい遠くに。だから、僕も遠くに行けるようになりたいんです」

「遠くって、どれくらい遠くに行っちゃうの？」

僕は、その先を言葉にするべきかどうか迷った。まだ誰にも口にしていない——ユーリヤにさえ伝えていない言葉を、どう言葉にすればいいだろうって考えた。それでも、僕はそれを口にしてしまいたいと、隣にいるミサキ先輩に聞いてほしいって思った。

「その女の子は、いつか――月に行ってしまうんです」

「月って――比喩《ひゆ》とかじゃなくて、物理的に月に行くってこと？」

ミサキ先輩は驚いたように尋ねた。

「はい。その女の子は、宇宙飛行士になって月に行くんです」

「なんだか、それはもう決定されていることみたいだね？」

「はい。間違いなく、その女の子は月に行くと思います」

僕は、それだけは確信をもって言った。まるで、それが人類のスケジュールに書きこまれた歴史的事実みたいに。

「幼い頃、僕たちは二人で月に行こうって約束したんです。だから、僕も――月に行きたいんです」

言い切ってしまうと、僕は途端に心細く臆病になってしまった。

それは、はじめて誰かに「月に行きたい」と告げた僕の言葉がひどく薄っぺらく、ひどく情けなく聞こえたからだった。それはなんだか今朝見た夢の話をしているみたいで、まるで現実感のない曖昧《あいまい》な言葉に聞こえたから。

「なるほど。月かあ。それはとても壮大な目標っていうか、途方もなく遠いゴールだね。フルマラソンなんて目じゃないくらいだ」

僕の話を聞いたミサキ先輩は、僕のことを笑うでも馬鹿にするでもなく、真剣な様子で眉間に皺《しわ》を寄せながら頷《うなず》いた。

「なるほどなるほど。それで、君はどうやって月にたどり着いたらいいのかも分からず、ちぐはぐなメニューを組んでがむしゃらに走っているわけか。たしかに、どうしたらいいのか分からなくもなるよね」

ミサキ先輩は僕の胸の内を察したように言って僕を見た。

そして、涼しげな表情で優しく微笑《ほほえ》んでくれた。

「それじゃあ、いったん走るのはやめてさ――すこし私につきあってみない？」

5　ランナー

「待った？」

たくさんの人が往来する駅前で待っていると、背中に涼しげな声がかけられた。振り返ると、ミサキ先輩が立っていた。

「ちょっと着慣れないものを着ちゃったから動きづらくて、少し遅れちゃった。走れば間に合う時間に出たんだけど、そもそもこれじゃあ走れないっていうね」

「あはは」と笑うミサキ先輩は、濃い青色の地にツバメの柄の浴衣《ゆかた》姿。黄色の帯と、同じ色の巾着《きんちゃく》、いつもは無造作に下ろしている赤焼けした髪の毛を、今日は二つおさげにしていた。

普段とはまるで雰囲気の違う女の子らしいミサキ先輩に、僕は目を奪われた。

「浴衣ですね」

「うん。浴衣。似合ってるかな？」

ミサキ先輩は浴衣の袖口を指先で押さえて伸ばし、手を広げてみせる。膝を少し折って首を傾《かし》げるわざとらしいポーズが、とてもかわいく見えた。

「すごく似合ってます。それに髪の毛も」

「ありがと」

少し頬を赤らめてくすりと笑いながら言ったその「ありがと」は、僕の胸の鼓動をとても大きくした。

「いこっか」

「はい。でも、どこへ？」

「夏に浴衣といったらお祭りに決まってるでしょ？　この駅の近くの八幡《はちまん》神社で毎年やってるの」

僕たちの通う高校の最寄駅から、それほど遠くない駅で待ち合わせをした僕たちは、行きかう人の流れに身を任せて神社を目指した。往来を行く多くの人が浴衣姿で、その声と足は弾んでいる。

いつの間にか祭囃子《まつりばやし》も聞こえ始め、神社の外にまで伸びた出店の列が見えてきた。

「早く早く」

僕の背を押しながら足を弾ませる彼女に導かれ、僕は神社の石畳を踏む。

「今日はさ、気晴らしに楽しもうよ。私が、かき氷でもおごってあげよう。それに、たこ焼きも食べよう」

僕の腕を引いてどんどん前に進んでいくミサキ先輩の強引さが、どこか心地よかった。余計なことを考えず、複雑に絡まってもいない分かりやすさに、僕は身を委《ゆだ》ねたくなっていた。

それから、僕たちはお祭りを一緒に回り、かき氷やたこ焼きを食べて、射的《しゃてき》を外し——たくさん話して、たくさん笑った。こんなに笑ったのはいつ以来だろうってくらいたくさん笑った。ミサキ先輩もたくさん笑っていて、僕はそのことがすごく嬉《うれ》しかった。

「射的下手くそだねえ。私、あの大きなぬいぐるみ欲しかったのに」

「ミサキ先輩だって下手くそでしたよ。弾が明後日《あさって》の方向に飛んでいってたし」

僕たちは顔を見合わせて笑った。

「君も、そんなふうに無邪気に笑うんだね。いつも張りつめた表情とか、必死な顔しか見てないから驚いたよ」

ミサキ先輩は、僕の顔を覗《のぞ》き込んでしみじみと言った。僕は少し恥ずかしかった。

「ミサキ先輩、今日はどうして僕を誘ってくれたんですか？」

尋ねると、ミサキ先輩は涼しげに笑って首を傾《かし》げる。

「どうしてかなあ？　ねぇ、少し座って話そっか」

僕とミサキ先輩は境内《けいだい》の裏に回り、縁石に腰を下ろして遠くを眺めた。部活動の休憩中とまるで変わらないみたいに、僕たちは肩を寄せ合って隣どうしで並んだ。

「今日、どうだった？　楽しかった？」

「はい。とっても」

僕は素直に言った。

「私も、すごく楽しかった。こんなふうにさ、毎日楽しいことだけしていたいなあって思うよ。わざわざきついトレーニングなんかしないでさ、苦しいだけの長距離走なんてやめちゃってさ」

ミサキ先輩は、僕の言葉を待たずに話を先に進める。

「ねぇ、月に行くのなんて忘れちゃいなよって、私が言ったら――君は、それを忘れられる？」

「えっ？」

僕は、いきなりそう言われて押し黙った。ミサキ先輩になんて言葉を返したらいいのか分からなくなった。まるで人ごみの中で迷子になってしまったみたいに、とても心細く、とても不安になった。そんな僕を見つめながら、ミサキ先輩は口を開く。まるでコースに入ったランナーのように真剣な顔で。

「私ね、お付き合いをしていた男の子がいるの。していたっていうか、しているって感じなんだけど――まぁ、今はどっちだかよく分からないんだけど」

「どっちだかよく分からない？」

僕はミサキ先輩の突然の話に驚きながら、曖昧《あいまい》な言葉の意味を尋ねた。

「うん。彼とは小学校の六年間ずっと同じクラスで、中学に上がっても同じクラスのままだったの。家も近所で、すごく仲が良くて。中学一年の夏休みに告白をされて、付き合った。それからも、今まで通りいつも一緒。同じ陸上部で、私は長距離。彼は短距離の選手だったの。ぜんぜん才能なかったけどね」

そこまで話すと、ミサキ先輩は困ったように微笑《ほほえ》んだ。

「私さ、これから先もね、その彼とずっと一緒にいるんだろうなあって思ってたんだ」

僕は、ミサキ先輩の言っていることが痛いほど理解できた。

僕にも、ずっと一緒にいるんだって――このままずっと一緒に歩いて行くんだって思っていた女の子がいた。その女の子のそばにずっといて、その小さな背中を追って行くんだって僕は本気で思っていた。

そして、今だって。

「だから、私たちは別々の高校に進んでもちっとも変わらないんだって思ってたの」

ミサキ先輩は寂しげに笑い、賑《にぎ》やかな祭りを眺めた。まるで、その喧騒《けんそう》の中にかつての自分たちを見つけたみたいに。たぶん、その視線の先には、変わらないと心から信じていた頃の二人の姿が――思い出の二人の姿が映し出されているんだろうなって思った。

その夏の陽炎《かげろう》を、手を伸ばしたくなる背中を――僕も何度も何度も見てきた。追い続けてきた。

「でも、現実は違った。高校生になったらさ、何もかもが変わっちゃった。彼は、高校に入ってすぐに陸上部を辞めちゃった。私になんの相談もなく。だんだんと電話やメールの回数も少なくなって、そのうち顔を合わせるのも一週間に一回くらい、それから月に一回くらいになって――高校二年生になってからは、一回も会ってない。最後に連絡を取ったのがいつだったのかも、覚えてない」

ミサキ先輩は、怪我《けが》をしている足をそっとさする。そこにあったはずの、たしかな痛みを思い出そうとするみたいに。

「それで、むしゃくしゃして、がむしゃらに練習していたら、このありさま。まぁ、ぜんぜん集中してなかった私が悪いんだけどね。苛立《いらだ》ちをぶつけるみたいに走ってたら、そりゃ怪我もするよ。それでしばらく走れないし、やることもないし、男子陸上部のマネージャーをするのも悪くないかなって引き受けたらさ――君がいたんだ」

「僕、ですか？」

ミサキ先輩は僕を見つめて続ける。だけど、同時に僕ではない誰かを見つめているのが分かった。

「うん。必死になってゴールを目指しているんだけど、心ここにあらずで――どこか別の場所を、もっと遠くのどこかに向かって行こうとする君を見てたらさ、なんだかすごく気になって。練習メニューはちぐはぐだし、一番になれるわけでもないのに、誰よりも一生懸命に走っているし。どうしてだろうって。なんだか、私を見てるみたいでさ、ほっとけなかったんだ。それで君に話を聞いてみたら、やっぱり私に似てて――」

ミサキ先輩はそこまで言うと、表情を真剣なものにして真っ直ぐに僕を見つめた。

「ねぇ、私たち、二人で昔のことをぜんぶ忘れちゃわない？　それで、楽しいことだけするの。陸上なんてやめちゃってさ、月を目指すのもやめちゃう。私がそう言ったら――君は、どうする？　ぜんぶ忘れてくれる？」

ミサキ先輩は、まるで僕の答えが分かっているみたいな清々《すがすが》しい表情で尋ねた。

「忘れられません。僕は、絶対にそれを忘れられないと思うんです」

僕がそう言うと、ミサキ先輩はにっこりと笑ってくれた。

「だよね」

そして、大きく頷《うなず》く。

「私たちってさ、忘れられずにそれを追いかけて――走り続けるタイプのランナーなんだよ。もう走るのなんてこりごりだ、もう二度と走らないって思っても、結局はまた走り出しちゃう、そんなランナーなんだよ」

ミサキ先輩はどこか吹っ切れたような顔でそう言った。そして、おもむろに月を見上げた。

「だから、君は月を目指し続ければいいんだよ。月に向かって走り続ければ。足を止めなければゴールに近づける。疲れたらたまにこうやって息を抜いて、たくさん笑ってさ――また走り出せばいいんだよ。何度でも」

ミサキ先輩は、僕の背中を押すようにそう言ってくれた。僕は、誰かに背中を押してもらいたかったのかもしれない。そんなふうに思った。

なんだか体が少しだけ軽くなった気がした。

今なら、遠くまで走れるような気が。

『On your mark』と『Set』の合図が――スターターピストルの音が聞こえる。

僕たちは、夏の終わりに向かって走り出した。

6 手紙

『ハロー、スプートニク。今日は、とっても大事な報告があるの。前に近況で報告したトイレ付き宇宙服のコンペなんだけど、なんと私のアイディアが優秀賞を取ってNASAの技術部門で開発検討の候補に入ることになったの。これって、とってもすごいことだと思わない？　将来、私のアイディアが採用される可能性があるってことなのよ？

その排泄《はいせつ》システムについて、スプートニクに教えてあげるわね。実は、私が着目したのは微生物なの。バイオトイレの応用で、宇宙服の排泄部分に微生物の増殖を促すバイオチップ――つまり、おがくずのようなもの――でパンツ部分を形成するの。将来的には、おがくずの部分にナノテクノロジーを使用するつもりよ。これで排泄物を微生物が分解して、そのうえで清潔に保ってくれるってわけなの。スーツのほうにも改良が加えられれば、分解の際に発生する熱エネルギーを、スーツを動かす電力に。尿などは濾過《ろか》して飲み水にも応用できるんじゃないかって思っているわ。

正直なところ、最優秀賞のアイディアなんかより、私のアイディアのほうが何倍も優れてるって思うんだけど、実現性の問題で私が優秀賞だったみたい。残念。でも、手はじめとしては悪くない成果だわ。

スプートニクの近況はどんな感じかしら？　そろそろ陸上部の新人戦よね？　いい結果が出るのを期待しているわ。出場するからには、一番を目指すのよ。you copy?』


夏が終わり、今年の終わりに向けて日々が転がりはじめると――僕は、無性《むしょう》にユーリヤに会いたくて仕方がなかった。ふとしたきっかけで、千キロ先の種子島まで走り出しそうなくらい。それくらいユーリヤの顔を見て、声を聞いて――一緒の時間を過ごしたくて仕方がなかった。

それには、ミサキ先輩が僕の背中を押してくれたことが強く影響していたと思う。そしてミサキ先輩の存在自体が、僕にとても大きな影響を与えていた。

ミサキ先輩は、夏が終わって二学期が始まるとすぐに女子陸上部に復帰した。簡単なメニューや体づくりからはじめて、来年に本格復帰を果たすと気合を入れていた。

「急でゴメンね。でも、私も来年が最後の大会だから、悔いは残したくないし、全力で走りたいんだ。私のゴールに向かってさ」

力強くそう言ったミサキ先輩は、とても清々《すがすが》しかった。それから、だんだんと僕たちの校舎裏の交流も少なくなった。水飲み場で、僕の背中に声がかけられることもなくなっていった。僕は、それを少しだけ寂しいと思った。

これまで隣どうしだった僕たちの距離は遠くなり——僕は、離れたトラックで練習するミサキ先輩を眺めるようになった。体の感覚を確かめるために、ゆっくりとトラックを回るミサキ先輩のフォームは本当に綺麗《きれい》で、体中の筋肉全てが走ることだけに向けられているのが、遠くからでも理解できた。その流れるような手足の挙動とリズムは、まるでブランクを感じさせないほどスムーズだった。記憶していたものが少しずつ蘇《よみがえ》ってくるみたいに。

ミサキ先輩の動きは、どんどん自然になっていった。無駄なものや余計なものがそぎ落とされ、体がただ走るという単純な動作のみに研ぎ澄まされていくみたいだった。まるで、少しずつ完成に近づいていくみたいに。これまで一生懸命に走ってきた彼女の形が、そこにはあった。一朝一夕《いっちょういっせき》では得られないものの形が。

そんなミサキ先輩の走る姿を、その背中を見ていると——僕も、ユーリヤに向かって走り出したくてたまらなくなった。これまではただ漠然と月を目指して走っていたけれど、今はユーリヤに向かって走りたくてしかたなかった。

ユーリヤの近況報告を何度も読み返しながら、僕はユーリヤに会うことを何度も考えた。

僕の話を聞いてほしかった。

僕の気持ちを伝えたかった。

宇宙飛行士になって、ユーリヤと一緒に月に行くんだってことを、ユーリヤの前で宣言したかった。今なら、それをはっきりと口にできる気がした。背中を押してもらった今なら。月ばかり見上げていた時には言えなかったたくさんの気持ちをしっかりと言葉にして、ちゃんと伝えられる気がした。二人でなら、僕たちが宇宙飛行士になるための現実的なプランを考えられると思った。目標を共有して一緒に歩んでいくほうが、お互いに刺激し合ってこれまで以上に前に進んでいける気がした。

だから、僕は覚悟を決めて来年の夏にユーリヤに会いに行くことにした。

千キロの距離を埋めるために、種子島に向かうことに。

高校生になって初めて、ユーリヤに会いに行こうと決心した。

一緒に月に向かうために。

『ハロー、ソユーズ。i copy.

種子島の秋はどうですか？　そろそろ台風も上陸しなくなって落ち着いた頃だと思うけど、季節外れの台風とかあったりするのかな？　もうすぐ十月になるけれど、そちらの冬は寒いのかな？それとも暖かい？

僕のほうは、熱に浮かされてお祭りみたいになっていた陸上部の雰囲気からようやく解放されて、ほっと一息ついているよ。大会が終わったら、急に今まで通りのやる気のない部活に戻って、練習に出てくる生徒も半分以下になって、ほんとやれやれって気分だけど。ちなみに、新人戦の僕の順位はなんとか最下位じゃないってところ。サボっていた部員のほうがタイムが良かったりして、ほんと短距離の才能ないなあと思い知らされてへこんでる。

今日は、僕もユーリヤに大事な話があるんだ。

来年の夏休みに種子島に行こうと思ってるんだ。ユーリヤに会いに行きたいんだけど、大丈夫かな？　会っていろいろ話したいこともあるし、聞いてもらいたいこともたくさんあるんだ。返事待ってる。スプートニクより』

震える手でそのメールを送り終えると、僕は茫然自失《ぼうぜんじしつ》で部屋の天井を眺めた。

送ったという達成感と、やってしまったという後悔のような感情が交互に押し寄せてきて、僕は少しだけ情緒不安定になっていた。そして、メールの内容に不備があったんじゃないだろうかって何度もメールを読み返したり、ベッドの上で布団をかぶってゴロゴロしたり、部屋の中をぐるぐる歩き回ったり、筋トレをはじめてみたりと――とにかく落ち着かない気持ちをまぎらわすために、僕はメールの返事を待っている間、ありとあらゆる奇行を試してみた。

僕は、なかなかメールの返事が返ってこないことに不安になって、それまで見えていた千キロ先のユーリヤへの道が、急に閉ざされてしまったような気分にさえなっていた。大袈裟《おおげさ》だっていうのはもちろん分かっているんだけれど、女の子からメールの返事が来ないというのは、男の子にとってこの世の終わりと同義なんだってことを、人々はもっと深く知るべきだし――男の子たちはそれを世界に向けて発信していくべきだと、この時の僕は強く思った。そのような発信者に、僕はならなくちゃいけないとも考えた。

ユーリヤからメールの返事が来たのは一週間後で、その頃には、僕は精も根も尽き果てて、抜け殻みたいになっていた。そんな僕にわずかな光とも言えるメールの返事が来て、僕はなおさらに緊張して情緒不安定になった。

　僕はまず、そのメールを開くか開くまいかで悩んだ。読むか読まないかで葛藤《かっとう》を続けた。メールを開くためのエンターキーに手を伸ばしてみても、その手を引っ込めるという、意味の分からない動作を何度も何度も繰り返した。その手紙の返事を待ちわびていたのに、いざ返事が来たら封も開けずにただその手紙を眺めているだけなんて、まさに意味の分からない奇行だった。

　僕は、なんとか中身を読まずにユーリヤの答えを知る方法はないかと考えたけれど、そんなものがあるわけなかった。

　もしも、そこに丁寧なお断りの言葉が書いてあったらと思うと、僕は気が気じゃなくてどうにかなってしまいそうだった。ユーリヤの性格的には、丁寧なお断りなんてせずに、はっきりと「会いに来ないで」って書いてきそうだけれど――そうなったら、僕は一生を暗い井戸の底で暮らすことになるだろう。あれこれ考え、メールを開かない理由を一万個くらいでっち上げて、手紙の内容を何千通りもシミュレーションした後で――僕は、ようやくユーリヤから送られてきたメールを開封した。

　まるで無意味な時間だったけれど、それは男の子にとって必要な儀式のようなものなのだ。おそらく。

『ハロー、スプートニク。まずは、メールの返事が遅くなってごめんなさい。内容的に、すぐに返信するべきで、このメールの返事を待っているあなたが、暗い宇宙空間に放り出されたような気持ちでいるっていうのはわかっていたんだけど、私もいろいろ考えて、お父さんやお母さんとちゃんと話をしてからじゃないと答えられないと思って、時間がかかってしまったの。

無責任に話を進められるようなことでもないでしょう？

でも、あなたが私に会いに種子島まで来てくれるって提案、本当に嬉《うれ》しかった。私もあなたに会って、あなたの顔を見てお話ししたいことがたくさんあるの。それで、お父さんとお母さんに、スプートニクが私に会いに来てくれるって言ったら、大歓迎だって言ってくれたわ。

だから来年の夏、私に会いに来てくれるならとっても嬉しいです。本当は、私が会いに行きたいくらい。でも、旅費のこととか大丈夫？　往復の飛行機代が二万円くらいするみたいだけど。それに他にもいろいろお金がかかるだろうし。スプートニクは、昔から計画性がないから少し心配。無理はしないでね。

you copy?
from ソユーズ

P.S. あなたに会えるのが待ちきれないわ』

僕は、その返事を読んで小さく拳を握って喜んだ。一瞬の流れ星をこの手につかみ取ったみたいに。

それから、僕は来年の夏にユーリヤに会いに行くための計画を立てはじめた。そして、ユーリヤに会って彼女に僕も宇宙飛行士になると伝えた時に、どうしたら説得力が増すか——どうしたら、その宣言をユーリヤが喜んで受け取ってくれるかを考えた。

メールの返事に書いてあったように、僕は昔から計画性がなく、やることなすことが行き当たりばったりなところがあった。だから今回はなるべく綿密な計画を立てて、ユーリヤに今の僕と一緒なら、きっと二人で宇宙飛行士になれるって思ってもらえるようにしなければいけないと考えた。

僕は、これまで以上に塾と部活動に励んだ。冬期講習にも出て、全国模試の順位も少しずつ上げていった。部活動では今まで以上に基礎体力の向上と、過酷な環境下でも耐えられる体作りを目指した。冬場のトレーニングは本当に過酷で、僕は毎日それをやらない理由を一万個くらい捻《ひね》り出した。無理やりにでもトレーニングを休もうとしたけれど、結局は毎日しっかりと体を動かした。一度でも休んでしまったら、下らない言い訳を採用して自分を甘やかしてしまったら——間違いなく、僕は一生走れなくなってしまうだろうから。

走るのをやめる理由は、星の数だけあった。

それに比べて、走る理由はたった一つしかない。

そのたった一つの理由が、僕には何よりも大切だった。

そのたった一つの理由だけが、僕の頭の上で光り輝いていた。

だから僕は走ることを、体を動かすことをやめなかった。たとえ走るスピードが落ちても、くたびれた体が大声で悲鳴を上げても、一度走りはじめたら足を止めてはいけないと自分に言い聞かせた。たった一度でも止まってしまえば、僕は止まることに慣れてしまい——これから先、ことあるごとに下らない理由をでっち上げて足を止めてしまうだろう。

だから、どんなにゆっくりでも走り続ける。

目標とゴールに向かって、前に進み続ける。

これが、このトレーニングのたった一つのシンプルなルールだった。


「――君は、あいかわらずがむしゃらに走ってるね。でも、前よりも必死さがなくなったと思う。すごく穏やかなリズムで走れてる。自然体で。タイムはぜんぜん伸びてないけど」

そんな僕に、ミサキ先輩はそう言ってくれた。

「まぁ、私の走りをしっかり見てなよ」

年末を目前にした最後の練習の日で――ミサキ先輩は来年の最後の試合に向けて、すでに本格的な走り込みを始めていた。怪我《けが》をした足にはまだサポーターを着けていたけれど、そのタイムはすでに女子陸上部の中ではトップだった。

彼女は髪の毛を長く伸ばしていて、夏の頃よりもとても女性らしくなっていた。少しずつ変わっていく、そして躍動的になっていくミサキ先輩の背中が、僕からどんどんと遠く離れていく。

その距離を、僕は心地よいと感じはじめ――彼女が走っているのを遠くから眺めているのが、僕は好きになっていた。

ミサキ先輩は、どこか別の場所に向かって走っていく。

僕は千キロ先へ――月へ向かって走っていく。

僕たちは、お互いに走り続けることを選んだのだ。

そんな日々を送りながら、僕とユーリヤの再会は現実味を帯びていった。メールのやり取りを通じて、僕たちの計画表は少しずつ埋まっていく。まるでパズルが完成していくみたいに。

『種子島に滞在している間の宿泊先なんだけど、お母さんが、よかったら私のお家《うち》に泊まらないかって言っているんだけど、どうかしら？　宿泊代も浮かせられると思うし、そのほうが長い時間を一緒に過ごせるんじゃないかって。もちろん、スプートニクがよければだけど。あなたも年頃の男の子だからいろいろあるだろうし、気恥ずかしいかもしれないだろうから、嫌ならはっきりと断っていいのよ。

私はどっちでもいいんだけれど、あまり深くは考えないでね』

僕は、その提案に驚いた。

ユーリヤの家に泊まることを考えて気恥ずかしくなった。女の子の家に行くなんてことは、幼い頃にユーリヤの家に遊びに行っていた時以来で――その頃でさえ、彼女の家に泊まったことなんてなかったから。

『ユーリヤの家に泊まらせてもらえるなら、正直なところすごく助かるよ。年末年始に郵便局でアルバイトをして旅費を稼ごうと思ってるんだけど、それだけだとたぶん足りないから、両親にお小遣いを前借りしようと思っていたところなんだ。でも、本当に大丈夫？　迷惑じゃない？』

『家に余っている部屋があるから、そこに布団を敷いて寝てもらう予定よ。ぜんぜん迷惑じゃないと思うわ』

『よかった。じゃあ、ユーリヤの家に泊めてもらうってことでいいのかな？　なんか、今から緊張してきた』

『了解よ。お母さんに伝えておくわね。でも、年末年始にアルバイトって書いていたけれど、本当に大丈夫なの？　冬季講習に部活動も休まず出ているんでしょう？　本当に無理してない？　スプートニクが倒れたりしたら、たとえ私に会いに来るためでもぜんぜん嬉《うれ》しくないいんだからね？　お願いだからあなたの時間を、あなたの高校生活を、大切に使ってね』


そのメールに、僕は「大丈夫だよ」と返した。

正直なところ、僕は毎日へとへとにくたびれていて、毎晩疲れ果てて泥のように眠っていた。

ユーリヤが言う通り、無理をしていると言えば無理をしていたんだと思う。それでも、その無理が日課になってしまうと、自分の生活のリズムの一部になってしまうと——それは、僕や他人が思う以上にうまく回りはじめて、スムーズに前に進んでいく気がした。長距離を走る時、疲れていればいるほど、無駄な力や余計な思考が抜けて自然体で走れてしまうみたいに。目に見える明確なゴールさえあれば、それは完走できる類の無理に思えた。

僕たちは、38万4400km先の月を目指している。それに比べれば、わずか千キロ先のゴールは完走できると確信できる類の距離なのだ。

足を止めずに、走り続けてさえいれば。

だから、僕は無理を続けて走り続けた。

ユーリヤのいる千キロ先の種子島を目指して。

7　夏の終わり

種子島行きの飛行機の中で、僕はいろいろなことを考えていた。はじめて乗る飛行機に緊張してはいたんだけれど、今から数時間後にはユーリヤに会えるんだと思うと、より大きな緊張に呑《の》みこまれて宙に浮いたような気分になっていた。飛行機が離陸する前から、僕だけが離陸しているような気持ちに。

ユーリヤに会いに行くと伝えてから、ずいぶん時間が経《た》っていたんだけれど、それらの全てがあっという間で――その全てが、一瞬で過ぎ去ってしまったような気がしてしかたなかった。

窓の外を流れる雲を眺めながら、その全ては流れる白い雲と同じように、あっという間に過ぎ去ってしまったんだなと実感させられていた。一陣の夏の風みたいに。

僕は、陸上部の大会のことを思い出していた。

ミサキ先輩の最後の大会のことを。

彼女はその大会で、自己新記録のタイムを出して夏を終えた。そして、彼女は部活動を引退した。

僕たちは、大会の後に少しだけ言葉を交わした。

「あー、ダメだった。自己新記録は出せたんだけどね、一番にはなれなかったよ。あー、もう。悔しい」

素直に悔しいと言えてしまう清々《すがすが》しさを、僕はとても素敵だと思った。

「私の走り――しっかり見てた？」

「はい」

尋ねられて、僕は頷《うなず》いた。

「これだけ全力でやってもさ、一番にはなれないし、怪我《けが》はするし、お付き合いしていた男の子とはうまくいかないしでさ――ぜんぜん報われない。つらいことばかりだよ。そもそも、走るってつらいことしかないし、達成感なんてほんの一瞬。それでも、君は月に向かって走っていける？　これから先も――走り続けられる？」

ミサキ先輩が僕に尋ねる。それは最後の最後に、僕の覚悟のようなものを見定めようとしているみたいだった。

「はい。僕はこれから先も走り続けます。月に向かって」

だから、僕もしっかりと覚悟と決意を伝えた。

月に向かって走り続けるって。

「短距離の才能ぜんぜんなくて、幽霊部員にも負けてるのに？　今日の大会だってタイム最悪だよ？」

「それを言われると、何も言い返せないです」

僕の反応を見て、彼女は涼しげに笑う。

「まぁ、今のは冗談。月を目指すのにタイムは関係ないしね。でもさ――これからは、長距離を走りなよ」

ミサキ先輩はとても穏やかな表情で僕を見て、そう言った。それはやり切って、出し切った人だけの特別な表情だった。何かを伝えて、バトンを渡そうとする――そんな表情。

「より遠くを目指すなら、より遠くまで走れる競技のほうが絶対にいいよ。月なんて途方もないゴールを目指して走るなら、なおさらさ。それに、君には長距離のほうが似合ってると思う。いい選手になるよ」

「はい。そうします」

僕は、その提案を快諾した。向いているではなく、似合っていると言ってもらえたことが、なんとなく嬉《うれ》しかった。

「ミサキ先輩の走りを見ていたら、僕も長距離を走りたくなってきました。それに、ビリになるのはもう飽きました」

「そのほうがいいよ。負け続けるのはこたえるしね」

ミサキ先輩の声は震えていて、その優しげな目には少しだけ涙が滲《にじ》んでいた。僕たちの間をそっと夏の風が通り抜けて、季節が変わっていくことを静かに伝えていた。僕たちの夏が終わることを。

「あーあ、これで私の夏も終わりかあ」

ミサキ先輩は青い空を見上げて、大きく体を伸ばした。そして、言葉を続ける。

「実はさ、二人でぜんぶ忘れちゃおうよって言ったの――けっこう本気だったんだよ？」

僕たちは向かい合ったまま、しばらく何も言わなかった。お互いその先の言葉を発することを躊《ちゅう》躇《ちょ》していた。僕は一瞬だけ、ミサキ先輩と一緒に全てを忘れてしまった――あり得たかもしれない可能性みたいなことを考えた。

遥《はる》か遠くの月を目指さなければ――僕の目の前には、もっとわかりやすくて、歩みやすい道がたくさんあったのかもしれない。もっと単純で、ただ楽しいだけの未来が。

でも、僕にはユーリヤがいた。

あの満月の夜に聴いたユーリヤの言葉があった。

あの日の帰り道、僕は満月を見て宇宙飛行士になるんだって——月に行くんだって漠然と確信した。あの時の気持ちを、僕は永遠に忘れることはできないだろう。

それに、あの日から——いや、あの『秘密の図書館』でのはじめての出会いから、僕の中の宇宙にはユーリヤしかいない。

だから、僕は夏にさよならを言わなくちゃいけなかった。

月に向かって走り出すために。

「ミサキ先輩、今までありがとうございました。三年間おつかれさまでした」

その瞬間に、僕たちの夏が終わったってことを、僕たちは互いに理解した。僕はミサキ先輩に月を目指すことを話してよかったと思った。別の選択肢が、別の可能性が、別の道があったんじゃないかって知ることができてよかったと思った。

僕はたくさんの可能性の中から、たくさんの枝分かれした道の中から——自分の意志で、ユーリヤと一緒に月を目指す未来を選んだっていう自信と自覚を持つことができたから。

僕は自分の意志と覚悟で、この長すぎる道を——38万４４００㎞の距離を走り続けていく。

僕の胸の中で——スターターピストルの音がこだまする。

それは、新しいスタートの合図。

僕は、小さな一歩を踏み出した。

大会の翌日から、ミサキ先輩のいない日々がはじまり――僕はミサキ先輩のいないトラックで長距離を走った。その走りは、僕の体にとても自然になじんだ。まるで僕のために仕立てられた新しい服を着るみたいに、何もかもが採寸通りにぴったりだった。僕の体や筋肉は長距離に向いていて、今日までその競技のために練習をしてきたみたいだった。

僕は、夏を忘れるようにがむしゃらに走った。ユーリヤのいる千キロ先の島を目指して。

そして今、僕は飛行機の中にいて――ユーリヤのいる島に向かって雲の上にいる。

目的地の種子島空港まではもう少しで――着陸まではあとわずか。

ねぇ、ユーリヤ。

あの日、ユーリヤに会いに行くための飛行機の中で、僕はどうにかなってしまいそうなくらい緊張していたんだよ。それこそ、石ころにでもなってしまったみたいに。海に沈んでしまったら、そのまま浮き上がれないくらい、徹底的に緊張していたんだ。

高校生になってからはじめて会うユーリヤに、なんて言葉をかけたらいいのか、どんな話をしたらいいのか――そんなことを考えだしてしまうと、僕はいつも眠れない夜を過ごすことになったんだ。何度も何度も。

あの時、あの飛行機の中で、僕は再会したユーリヤに宇宙飛行士になるって宣言をして――もう一度、二人で月に行こうって約束をし直すんだと、ずっと自分に言い聞かせていたんだ。

ユーリヤは、それを喜んで受け入れてくれると思っていた。でも、実際はその決意を告げることはできず、僕たちの再会は無理やり幕を閉じることになってしまった。まるで、突然の嵐に襲われてしまったみたいに。そしてそれが、僕がユーリヤに会うために訪れる最初で最後の種子島になってしまった。


ねぇ、ユーリヤ――あの時の僕は、ユーリヤの不安や恐怖をまるで分かってあげられていなかったんだ。ユーリヤが抱えているものを、向き合っているものを、乗り越えようとしているものを、まるで分かってあげられていなかった。

あの時、僕はユーリヤに伝えるべきだったんだ。

僕が宇宙飛行士になって月を目指すっていうことを。

そうすれば――

8　宇宙に一番近い島

種子島空港に降り立ってこぢんまりとした空港の建物に入った僕は、はじめて見る景色には目もくれず、一直線に待ち合わせの場所を目指した。

空港の外のロータリー。

そこが、僕とユーリヤの待ち合わせ場所だった。

自動ドアを抜けて空港の建物の外に出ると、そこはむせ返るような暑さと、東京とは違う夏の匂いが充満していた。濃い海の香りと、たくさんの緑の匂いが。飛行機の中からも見えていたけれど、田んぼと何もない敷地がパッチワークのようにそこら中に広がっていて――僕はとても遠くに、僕の知らない場所に来たんだなあと実感して、胸を膨らませた。

庇《ひさし》のある案内板の前に立って緊張しながらあたりを見回していると、すぐに駐車場の方向から日傘を差した女の子が歩いてきた。顔が隠れるくらい深く日傘を差していたけれど――一目見た瞬間に、それがユーリヤだってことが分かった。おそらく、月と地球くらい離れていたって、僕はそれがユーリヤだって気がついたと思う。

とても清潔そうな、たった今洗濯が終わったって感じの白いワンピースを着た女の子が僕の前までやってくると――その女の子は日傘をずらして大きな灰色の瞳を緩める。とても優しく、それでいて少しだけ信じられないという表情で。

僕たちは炎天下の日差しの中で、互いを認め合って見つめ合った。

ユーリヤは白いワンピースに大きな麦わら帽子をかぶっていて、長い黒髪は僕の記憶よりも少しだけ短くなっていた。裾《すそ》の先の小さな足にはヒールの高い青色のサンダルを履いていて、その白くすらっとした足とくるぶしがとても大人っぽく見えた。

たった一年と数か月会わなかっただけで、ユーリヤは信じられないくらいきれいになっていた。僕が想像していたよりも、何倍もきれいに。

「ハロー、スプートニク。ひさしぶり」

「うっ、うん。ひさしぶり」

「ここまで大変じゃなかった？」

「大丈夫だったよ」

僕は急に緊張してしまい、まるで幼い頃に戻ったみたいに何を言えばいいのか分からなくて言葉に詰まってしまった。そんな僕を見て、ユーリヤはにっこりと笑ってくれた。そして、少しだけ泣きそうに灰色の瞳を滲《にじ》ませた。僕も泣きそうになっていた。

「なんだか、ずいぶん男の子っぽくなったのね？　肌もすごく日に焼けているし、体もがっしりしてきてる。背だってこんなに伸びて。もう、私が背伸びをしたって、あなたと同じ高さの目線にはならないのね？　今日も、けっこうヒールの高いサンダルを履いてきたのに」

日傘を丁寧にたたんだ後、僕にそっと近づいて背伸びをして見せたユーリヤは、困ったように笑って僕の日に焼けた腕を撫《な》でてみせる。たったそれだけのことで、僕はもう胸がいっぱいになっていた。

ユーリヤの手は僕の記憶よりもさらに細くて、そして真夏の雲よりも白かった。

「毎日部活動でへとへとになるまで走ってるからね。身長は伸びたけど、体はこれでも小柄なほうだよ」

「男の子ってすごいのね？　どんどん大きくなっていっちゃうんだから。私なんて、ここ数年一センチも伸びてないのよ。むしろ縮んでいるんじゃないかしら？　きっと、地球の重力に押しつぶされているんだわ」

「でも、ユーリヤはすごくきれいになったよ。ものすごく。ちょっと驚いた」

僕がそう言うと、ユーリヤのほうが驚いたように目を見開いて、頬を赤らめた。その後で、にっこりと笑ってくれた。

「あら、ずいぶんとお世辞がうまくなったのね？　もしかして、そこら中の女の子に言っているんじゃないかしら？」

「そんなことないよ」

「まぁ、いいわ。それは追及しないでおいてあげる。素直に受け取って——ありがとうって、お礼を言うわ」

そう言うと、ユーリヤはワンピースの裾《すそ》をつまんで可愛らしく頭を下げてみせた。まるで、僕たちのあの『秘密の図書館』での出会いを再現してくれたみたいに。

それはユーリヤらしいとびっきり澄まして、とても懐かしいおしゃまな仕草だった。

僕は、思い出の波にのみこまれていた。そして、ようやく千キロの距離を越えてユーリヤと再会できたことを実感していた。

「ねぇ、スプートニク、会いに来てくれてありがとう。本当にうれしいわ」

そうして、僕たちのつかの間の日々が始まった。

月までの長い道のりからすれば、本当に一瞬の——

再会の日々が。

9　母

靴底のように縦長に伸びた形の種子島は、大きく分けて三つの地域に分類できる。

まずは種子島空港のある空の玄関口で、島の中心地でもある中種子町《なかたねちょう》。島を横断する国道や県道が全て走り、手つかずの自然が多く残った観光の名所。続いて、中種子町の北に位置する西之表市《にしのおもてし》。フェリー乗り場のある海の玄関口で、鹿児島との間に高速船が運行している。日本最南端の士族である種子島家の城下町として栄え、現在も島の政治と経済の中心地。

最後は、僕とユーリヤが向かっている南種子町《みなみたねちょう》。鉄砲伝来の歴史ある土地で、現在はＪＡＸＡの宇宙センターが置かれた日本で最も宇宙に近い場所。観光地も多くあり、連日観光客で賑《にぎ》わいをみせる。

ユーリヤのお母さんが運転してくれる車に乗った僕たちは、しばらく車内で揺られながら藤堂家を目指した。ＢＭＷのロゴが刻まれた車内はとても広くて、とても高級な匂いがした。まるで外国のような匂いが。ちなみに、僕はまだ一度も外国に行ったことがない。

二人並んで後ろの席に座って、僕たちはそれぞれ窓の外を眺めた。

「かっこいい車ですね」

僕はユーリヤの母親にそう言った。

「見栄えはいいんだけれどねえ。少し大き過ぎて乗りにくいのよね。小さな島なんだから、小さな車でいいのにね？　でも、お父さんはドイツ車が好きなの」

「我が家はレクサスにするべきなのよ。日本車のほうが数倍性能がいいんだから。ドイツ車なんて見栄っ張りの車よ」

「お父さんの唯一の趣味みたいなものなんだから、それくらいは許してあげなくちゃ。そうしないと、そのうち飛行機を買おうとか言いだすわよ」

「それもそうね」

ユーリヤの母親は、僕の記憶よりもだいぶ日本語が上達していた。そして僕の記憶よりもだいぶふくよかになっていて、ユーリヤもいずれそうなるのかなあなんて考えた。優しい灰色の瞳はユーリヤの瞳そっくりで、その瞳がバックミラー越しに僕を見た。

「本当に久しぶりだわ。あなたが遊びに来るなんて、いつ以来かしら？　小学校以来だから、もう五年か六年ぶり？　本当、時間が経《た》つのって早くて信じられないわね」

「そうですね。僕も、あっという間だったなって思います」

「ユリヤと同じくらい小さかったのに、今じゃこんなに大きくなって。なんだか不思議な気分ね？　あの頃、ユリヤはいつもあなたの話ばかりしていたのよ。あなたが家《うち》に遊びに来る時なんか、一時間以上も前から鏡の前でおめかしをして。ふふふ。ユリヤはいつも何かが気に入らなくて、何度も何度もやり直しをするの」

「お母さん、余計なことは言わなくていいから」

ユーリヤは静かに釘《くぎ》をさすように言った。昔のように癇癪《かんしゃく》を起こしたり、母親をポカポカ叩《たた》いたりしないことに僕は少しだけ驚いて、少しだけ残念な気持ちになった。

「なによ？」

そんな僕を、ユーリヤは澄ました顔で見て尋ねる。

「なんでもないよ」

「なんでもあるって顔してる」

「なんでもないって」

「なんでもあるって顔に書いてあるんだから」

「昔みたいに怒ったりしないんだなって」

僕は正直に白状した。

「もう子供じゃないんだから、そんなことをするわけないでしょう？　やれやれだわ」

「でもユリヤったら、今日もあなたを迎えに行く前からずっと鏡の前でおめかしをしていたのよ？　髪の毛なんか三回くらい結い直して。その麦わら帽子だって今日おろしたての新品なの」

「お母さんっ」

ユーリヤの声が車内に響き渡った。顔を真っ赤にして癇癪《かんしゃく》を起こしたユーリヤは、麦わら帽子を深くかぶってそれ以上何も言わなかった。沈黙することで、深い怒りを表明していた。

ユーリヤには悪いけれど、僕は噴き出しそうになって窓の外を眺めた。

昔と全然変わっていないユーリヤが――幼い頃と変わらないユーリヤが僕の隣にはいて、そのことが僕はたまらなく嬉《うれ》しかった。ユーリヤの母親はバックミラー越しににっこりと笑って、僕に片目をつぶって見せた。

最高にやれやれだった。

10　スーパーカブ

南種子町にあるユーリヤの自宅は、よくあるタイプの日本家屋だった。似たような家屋が少し離れた所に点在していて、隣の家までの距離が東京では考えられないくらい遠かった。ブロック塀の奥には鬼瓦のある屋根がのぞいていて、想像の中の田舎の家によく似ていた。おばあちゃんの家みたいだと思った。

僕たちは荷物を置くと、休む間もなく庭に出た。そこには二台の原動機付自転車が仲良く並んでいた。

「これが、私の相棒のチャイカよ。そっちは、お父さんがスプートニクのために知り合いから借りてきたオンボロ号」

「オンボロ号ってなんだよ？」

ユーリヤが指を指した僕の乗るスーパーカブは、確かにオンボロだった。ところどころ錆《さ》びついていて、プラスチックのカバーは割れている。シートなんか破れていた。まるで長年新聞配達をしてきた古株みたいだと思った。

「ユーリヤのチャイカ号だって、ナンバープレートの下にカッコ悪いプレートがついているじゃないか？」

「仕方ないでしょ。通学用のカブには、学校支給のプレートをつけなくちゃ校則違反なんだから」

チャイカ号には、車体の後ろのナンバープレートの下に大きく学校名の書かれたプレートが伸ばした舌のようにくっついていた。それは、どこからどう見てもカッコ悪い。

「それより、ちゃんと免許証持ってきてるんでしょうね？　あと、運転できるの？」

「免許証は持ってきてるし、原付の運転なんて誰にだってできるよ」

僕は、この日のために原動機付自転車の免許を取得していた。藤堂家に泊めてもらうことになって旅費が浮いたので、島を自由に移動できる原付の免許を取ることにしたのだった。試験は一発で合格した。もちろんぎりぎりで。

「スーパーカブを甘く見ていると痛い目を見るわよ？　絶対にギアの操作でギクシャクするんだから」

「たかが原付でそんなことないと思うけど？　まぁ、いいや。そんなことよりも早く行こうよ」

「ええ、そうね。あなたのお手並み拝見といこうじゃない」

ユーリヤは不敵に言って真っ白のヘルメットをかぶり、慣れた様子でスーパーカブにまたがった。その姿はとても違和感があって、まるでお姫さまが豚にまたがっているくらいちぐはぐだった。

「ユーリヤってカブが似合わないんだね」

「うるさいわね。その台詞《せりふ》、クラスメイトにもう一万回くらい言われてうんざりしているんだから。スプートニクだって、ぜんぜん似合ってないわよ」

「そうかなあ？」

僕も白いヘルメットをかぶってオンボロのスーパーカブにまたがる。ミラー越しに自分の姿を眺めたけれど、けっこう悪くないような気がした。

「じゃあ、行くわよ」

「うん」

「私が先頭を走るから、ゆっくりついてきて。車の通りが少ないからって調子に乗ってスピード出さないでよ？」

「了解」

そう言うと、ユーリヤはカブのエンジンをかけて足元のペダルを踏んでエンジンをふかす。バイクの状態を確認したのか「悪くないわね」って顔で頷《うなず》くと、アクセルを回して家の外に向かって走り出した。

僕も同じようにエンジンをかけ、ペダルを踏んでアクセルを回す。ユーリヤと同じようにバイクの状態を確かめ「なかなか悪くないかな？」って思ったけれど、スーパーカブに乗るのははじめてだったので、僕には何も分からなかった。僕はブレーキを離しながら、アクセルをゆっくりと回してカブを前に進ませた。しかし、通りに出てギアを上げようとするとうまくいかず、僕のオンボロ号はガタガタと前後に揺れて、ロデオみたいなカッコ悪い動きをした。

「ほらみなさいよ。だからギクシャクするって言ったでしょう？」

ユーリヤは速度を落として僕に並走し、意地の悪い表情を浮かべてみせる。くすくすと笑いながら上手く運転できない僕を小馬鹿にし、目の前でスムーズなギアチェンジを披露してみせる。

その後、ユーリヤの運転講座を嫌々ながら受けて、僕たちは二度目の出発をした。

種子島の長閑《のどか》な道をスーパーカブで走ると、本当に気持ちが良かった。僕はユーリヤの背中を眺めながら――その先に広がる種子島の景色を見つめた。道の両脇にはたくさんの田んぼが広がり、背の低い稲穂が太陽に向かってせいいっぱい背伸びをしている。田んぼと田んぼの合間に、白い風車が突然現れたりもする。長い道の途中には、まるで忘れ去られたみたいにぽつんと建ったコンビニがあったりして、僕はとても新鮮な気持ちで島の様子を目に焼き付けた。そして、胸の奥のレコードにも。

車が一台も通らない広い道路を走ると、そのうち白い砂浜が現れて——その先には大きな海が広がった。

「さぁ、着いたわよ」

そして、僕たちの目的地であるＪＡＸＡの宇宙センターが現れた。

11　JAXA

種子島宇宙センターは、総面積約９７０万平方メートルにもおよぶ日本最大のロケット発射場で、種子島東南端の海岸線に面している。その広大な敷地の中には大型ロケット発射場や衛星組立棟、衛星フェアリング組立棟などの施設や設備がある。

人工衛星の最終チェック、ロケットへの搭載、ロケットの組み立てや整備、点検、打ち上げなどを行い——そして打ち上げ後のロケットの追跡や、打ち上げた衛星のデータ受信に至るまでのおよそ全てを、この種子島宇宙センターが担っている。

日本の宇宙開発において、まさに中心的な役割を果たしている場所。

そして、この種子島宇宙センターは、世界一美しいロケット発射場といわれており——その言葉通り、本当に綺麗《きれい》な場所だった。

　宇宙センターは小高い山の上に建てられ、眼下にはリゾート地顔負けの青い海と白い砂浜が見える。センターの周りを囲むように生い茂る豊かな緑の森。潮風と、濃い植物の匂いとが混じり合っている。その全てが、自然と科学との調和を表しているみたいだった。

「ここが、種子島宇宙センターよ。私たちＪＡＸＡの高校生インターンは、週に数回ここに通って宇宙開発の勉強や研究をするの。宇宙開発の基礎について学んだり、自分の興味のある分野――例えば天文学とか、物理学とか、航空力学なんかを学ぶの。半年に一回、レポートを出したりもするわね。今日は、お父さんにお願いして特別に見学許可を出してもらったわ」

　ユーリヤに説明され、導かれるままに――僕はセンターの中に入り、広々としたエントランスの受付で名前を書いて、見学許可証をもらった。

　それから、まるで秘密基地のように広大な宇宙センターの中を見学した。そこは僕が幼い頃に想像し、胸を膨らませていた秘密基地そのものだった。ユーリヤの家の中を探検と称して歩き回った時みたいに、胸の奥にどきどきとワクワクが溢《あふ》れて、本当に子供に戻ったみたいだった。

「たいして面白みのある場所じゃないわよ。私たちじゃ入れない場所も多いし」

　そんな僕とは裏腹に、ユーリヤは慣れた様子で先へ先へと進んでいく。まるで自分の城の中を歩いているみたいに。

「ここが、私たちインターンが普段使っている研究室よ。まぁ、ただのブリーフィングルームを研究室って呼んでいるだけだけれど」

　そう言って案内されたのは、学校の視聴覚室のような部屋だった。大きなスクリーンや宇宙船などの模型、たくさんの資料などが山積みになっている。ホワイトボードにはいろいろな殴り書きや宇宙やロケットの写真などが貼られていて、ここで学んでいるユーリヤたちの情熱が伝わってくるみたいだった。

そして、見覚えのある展示物も。

「これって？」

「それが、去年私たちが発表した新型の宇宙服よ」

それは去年ホームページで見た宇宙服。

ユーリヤが種子島宇宙芸術祭で発表していた展示物で、彼女のこの島での成果の一つだった。ユーリヤは宇宙服の隣に立って説明を始める。

「これは、従来の宇宙服よりも軽量かつスリム。形状記憶型の骨格が、そのままパワードスーツの役割もこなしてくれるように設計されているの。人工筋肉っていってね、今後は宇宙開発だけじゃなくて医療の分野でも活躍する技術になってくると思うわ。あとは、スーツ自体に発光する機能がついているの。暗い場所や閉所で活躍できるっていうのが開発コンセプトね。まぁ、アメリカのエアバッグの会社が、すでに似たようなスーツを試作してて、その後追いみたいな感じなんだけれどね。でも、私が考案した排泄《はいせつ》機能だけは、とってもオリジナリティに溢《あふ》れているのよ？　ほら、このパンツ部分――」

そう言うと、ユーリヤは新型の宇宙服の後ろに回ってお尻の部分を優しく撫《な》でた。

「ここに、微生物を発生させるバイオチップを詰め込んだ機構を取り付けるの。微生物に排泄物を分解させることで、衛生的に除菌状態を保つのよ。最終的には、微生物の役割をナノマシンにやらせることで、排泄物さえスーツを維持するエネルギーに変えることができるって発想よ。濾過《ろか》された尿は、腰のベルト部分に取り付けられた水筒に自動的に溜《た》まるようにするの。宇宙では、排泄物でさえ貴重な資源なんだから」

　そう語るユーリヤは、まるで昔のまま――二人でアメリカの陰謀を暴こうとしていた頃と、まるで変わっていなかった。そして、その推力や情熱ももちろん幼い頃のままだったんだけれど――女の子がはっきりと排泄物と口にする光景は、僕には少しだけ刺激が強すぎた。

　僕は、真っ赤な顔を手のひらで覆いたくなっていた。

「ちょっと、スプートニク？　まさか、変なこと考えてないでしょうね？」

「変なことなんて考えてないよ。ただ、ユーリヤが排泄物なんて大きな声で何度も言うから恥ずかしくなって」

「バカッ。これは、宇宙開発にとってすごく大事な発明なんだから。スーツを着たままでも快適に過ごすための、画期的な発想なのよ？　それなのに、なんて変なこと考えてるのよ。ばかっ」

　ユーリヤは癇癪《かんしゃく》を起こしてみせた。

「ごめんって。でも、ユーリヤももう少し気をつかったほうがいいよ。年頃の女の子なんだからさ。大声で排泄物だ尿だって言われたらびっくりするよ」

「うるさいわね。スプートニクなんて知らないんだから」

　ユーリヤは唇を尖《とが》らせながら、つんとそっぽを向いてしまった。そして、僕に背中を向けて黙ってしまった。僕はこれまでの経験則で、癇癪を起こしてしまったユーリヤは手のつけようがないってことを十分に承知し、理解していた。それは嵐のようなもので、過ぎ去るのをただじっと待つしかないのだ。

僕は、ユーリヤの機嫌が直るまで静かにしていることにした。それにユーリヤが本気で怒っているわけじゃないってことを、僕はもうとっくに理解していた。僕たちは懐かしい過去を――いつも一緒だった幼い頃をなぞることで、少しずつこれまでの関係を修復しようとしていたんだと思う。

あの満月の夜の再会の――続きを行うみたいに。

僕はしばらく無言でユーリヤの背中を見ていたけれど、展示された宇宙服の隣、テーブルの上に置かれた模型に視線を移した。

そして、吸い込まれるようにその模型を見つめた。

青い海の上に浮かぶ島。

その島には、巨大な駅のような建造物が建てられている。その円形のターミナル・ステーションの中心からは、空に向かって――宇宙に向かって延びる一本の長いレール。紐《ひも》のようにも、塔のようにも、橋のようにも見えるそのレールの先には――ドーナツ形の建造物が浮かんでいる。大気圏を突破して宇宙空間にまで延びたそのレールは、ドーナツの中心を貫くようにさらに延びていき、その終点には錘《おもり》のような塊《かたまり》が設置されていた。

「これって？」

「それが、人類初の軌道エレベーターよ」

僕が食い入るようにその模型を見つめていると、僕の後ろに立ったユーリヤが僕の背中越しに言った。

軌道エレベーター、と。

「その模型は、赤道上にある島——比較的気候と天候の安定した島に建設される予定の、軌道エレベーターの第一号機なの。早ければ五年後くらいには建設がはじまり、十年後には試運転っていうところかしら？」

それは、以前ユーリヤが話してくれた未来の宇宙開発の姿、そのままだった。

あの満月の夜に聞かせてくれた未来予想図の通り。

「十年後には完成なんて——本当に、あっという間なんだね」

僕は、軌道エレベーターが稼働している未来を想像した。このレールを通るエレベーターに乗って、たくさんの人たちが地球から宇宙に上がっていく光景を思い描いた。ドーナツ型の宇宙ステーションに滞在して、宇宙旅行を楽しむ人たちの姿を。

そんな未来がもう目前に迫っているんだと——僕は、はじめて実感した。

「でも、これでも予定よりもだいぶ遅れているくらいだし、これから先も、いろいろな問題が起きて遅れが出るでしょうから——本当に試運転が始まるのは、早くて十五年後くらいなんじゃないかしら？」

「それでも、十分あっという間だよ。ユーリヤが言ったみたいに、誰もが気軽に宇宙に行ける未来がやってくるんだね」

「かもしれないわね」

僕が興奮気味に言うと、ユーリヤは少しだけ声のトーンを落として呟《つぶや》くように言った。少しだけ寂しげで——そして、悲しげな声音で。

「まぁ、第一号機さえ完成しちゃえば、続く二号機と三号機はあっという間なんじゃないかしら？

それこそ各国が競って開発を進めるくらい。おそらく軌道エレベーターのキーテクノロジー、建設技術の特許を取得した国が――これから先百年の宇宙開発でリーダーシップを発揮することになるって、私は睨《にら》んでいるわ。この種子島にも軌道エレベーターを建設したらいいんじゃないかって思うんだけど、この島は台風が多くて天候が安定しないのが問題なのよね」

「そういえば、第一号機は赤道上の島って言っていたけど、なにか理由があるの？　それに気候や天候との関係も？」

「もちろんあるわよ」

ユーリヤが頷《うなず》いて続ける。

「軌道エレベーターっていうのは――つまるところ地球の重力と、自転による遠心力で成り立っているの。ハンマー投げのハンマーをいつまでも投げずに、くるくると回している状態って言えば分かりやすいかしら？」

「つまり、地球がハンマー投げの選手で、ハンマーが軌道エレベーターだね？」

「その通り」

僕が言うと、ユーリヤはよろしいと頷いてみせる。

「軌道エレベーターの先には、カウンターという錘《おもり》が取り付けられているの。これがハンマーの先――」

ユーリヤは模型の終点、錘のような塊《かたまり》を指差した。

「このカウンターを、地球の自転によって発生する遠心力で回転させ続けるっていうのが、軌道エレベーターの一番簡単な原理なんだけれど――そこで一つ質問よ。ハンマー投げの選手がハンマーを回転させるのに、一番適した場所は体のどこかしら？」

僕は、両手にハンマーを持っているところを想像して回転してみた。ハンマー投げの選手になったみたいに。

「うーん、胸かな？」

「その通り。足下や頭の上でハンマーを回転させるなんて、余計な力が入って疲れるだけでしょう？　ハンマーを投げようとした時、一番自然で一番投げやすい場所は、自然と胸の辺りになるの。地球でいうと――それが赤道なのよ」

「なるほど、赤道が地球君の胸になるんだね」

僕は頭の中で、地球君というマスコットが軌道エレベーターを持ってくるくると回転しているところを想像してみた。地球君の胸は赤道なのだ。

「そういうことね。それに赤道付近は天候と気候が比較的安定しているから、余計な不確定要素を持ち込まなくて済むの。台風とか地震とかにいちいち煩わされていたら、工事も試運転もなかなか進まないでしょう？」

「たしかに」

「まぁ、第一号機は赤道につくるけれど、第二号機と三号機は別の場所に――開発する国にとって都合のいい場所に建設すると思うわ。私も、日本で軌道エレベーターを建設するならどこが最適かっていうレポートを書いているところなの」

「そんな難しそうなレポートを？」

「大学では天体物理学を専攻しようと思っているから、そのための足がかりみたいなものね。ＮＡ

ＳＡやＪＡＸＡに提出して評価がもらえれば、大学の推薦入試にも有利でしょうし。新型宇宙服、宇宙服の排泄《はいせつ》機構、軌道エレベーターのレポートをまとめて論文を書けば、大抵の研究室は私に興味を持ってくれると思うのよね」

誇らしげに語るユーリヤの姿に、僕は少しだけ圧倒されていた。僕と離れている間にも、やはりユーリヤはどんどんと前に進み続けていた。高校を卒業した先、大学に入って何を研究するかまで、彼女はすでに決めている。

ユーリヤの進んでいく先には、月があって――彼女は真っ直ぐに月までの道を進んでいるのだと、僕は改めて知ることができた。

「天体物理学に大学の研究室かあ。じゃあ、ユーリヤはそれを学びながら月を目指すんだね？　軌道エレベーターとドッキングした宇宙ステーションからは、きっと月へ向かう宇宙船がたくさん発進するんだろうなあ」

僕は軌道エレベーターの模型に視線を移し、それとドッキングしたドーナツ形の宇宙ステーションを眺めた。いつか、地球から宇宙に向けてロケットを飛ばさなくても、月と地球を自由に行き来できる未来がくると信じて。

「あの満月の夜にユーリヤが話していたみたいに、月の砂レゴリスを採掘しに――月の金貨であるヘリウム３を求めて、人類はどんどん月を目指すんだね」

僕はこの時、僕も宇宙飛行士を目指していることをユーリヤに伝えようと思った。彼女の変わらない情熱や推力に感化されて、僕も一緒に月を目指すということを宣言しようと思った。

今、この瞬間がそれにふさわしいんだと。

「そうね。そうなってくれるといいわね」

だけど、ユーリヤはどこか自信がなさそうに、そして心細そうに言って小さく笑った。その表情に、深い影が差したように見えた。まるで僕たちの頭の上に浮かぶ月を隠してしまうような大きな雲がかかったような。

僕は、ユーリヤのその表情に不安を覚えた。思わず喉まで出かかった言葉をのみこんでしまうほど、その表情は真に迫っていた。

「いずれ月面の開発が進んだら、そこに宇宙望遠鏡を設置するのがいいんじゃないかなあって、私は思っているわ。そのほうが、より遠くの宇宙を観測することができるし、もしかしたら、人類が居住できる新しい惑星が見つかるかもしれないでしょう？　それに、人類とは別の未知の知的生命体だって見つけることができるかもしれないし」

ユーリヤは、たった今思いついたみたいに付け足して言った。これまでの現実味のある未来の宇宙と違う、遥《はる》か先の夢物語のような未来を口にして。何かを誤魔化すみたいに。何かから目を背けるみたいに。

僕の不安は一層濃くなって、僕はのみこんだ言葉を口にする勇気を失ってしまった。僕の言葉はとたんに臆病になってしまい、胸の奥から出てこられなくなっていた。

「さぁ、私たちの研究の成果も見せたことだし、次の場所に行きましょう？　まだまだスプートニクに見せたい場所がたくさんあるんだから」

ユーリヤは、逃げるようにブリーフィングルームを後にした。

自分の積み上げてきた研究の成果に背を向けるみたいに。

どうしてだろう？

ユーリヤのその背中が、僕たちが離ればなれになってしまった時の——国境線に背を向けて歩き出してしまった時の、あの小さな背中と重なって見えて、僕はどうしようもなく怖くなった。

12 発射場

それから、僕たちはＪＡＸＡの施設を見て回った。総合司令棟と呼ばれる、たくさんのモニターやコンピュータの置かれた部屋の中は——ＳＦ映画に出てくるそれとまったく同じで、僕はまるで映画の登場人物になったような気分になった。

施設の案内のために同行してくれたＪＡＸＡの女性職員が、丁寧に説明してくれた。

「総合指令棟は、種子島におけるロケットおよび人工衛星の発射前作業、地上安全、発射および追尾等のすべての作業について指令管制を行うところです」

ユーリヤとも面識のある女性職員は、慣れた調子で解説を続ける。見学者を案内するガイド役を普段からやっているらしく、その説明はものすごく分かりやすかった。

「島内の各ステーションの連絡調整の中枢でもあり、発射作業全般の円滑な進行を行います。まぁ、サッカーの監督であり、チームの司令塔みたいなものですね。プレイヤーが円滑にプレイでき、そしてシュートを決められるようにサポートをして、アシストをするのが役目です」

僕はＪＡＸＡの青い制服を着て働くたくさんの人たちの背中を眺めながら、その話を一言一句ももらすまいと聞き耳を立てた。

「そのために総合指令棟は内外からの情報収集や分析、判断を行います。必要な企画立案をしたり、関連部署への伝達、データの処理、進行管理等の業務なども日夜行われていますね。総合指令棟には、指令管制設備、通信設備、時刻設備、気象観測設備、光学観測設備、各種モニターがあって、二十四時間異常がないかを管理、監督しています」

女性職員と別れた僕たちは、続いてロケットの組立棟を見学して、最後に大型ロケット発射場を見学した。

ロケットの組立棟から目と鼻の先にある大きな広場には、ロケットを打ち上げるための第一射点と第二射点があり――その周りに、赤と白の巨大な鉄塔がいくつも立っていた。それらは避雷針で、ロケットに雷が落ちないように防いでいるらしい。

「ここからロケットが打ち上げられるのかあ」

僕は広々としたロケット発射場を眺め、そして空を見上げた。組み立てたロケットを運び、そして宇宙に向けて発射を行うロケット発射棟は、種子島の突き出した南海岸側に面している。上空から見れば、ちょうど三角形の先っぽからロケットが飛び出すような感じに見えると思う。

日本で一番宇宙に近い場所で、たくさんの人の夢と希望を乗せる出発点。宇宙に向けて発射されたロケットは、地上と空を繋《つな》ぐように白い雲の懸け橋を描き――そして、人類の未来を繋げるために、この星の外に飛び出していく。

いつか僕とユーリヤも、ロケットに乗って宇宙に向かって飛び出せる日が来るだろうかと思った。

こうして二人で並んで青い空を見上げているみたいに、二人並んで宇宙に行けるだろうかって。そんなことを思ったんだ。

「ここから、たくさんのロケットが宇宙に向かって飛んで行ったんだね」

「そうね。日本のロケットの打ち上げ成功率は八割を超えているから、そのほとんどが無事に宇宙にたどり着けたってことになるわね」

「すごいなあ」

「ええ、ロケットの打ち上げと人工衛星の技術に関しては、日本は今でも最先端だと思うわ。でも、これから先は有人宇宙開発の時代よ。いつまでも無人のロケットを打ち上げているだけじゃ、どんどん後れを取って日本の技術は世界で通用しなくなる。私のお父さんは――日本も有人ロケットの打ち上げをするべきだなんて息巻いているけれど、難しいでしょうね。それよりも、軌道エレベーターの完成のほうが早そうね」

「そうなんだ。いろいろ大変なんだね」

僕は話のスケールについていけず、そう言うだけでせいいっぱいだった。

「そうね。まずは実績がない。実績がないってことは、プロセスを理解していないってことになるの。プロセスを知らなければ、正しい道筋が立たないでしょうし、そのための知識や技術の蓄積もない。まぁ、これまで有人宇宙飛行の全てをソユーズに頼り切ってきたつけでしょうね」

ユーリヤは冷ややかに言って続ける。ソユーズという宇宙船の名前が出てきて、僕は少しだけ身構えた。それは、月に行くことができなかった宇宙船の名前だから。

だけどユーリヤはとくに気にする様子もなかった。

「おそらくだけど、ＪＡＸＡの主導では有人宇宙飛行は難しいんじゃないかしら？　どちらかといえば、民間のほうが可能性があると思うわ。宇宙を良い投資先だと思ってくれれば、お金を出したいって人はたくさんいるでしょうし、優秀な人材を各国から集めることもできる。アメリカの民間企業なんて自力でロケットの開発をして、人類を今世紀中に火星に送りこもうって計画を立てているくらいなのよ？　日本の民間企業も、それくらいアグレッシブになってほしいわね」

ユーリヤはどこか他人事《ひとごと》のように言うと、ロケット発射場を後にしようと歩き出した。

「さぁ、もう行きましょう。風も強くなってきたことだしね」

潮風に吹かれて麦わら帽子を押さえたユーリヤのその表情が、僕には、どうしてか今にも泣きそうに見えて——僕は、どうしたらいいのか分からなくなっていた。未来を語るユーリヤの言葉が、なぜかとても悲しげに聞こえて、僕は募らせた不安を抱えたまま大事な一歩を踏み出すことができないでいた。

本当なら、今この場でユーリヤに一緒に月に行こうって伝えるべきなのに——僕は、どうしてもその言葉を口にすることができないでいたんだ。

千キロの距離を飛び越えて、せっかくこうして再会できたのに、手を伸ばせば触れられる距離にいるはずなのに——どうしてか、ユーリヤがとても遠くにいるような気がした。とても遠くの、とても寒い小さな島に。

僕はもう一度ロケット発射場から空を眺めて、そんなことはないって自分に強く言い聞かせた。けれど、青い空の先に見える昼の月が——どうしてか、まるで幻のように見えた。

13 父と娘

種子島宇宙センターの見学を終え、今日の予定を全てこなした僕たちは、ユーリヤの家に帰ってくつろいだ。

ユーリヤは島を散々歩き回って疲れ果ててしまい、自宅に帰るなり――「しばらく休憩してくるわ」と言って、自分の部屋に行ってしまった。昔から体が弱かったユーリヤは、幼い頃からよく休憩をしていた。運動会に出たこともなかったし、遠足の途中でバスに戻ることも多かった。僕と公園で遊んだ後、自分の部屋で休憩をしたまま戻ってこない時もあった。あまりはしゃぐと熱を出したりもして――そのたびに、僕は悲しい気持ちに、そして申し訳ない気持ちになったりしていた。

そんな時、校庭の隅や、バスの窓ガラス越し、ベッドで横になっているユーリヤを見るたびに、僕はいつもユーリヤの疲れや苦しみを僕が引き受けて、彼女の病気を肩代わりしてあげられたらなあって思っていた。僕は昔から健康そのもので滅多に風邪を引くこともなかったし、病気で学校を休んだことだってほとんどなかったから。

「昔から少しはしゃぐとあんな感じよ。今日はあなたが会いに来てくれたからなおさら張りきって、気が張っていたんでしょうね。それに、すごく緊張もしていたのよ？」

「すいません」

「気にすることじゃないのよ」

ユーリヤの母親が、僕に麦茶を出してくれながら言う。それが紅茶じゃないことに、なんとなく時間の流れを感じた。広いリビングのソファに座って、出された麦茶を飲みながらどうしようかなって思っていると、キッチンのほうから小気味良い包丁の音が聞こえてきた。

「手伝います。何かできることはありますか？」

僕は夕飯の準備を手伝うことにした。

「気にしないでいいのよ」

「なんだか落ち着かなくて」

「それもそうよね」

ユーリヤのお母さんにはにっこりと笑ってくれた。

「じゃあ、サラダを手伝ってもらって、お皿の準備もしてもらおうかしら」

「はい」

「男手があると助かるわね」

僕はユーリヤのお母さんの指示の下《もと》、夕飯を作る手伝いをした。料理をしたことは今までなかったので、夕飯の手伝いといってもただの雑用程度だけれど。キッチンに立ったユーリヤの母親は、ずっと楽しそうに笑っていて、途中で鼻歌まで披露してくれた。たぶんロシアの曲なんだろうなと思って、僕はその穏やかながら陽気な曲に耳を傾けた。

「お母さん、なんでお客さまに夕飯の手伝いをさせているのよ？」

しばらくするとユーリヤが部屋着姿でキッチンにやってきて、僕たちの光景を見て驚いた。

「僕が手伝うって言ったんだよ。なんだか落ち着かなくて」

「はぁ。まぁ、ひとりじゃ落ち着かないわよね？　私があなたの相手していないのが悪いんだし。

ちょっと、ずれてくれる？」

ユーリヤは溜息《ためいき》をつきながら髪の毛を結い、僕の隣に並んでシンクで手を洗った。

「そんなふうに野菜を切ったらダメよ。レタスは手でちぎる。キュウリはもっと薄く。トマトなんか潰れてるじゃない？　お母さん、なんでもっとしっかり指示を出さないのよ？」

「あら、いいじゃない？　男の子が作った豪快な料理で」

「私はこんなでこぼこなサラダ食べたくないわ」

「いつも隣で、あーでもないこーでもないって指示を出されるよりは何倍もいいんだけれどね」

「なんですって？」

ユーリヤは目を細めて母親を睨《にら》みつけ、手際よく夕飯の支度を手伝いはじめた。しばらくすると、いつの間にかユーリヤのお母さんはキッチンから姿を消していて、僕とユーリヤは二人で並んで夕飯の支度をしていた。

ユーリヤの手際はとても良くて、いくつもの作業を並行して行いながら揚げ物を次から次へと揚げていく。それも、からっと黄金色に。その間にも、次から次へと僕に指示を出してくる。

「お味噌汁の味噌は火を弱めてからとくのよ。風味が飛ぶでしょう」

「はい」

「ネギは最後に器に入れるの。飾りにもなるんだから」

「はい」

「サラダはもっときれいに盛って。トマトは均等に配置しなきゃ」

「はーい」

「違うわよ。そのお皿じゃなくて、こっちの大きなお皿を出してちょうだい。箸置きも人数分用意してね。私の箸置きは猫のやつね」

「はいはい」

しばらくすると、僕はうんざりしていた。

「なんだか、ユーリヤのお母さんの気持ちが分かってきたよ。まるで女王様の召使いになったみたいだ」

「なんですって？」

そんなやりとりをしている間に、ユーリヤの父親も帰宅し――僕は、ものすごく緊張しながら彼女の父親に挨拶《あいさつ》をした。

背が高く、こんがりと日焼けをした大人の男性を目の前にした僕は、ユーリヤと再会した時とは別の緊張でどうにかなりそうになっていた。彼女の父親と向かい合った僕は、まるで生きた心地がせず――もしかしたら、ぶん殴られたりするんじゃないかとさえ思っていた。

ユーリヤの父親については、あまり記憶にないのもその理由の一つだと思う。仕事が忙しくて、休みの日もあまり家にいることはなかったから。たまに会っても、ほとんど会話をしたことはなかったような気がする。それにとても物静かな人で、表情が変わったところを見たことがないというか――無愛想な人というイメージが強く残っていた。

幼い頃のユーリヤ曰《いわ》く。

「パパは、つまらない人よ。ぜんぜん笑わないし冗談も言ってくれないんだもの。私のとびっきりのジョークにだって――うん、いいね、悪くないじゃないかって、つまらない言葉しか返ってこないんだから。でも、とっても優しくて、物静かで、頭がいいから大好き。だけど、私はパパとは結婚したくないいな」

こんな感じ。

だから、今こうしてユーリヤの父親を目の間にして挨拶《あいさつ》をしていると、いったいどんな反応が返ってくるのか分からなくて、僕は不安でいっぱいだった。

僕の目の前に立ったくたびれたスーツ姿の男性は、僕の思い出からそのまま飛び出してきたみたいで、表情を全く変えずに静かに僕を見ている。そして、ゆっくりと頭を下げた。

「ずいぶん大きくなって。見違えたよ。はるばる東京から大変だったろう。何もない島だけれど、ゆっくりしていきなさい。あと、我が家だと思ってくつろぎなさい」

「はい。ありがとうございます」

僕はいくぶん拍子抜けして言った。ユーリヤの父親は寡黙《かもく》だったけれど、とても温和な人だった。

そして、僕たちは四人で食卓を囲んだ。家族みたいに。

夕飯は、とても豪勢だった。薩摩《さつま》地鶏《じどり》の唐揚げ、黒豚のとんかつ、ローストビーフ、お刺身の盛り合わせ、さつま揚げ、デコボコのサラダ、具だくさんな味噌汁。まるで宴会のように食べきれない量の料理が食卓に並んでいる。色とりどりの料理の数々、鹿児島県の名産の数々に、僕は目移りしそうだった。僕のお腹《なか》の虫が大合唱のように盛大に鳴き、ユーリヤのお母さんはくすくすと笑いながら、茶碗いっぱいに白いご飯を盛ってくれた。

「男の子なんだからたくさん食べてね？　おかわりもたくさんあるからね」

「はい」

僕は言われるままに炊き立ての白いご飯をかきこんで、たくさんのおかずを次から次へと胃袋に収めていった。

「やっぱり男の子ね。ユリヤとは食べっぷりが違うもの。お父さんも見習ってこれくらい食べてくれると、作り甲斐《がい》があるんだけれどね？」

「おいおい、高校生じゃないんだから。僕はこれでいいよ」

ユーリヤのお父さんは静かに言って、お刺身をつまみながらグラスの中のビールを喉の奥に流しこんだ。ユーリヤは父親のグラスが空になるとすぐにビールを注《つ》いであげて、とても気が利いていた。それはとても慣れた手つきで、いつも父親にお酒を注いであげているんだなって様子が伝わってきて、僕はなんだか胸の奥が温かくなった。なんていうか、意味もわからずに感動していた。

「おいしいです」

僕が三杯目のご飯を食べ終える頃になると、ユーリヤが僕のことを宇宙人でも見るみたいに、信じられないと見つめていた。

「あなたの胃袋って、いったいどうなってるの？　ブラックホールなの？　見ているだけでお腹がいっぱいになってきたわ」

「部活をやってればこれくらいは普通だよ。毎日五合くらいご飯食べるんだから。それでも足りないくらいだよ」

「お腹いっぱいを通り越して吐き気がしてきたわ」

「ユーリヤはぜんぜん食べてないね」

「全部、あなたが食べていいわよ」

「食後にマンゴーとメロンも用意してあるからね」

ユーリヤの母親が嬉《うれ》しそうに言う。

「はい。ありがとうございます」

僕はその後、もう一杯ご飯をおかわりした。ユーリヤは最後まで信じられないって顔で僕を見ていた。やれやれって感じで。

14
猫

「やっぱり星がきれいだね。東京よりも空気が澄んでいるからかな?」

「それもあるでしょうけど、明かりが少ないのも大きいんじゃないかしら? こっちなんて夜は真っ暗だし、虫はたくさんいるし、みんな寝静まっているしで、ほんとつまらないのよ。コンビニだって二十四時間営業じゃないし」

「しかたないよ。そもそも二十四時間営業しているってのがおかしいんだと思うよ。都会の人たちは夜を忘れて活動し過ぎなんだ」

「まぁ、それもそうね」

僕たちは、そんな何気ない会話をしながら縁側で涼んだ。

満天の星の下、足下に蚊取り線香を置いて、夏の匂いと気配を感じながら種子島の夜を過ごした。ユーリヤのお母さんがメロンとマンゴーをもってきてくれて、そのみずみずしい果物を食べながら星を眺める。

「明日はお昼から海に出かけて、夜は天文台で星と花火の鑑賞ね。人ごみにもみくちゃにされながら見る花火なんて、ほんとひどいものなのよ。人の頭を見ているようなものだわ」

ユーリヤは明日の予定を語りながら、カットされたマンゴーを一つ口に運んだ。そして遠くのほうに何かを見つけたのか、視線を暗闇に移して立ち上がった。

「クド、お久しぶりね」

ユーリヤは庭の端に向かって歩きだし、ちっちと何度か舌を打った。

「ほら、おいで。にゃーにゃー」

僕はユーリヤの差し出した手の先に、一匹の黒猫がいることに気がついた。首輪をしていないその黒猫は丸々と太っていて、とてもふてぶてしく「ニャー」と鳴いた。

「お母さん、クドリャフカが来たわー」

ユーリヤは庭の端からリビングにいる母親に声をかける。すると「はいはーい」という声とともに、ユーリヤの母親が縁側にやってきた。

「これを持って行ってあげてくれる?」

「わかりました」

僕は平べったいお皿に入れられた液体を持って、野良猫のところに向かった。僕が近づいても、その野良猫はまるで気にする様子もなかった。まるで、我が家に帰ってきた主人のように堂々としている。

「ほらクド、あんたの大好物よ」

　ユーリヤは僕から受け取ったお皿を地面に置いて「クド」と呼んだ野良猫にそれを与えた。その黄色っぽい液体はしゅわしゅわと弾《はじ》けていて、黒猫はその弾けた液体を夢中で舐《な》め続ける。

「それって、もしかして炭酸？」

「ええ、そうよ。ジンジャーエール。それもウィルキンソンのジンジャーエールよ」

「猫ってジンジャーエール飲めるの？」

「さぁ？」

「さぁって？」

「でも、クドはこれが大好物なのよ。ほらクド、今日は特別にマンゴーを食べさせてあげるわよ」

　驚く僕をよそに、ユーリヤは野良猫にマンゴーも食べさせてあげた。そして、短い舌でペロペロとジンジャーエールを舐める黒猫の喉をごろごろしてやる。クドはうっとうしそうにユーリヤの手を叩《たた》き、マンゴーをぺろりと平らげて「ニャー」と鳴いた。もっとよこせと言わんばかりに。

「なんだか無愛想だし、ふてぶてしいしで可愛くない猫だな」

　むっとした僕が言うと、ユーリヤはくすりと笑った。

「そんなことないのよ？　これでも今日は懐いているほうだわ。それに野良猫なんだもの、そう簡単に自分を安売りしたりはしないのよ。プライドがあるんだから」

「猫にプライド？」

「そうよ。猫っていうのはとってもプライドが高いの。だから簡単に人間に懐いたりはしないんだから」

「そんなに気に入っているなら、その猫を飼えばいいのに」

僕もユーリヤの隣に腰を下ろして野良猫に手を伸ばした。

「ふしゃー」

黒猫は喉を鳴らして僕の手をひょいと避《よ》けた。やはり可愛くない猫だった。

「ふふふ、クドリャフカに嫌われたわね。可愛くないなんて言うからよ」

ユーリヤはくすくすと笑いながら、クドリャフカと呼んだ猫の頭を撫《な》でてあげた。僕はだんだんと猫が嫌いになりかけていた。

「動物を飼うなんて、人間の傲慢《ごうまん》よ。野良猫は自由にどこにでも行けるし、どこでだって生活していけるんだもの――わざわざ、檻《おり》の中に入れる必要なんてどこにもないわ。人間の国境線を押し付ける必要なんてまるでない。それに、かわいいから自分のそばに置いておくなんて、それはただのエゴよ」

ユーリヤは、どこか悲しげにそう言う。

国境線と。

「本当は、猫には名前なんて必要ないの。だって、猫たちは生まれながらに自分がなにものであるかを知っているんだから。何も知らない、何も分からない私たちと違ってね」

ユーリヤはとても優しい眼差《まなざ》しでクドリャフカを見つめていた。その表情と視線は、その野良猫を羨んでいるように見えて――僕は、どうしようもなく胸を締めつけられた。

「クドリャフカ、君は素敵だね。何にも縛られることなく自由気ままに生きていけるんだから。人間がつくった壁や国境線を自由に越えて行ける。それって、とてもすごいことなのよ?」

ぽつりと、こぼすように言ったユーリヤの背中は震えていた。何かに怯《おび》えているみたいに。どこにも行けず、なにものにもなれないことを恐れているみたいに。そして、自分がなにものであるか分からなくなっているみたいに。

ユーリヤの——そして僕たちの頭上には、満天の星と、とても大きな月が浮かんでいる。

僕たちはいずれどこまでも遠くに行けるはずなのに、あの月にだってたどり着けるはずなのに——僕の隣にいるユーリヤは、どこにもたどり着けないと決めつけて、地面に腰を下ろしてしまっているように見えた。足を止めてしまっているように。

夜空に浮かぶ月に、背を向けているように見えた。

この時、僕は気がついたんだ。

僕と再会してから、ユーリヤがまだ一度も宇宙飛行士の話をしていないということに。

宇宙や宇宙開発の話をしても、ユーリヤ自身が宇宙飛行士になるという話を——意思を、志を、未来を、僕はまだ一度も聞いていなかった。

あの満月の再会の夜では、ユーリヤは自信たっぷりに自分が宇宙飛行士になって宇宙開発の、月面開発の第一歩になりたいんだと話してくれた。でも今日会ったユーリヤは、自分が宇宙飛行士になって月に行くという話を一度もしなかった。

僕の頭の上に浮かぶ月が急に翳《かげ》ったような気がして、僕はどうしたらいいのか分からなくなりはじめた。

千キロの距離を越えて種子島に来た意味を——ユーリヤに会いに来た意味を、僕は見失いそうになっていた。

15　夜

見知らぬ天井と、慣れない枕。匂いの違う落ち着かない布団で横になっていると、どうしてもユーリヤのことを考えてしまい眠れなくなっていた。

ユーリヤと過ごした今日一日のできごとや、彼女の言動や仕草、そして表情が僕の瞼《まぶた》の裏に浮かび上がってしかたなかった。

カーテンの隙間から見える青白い月明かりが眩《まぶ》しすぎて——眠りはいつまでたっても僕に寄り添ってはくれなかった。

今日一日ユーリヤと島で過ごして、ユーリヤは何も変わっていないと僕は思った。ユーリヤは幼い頃のまま、あの満月の夜のまま——月と宇宙を目指しているんだと僕は思った。だけど実はそう思い込んでいるだけなんじゃないかって、本当はまるで違っているんじゃないかって——僕が今日一緒に過ごしたのは、まるで別人のユーリヤだったんじゃないかって思えて、僕は布団の中で考えを巡らせていた。

それは月明かりさえない、まるでゴールの見えない暗闇の中を走り続けているみたいだった。

僕はどうしたらいいのか分からなくなり、幼い頃に戻ったみたいにどうしようもない気分になっていた。だけど僕たちが離れ離れになっていた頃と違って、ユーリヤは今、僕のそばにいる。そのことが、なおさら僕を不安にして――臆病にしていた。

僕たちの気持ちは、幼い頃よりも通じ合っていると思えた。今日一日、僕たちの心が通じ合うのを僕は感じた。

それなのに、どうしてこんなにも不安で心細くなるんだろう？

こんなにも臆病になってしまうんだろう？

月明かりを見つめながらユーリヤのことを思っていると――不意に部屋のドアが開いたことに気がついた。青白い光の中に小さな人影が浮かび上がって、小さな足音が聞こえた。

僕は、それがユーリヤだってすぐにわかった。

考えるまでもなく、それがユーリヤだって気がついたんだ。

そっと、扉が開いた時から。

この部屋は、ユーリヤの部屋から少し離れていて、別の廊下にある。普段は、彼女の父親が物置として使っている部屋だと言っていた。だから、夜中に誰かが間違って入ってくるなんてことはない。

そんなことを思い出す必要もなく――ユーリヤが僕に会いに来たんだってことはわかっていたんだ。

「ねぇ、スプートニク。起きてる？」

僕の布団の中に静かに入ってきたユーリヤは、小さな背中を僕に預けた。

そして、消えてしまいそうな声で尋ねる。

その声は本当に小さくて、どこか遠くのほうから聞こえてくるみたいだった。まるで遠くの島から精いっぱいに叫んでいるみたいに。耳を澄まさなければ、聞き逃してしまいそうだった。

「起きてるよ」

　僕は言いながら体の向きを変えようとした。

「こっち向かないで」

　ユーリヤはこのままでいるように言って体を震わせる。僕たちは背中合わせのまま言葉を交わした。海を挟んで会話をするみたいに。

「どうしたの？　眠れないの？」

「あなたこそ寝ていなかったのね？」

「うん。なんだか眠れなくて」

「私も同じ。なんだか怖くて。それにとても不安なの」

「なにが怖いの？　なにが不安なの？　ユーリヤのことを聞かせてよ」

　僕は覚悟を決めてユーリヤに聞いた。

「言葉にできないから怖くて不安なのよ。自分でもよく分からないから夜が怖いの」

　夜が怖いと——ユーリヤは言った。月が見える夜が怖いと。

「だから、しばらくこうしていてもいい？」

「うん。いいよ」

　僕たちは、それっきり何も言わずに静かに背中を寄せ合った。僕は彼女の温《ぬく》もりを感じながら、ユーリヤが感じている不安や恐怖を少しでも僕が感じられればと思った。その半分でもいいから、僕が引き受けられないかと。ユーリヤのために何かしてあげられないかと。

　こんなに近くにいるのに、手を伸ばせば触れられる距離にいるのに——何もしてあげられない自分が情けなくて、そしてもどかしかった。

「ユーリヤ？　もう、寝ちゃった？」

背中から寝息のようなものが聞こえてきたので声をかけてみると、ユーリヤからの返事はなかった。僕は途端に緊張して眠れなくなった。眼が冴《さ》えて、体中の筋肉が硬くなるのを感じた。まるで海の底の岩みたいに。

頭の中でいろいろな考えがぐるぐると巡り、僕は強く目をつぶって早く眠ろうとした。深い眠りについて、浮かび上がる考えを全て振り払い、忘れてしまいたいと思った。

すると、ユーリヤの背中がゆっくりと動いて、僕の背中に小さな頭が——ユーリヤの額が当たったのがわかった。そして彼女は震える手で僕の着ているシャツをギュッとつかみ、まるで何かに強く縋《すが》りつくように力を込めた。ユーリヤの体は小さく震えている。

僕は、彼女が泣いていることに気がついた。

ユーリヤは声を殺してすすり泣いていた。

小さな子供みたいに。

僕は頭の中をぐるぐる巡っていた考えの全てを忘れて、ユーリヤの泣き声に耳を傾けた。本当なら、今すぐユーリヤと向き合ってその涙の意味を尋ねたかった。ユーリヤが抱えているもの、不安に思っていること、恐怖していること——言葉にできないことの全てを尋ねたかった。そして、その後で強く抱きしめて——ユーリヤを安心させてあげたかった。

「大丈夫だよ。僕がいるから、ユーリヤはひとりぼっちじゃないよ」って、言ってあげたかった。

でも、僕は振り返ってユーリヤと向き合うことも——抱きしめてあげることもできなかった。

僕はどうしようもなく子供で、女の子とどう向き合っていいのかまるで分からなかった。涙を流す女の子の涙を、どうぬぐってあげればいいのかまるで分からなかった。抱きしめた後で、自分たちの関係がどうなってしまうのか、僕たちはこれまで通りの関係でいられるのか分からなくて——僕はその先に進むことができなかった。

僕はユーリヤの背中を目指して走り続けてきた。

ユーリヤと再会して僕の気持ちを伝えるために——千キロの距離を越えてこの島に来たはずだった。

今日まで、そのために走り続けてきたはずだった。

なのに、それなのに——振り返ればすぐそこにいるユーリヤに、僕は手を伸ばすことができなかった。国境線を越えることができなかったんだ。

いつの間にか、僕は眠りの世界にいた。夢を見ることもない真っ暗な眠りの世界に。そこは星も月もない、ユーリヤもいない孤独な世界だった。

ひとりぼっちの。

夢の中で——僕は、何度もユーリヤの名前を叫んでいたような気がした。

ユーリヤを探しているような気が。

16　孤島

目を覚ました時、背中の温《ぬく》もりは消えていた。まるで流れ星が別の宇宙に過ぎ去ってしまったみたいに。

僕は背中の温《ぬく》もりを思い出しながら――消えてしまった大切な何かを探し求めるように飛び起きた。ユーリヤが僕の前からいなくなってしまったんじゃないかって、どこか遠くに消えてしまったんじゃないかって――そんな不安に駆られて、僕は布団を飛び出して部屋の外に出た。

「おはよう。どうしたの？　怖い夢でも見たって顔をしているわよ」

「お、おはよう」

ユーリヤは洗面所で歯を磨いていて、鏡越しに僕を見て首を傾《かし》げた。まるで何事もなかったみたいに。

昨夜、僕の部屋に来て、同じ布団で寝たことなんてなかったみたいに。だから、僕は昨夜のことをユーリヤに尋ねることができなかった。その話はしてはいけないような、そんな気がした。僕たちの胸のうちだけに留《とど》めておかなくちゃいけないような気が。

「ほら、早く顔を洗って朝ご飯食べちゃいましょう」

「うん」

鏡に映った僕の顔は、とても間抜けだった。それこそ、怖い夢を見た子供みたいに。

午前中を穏やかに過ごし、お昼ご飯に素麺《そうめん》を食べた僕たちは、午後からスーパーカブで海に出かけた。

僕とユーリヤは、海でも変わらずに穏やかに過ごした。海で泳いだり、砂浜を走ったりなんてことはせず――水着に着替えたりもしないで、砂浜をただぼんやり歩いたりした。

「スプートニクは私に気をつかわないで海に入ってきていいのよ？　泳いだっていいんだから」

足元を波にさらわれながらユーリヤが言ったけれど、僕は泳ぎたい気分にはなれなかった。ユーリヤは海でも日傘と麦わら帽子をかかさず、日の光を浴びると時折しんどそうに息を吐いた。長い間目を閉じたままでいることも多くて、海を見るのも嫌そうだった。なんだか、ぜんぜん楽しそうじゃなかった。

白い砂浜の上に立って、青く広い海を眺めた僕たちは、どこかちぐはぐだった。

朝から。というよりも、昨夜から。

僕たちは同じ空の下にいるのに、まるで別々の場所にいるみたいに、まるで違う空を眺めているみたいに、何かが噛《か》み合っていなかった。

昨日、この種子島に着いて再会した時、僕たちの心は確かに通じ合っていたし——お互いの心に触れあっていた。それなのに、今は心が通じ合っているという感覚がまるでなかった。僕たちは隣同士で並んでいるのに、決定的にすれ違っているみたいだった。そんなうらぶれた気持ちのまま、僕たちは砂浜を歩き続けた。まるで険しい旅をしているみたいに。

「ここが『千座の岩屋』よ」

そう言って案内されたのは、背の低い鳥居の先にある洞窟だった。断崖絶壁をくりぬいてできたような洞穴で、中は広くてひんやりとしていた。

「海食によって長い時間をかけてできた岩屋で、畳千枚分くらいあるから千座って言われているの。去年の種子島宇宙芸術祭では、ここにプラネタリウムを映したのよ？　たくさんの人が見にきていたわ。それに、とっても素敵だったんだから」

僕は、この洞窟の壁一面に星空が広がっているところを想像してみた。それはとてもきれいな光景で、僕はそれをユーリヤと一緒に見られたら、このちぐはぐな雰囲気も打ち解けたものになるんじゃないかって思えた。

「一緒に見られたらよかったのに」

「今年もプラネタリウムはやるんだけれど、時期が合わなかったわね」

「こんどは一緒に見られるといいね」

僕は勇気を出して言ってみた。

「そうね」

でも、ユーリヤの答えはそっけなくて——心ここにあらずって感じだった。僕の心や言葉が、どんどん臆病になっていくのがわかった。本当なら、この場所で僕はユーリヤに伝えたいことがあった。それを伝えるためにユーリヤに会いにきたはずだった。千キロの距離を越えて。

でも、僕はだんだんと足を前に踏み出せなくなっていた。もう走りだせないんじゃないかって、そんなふうに思い始めていた。そんな臆病な僕をよそに——ユーリヤは洞窟の入り口の先にある青い海をぼんやりと見つめていて、僕のことなんて見てもいなかった。ユーリヤの心は、まるで岩屋の中に閉じこもってしまったみたいだった。

そのかたく閉ざされた扉は、叩《たた》いてもまるで響かない。どれだけ強く叩いても、扉の外からユーリヤの名前を呼んでみても——岩屋の中に閉じこもっている彼女にはまるで届かない、そんな気がした。こんなに近くにいるはずなのに、ユーリヤの心や気持ちがどこにあるのか、僕はまるで分からなかった。

探してみようにもその心は岩屋の深くに隠れてしまい——僕の手の届く場所になかった。

僕は、ひとりぼっちで海を見ているみたいだった。

海から帰ってきた僕たちは、その後の時間を別々に過ごした。ユーリヤは今日も疲れて自室に戻ってしまい、僕はぼんやりとテレビを見たり小説を読んだりした。

ユーリヤのお母さんも出かけていて、リビングには僕ひとりきり。僕は、孤島に取り残されてしまったみたいに孤独だった。だんだんとユーリヤに会いに来たことが間違いだったんじゃないかって思えて、自分が何をしに来たのか分からなくなっていた。このままじゃいけないって思ったけれど、なにをどうしたらいいのかはまるで分からない。具体的な改善策が全く見えなかった。前に進むための情熱や推力がまるで湧いてこなかった。

これまでは、ただ走り続ければよかった。千キロ先のゴールを目指して。

その先の月を目指し――ユーリヤを目指して。

でも、いざユーリヤに再会して彼女を目の前にしてしまうと、これまで僕が思い描いてきたユーリヤとの再会の全ては、まるで夢か幻で――夏の陽炎《かげろう》だったんじゃないかって、そんなふうに思えてしかたがなかった。

夕方になると、僕たちはユーリヤの父親の運転する車に乗って天文台へと出かけていった。車内でも僕たちの会話はまるで弾まず、僕たちは別々に窓の外を眺めていた。喧嘩《けんか》をしたわけでも、言い争いをしたわけでも、何かを決定的に間違ってしまったわけでもないのに――まるで心が通じ合わないことに、僕は大きな戸惑いと苛立《いらだ》ちを覚えていた。なにをどうしたらいいのか分からない現状を前に、僕は何かに八つ当たりしたい気持ちでいっぱいだった。

「ねぇ、お父さん、あの曲をかけてくれる?」

「ああ、あのお気に入りの曲かい?」

「ええ。お願い」

そんなふうに何気なく父親と会話をするユーリヤに、僕はなんて声をかけたらいいのか戸惑った。

今までどうやって会話をしていたのか、今までどうやって心を通じ合わせていたのか――僕たちがどんな引力で繋《つな》がっていたのか、まるで分からない。そんな沈んだ気持ちでいると、車内には気だるく陽気なジャズが流れ始めて、僕はその曲をきらいになっていた。

やたら前奏が長いのも。女性ボーカルの跳ねるような歌いかたも。ピアノの調子も。中盤のもったいつけたソロも。曲の終りかたも。陽気なくせにせつない雰囲気も。ぜんぶが、僕の神経にさわった。

『paper moon』って歌詞が――『紙の月』っていうフレーズが、どうしてだか僕を打ちのめして、徹底的にうらぶれた気分にした。

僕はその曲によって、自分が紙のようにペラペラになってしまったような気さえした。

Say, it's only a paper moon
Sailing over a cardboard sea
But it wouldn't be make-believe
If you believed in me

Yes, it's only a canvas sky
Hanging over a muslin tree
But it wouldn't be make-believe
If you believed in me

17　星の海

「さぁ、着いた」

案内されたのは、丸いドーム形の建物。夕闇の中にひっそりと佇《たたず》むその施設は、まるで巨大ロボットの頭部のように見えた。またはヘルメットのようにも。少し離れたところには、やはり大き過ぎるパラボラアンテナがあって、アンテナの先は真っ直ぐ宇宙に向いていた。

ユーリヤが言う天文台ではなく、正式には観測所――打ち上げ後の人工衛星の行方《ゆくえ》を追跡したり、打ち上げ前の軌道を確認したりするための観測所であると、彼女の父親が教えてくれた。

「宇宙望遠鏡はさすがに使わせてあげられないけど、旧型の天体望遠鏡なら好きに使っていいから、思う存分宇宙を眺めてみるといい。僕は少し席を外して、花火が終わった頃に戻ってこよう」

今日は『種子島鉄砲まつり』という年に一度のお祭りが開催される日で、会場となる西之表港にたくさんの人が集まる。

『種子島鉄砲まつり』は、天文《てんぶん》十二年の鉄砲伝来を記念するまつりで――火縄銃の轟音《ごうおん》で始まり、南蛮《なんばん》扮装行列や種子島火縄銃の試射など、種子島ならではのイベントが次々に行われる。そして、夜には約四千発の花火を打ち上げる花火大会が行われ、最大の盛り上がりをみせる。

僕たちは天文台の望遠鏡で星を眺めながら、花火も一緒に見ようという欲張りな計画を立てていた。満天の星と花火を同時に観測するっていう、とてもわくわくするような計画を。何度も何度もメールを交わしながら、ユーリヤの家に泊まる最後の夜を――一緒に過ごせる最後の夜を、特別な時間にしようって約束した。何度も何度も計画を見直して、詳細なスケジュールを練って完璧なものにしたはずだった。

その計画通り、僕たちは天文台に来てこれから天体望遠鏡で星を見ようとしている。

夜空に花火が打ち上がるまで、二人で星の海を眺めるはずだった。

なのに、どうしてこんなにも孤独な気持ちなんだろう?

天文台の丸い天井。大きな天体望遠鏡が夜空に向かって伸びている。

今はあまり使われていない旧式の観測室らしいけれど、それでもその設備は僕の目にはとても素晴らしく、宇宙を眺めるには申し分ないように見えた。ここから見る宇宙の景色は、さぞ素晴らしいだろうっていう予感と確信があった。

天井の一部が開き――観測用の窓の先に広がる夜空には、雲一つない。天体観測にはうってつけの夜空で、望遠鏡を使わなくたってその美しさは手に取るようにわかった。それでも、僕の心の中はどん底まで曇っていて、まるで星を見るような気分じゃなかった。それこそ土砂降りの雨が降っているみたいに。

ユーリヤはそんな僕をよそにてきぱきと天体望遠鏡を操作して、慣れた様子でネジを回したりハンドルを動かしたりする。高校生になってから天体望遠鏡で天体観測をしているとメールに書いていた通り、彼女の手際はとても良かった。将来天文学者になれるわね、なんて書いていた通り。宇宙飛行士ではなく。

「うーん、こんなものかしら？」

大きなファインダーを覗《のぞ》きこみながら、ユーリヤが首を傾《かし》げる。そして、もう少しうまくピントを合わせようとネジやつまみを動かした後で、「よし」と頷《うなず》いた。

「ほら、スプートニクも覗いてみて。とても素敵な星空だから」

僕は、言われるままに天体望遠鏡のファインダーを覗いた。

そこには本物の星の海が広がっていた。淡い青色の光を放つ小さな星が集まって宇宙に大きな流れを描いている。それは波のようにも、斑《まだら》のようにも、河のようにも見えて――僕の心をいっきに宇宙まで打ち上げた。星の海の中に飛び込んだみたいに、僕は懐かしい無重力を感じていた。

「星の海の中に、ひときわ明るい星があるでしょう？」

ユーリヤは僕の後ろから天体望遠鏡を操作して、上手にピントを合わせていく。ユーリヤの少し熱のこもった吐息が聞こえ、荒い心臓の音までが響いてきそうで、僕は途端に緊張した。

僕の心臓も熱をもって、強く鼓動するのがわかった。消えかけていた情熱と推力を少しずつ取り戻すみたいに。

「これが、デネブ――はくちょう座ね。これがアルタイル――わし座。七夕《たなばた》の彦星《ひこぼし》でもあるわね。最後がベガ――こと座。織姫星《おりひめぼし》ね。この三つをつなげて夏の大三角形」

僕は、宇宙の海に描かれた大きな星の三角形に目を奪われた。一際大きく輝くその三つの星は、まるで「ここにいるよ」って大声で叫んでいるように見えた。離ればなれになっていた時の、僕とユーリヤみたいに。

「ねぇ、知っていた？　太陽暦だと、七夕《たなばた》って七月七日だけど――旧暦だと今頃なのよ」

「知らなかったよ」

「そんなことも知らないんだ？」

　ユーリヤは幼い頃のように言って、続ける。

「だって太陽暦の七月七日って、梅雨《つゆ》の時期で天の川なんてめったに見られないし、アルタイルもベガも高度が低いのよ。だから、ぜんぜん見頃じゃないの。今頃が一番きれいに見えるんだから。みんな、それを知らないのよ」

　ユーリヤは少し意地悪く言ってくすりと笑った。

「昔の人ってロマンチストよね？　だって、夜空に浮かぶ星の光だけで、織姫《おりひめ》と彦星《ひこぼし》みたいな物語をたくさん考えちゃうのよ。星の一つ一つに名前をつけて、それをつなげて物語をつくるなんて――とっても素敵だわ。私も、私の星を見つけて名前をつけたいくらいよ」

　ユーリヤはそんなことを言いながら天体望遠鏡を動かして、たくさんの星を見せてくれた。僕たちはまるで宇宙船に乗って星の海を旅しているみたいに、星から星へと渡っていった。

　赤い心臓アンタレスをもつ、さそり座。

　六つの星が並んだ、いて座。

　Hの形に並び左手にヒドラの頭をもった、ヘラクレス座。

　真珠のようにひときわ明るい星、スピカ。

ユーリヤの導きで星の海を旅し続け、僕は夏の夜空を一つずつ僕の胸の奥の宇宙に刻んでいく。

ずっと忘れないように。

この星空と――この瞬間を。

なぜだろう?

僕は、ものすごく感動していた。まるで、とても長い物語を読んだみたいに――とても長い航海から帰ってきたみたいに。とても感動していたんだ。この満天の星を、星の海を眺めていたら、なんだか先ほどまで底抜けに落ち込んで、どん底ってくらいにうらぶれていた自分が、とても小さく思えてきた。

事実、僕はとても小さかった。広大な宇宙からすれば、星の海からすれば――僕は、なんてちっぽけなんだろうって思えた。情けなくて、みっともないくらいに。そんなことを考えてしまうくらい、この景色は壮大だった。

「スプートニクも望遠鏡の操作がわかってきたでしょう? 好きに宇宙を覗《のぞ》いてみて」

ユーリヤに言われて、僕は自分でも望遠鏡を操作して宇宙を観測してみた。ピントを合わせながらファインダーを覗き込み、どこまでも広がる星の海を潜っていく。

僕は新しい星を見つけたいと思った。

そんな気持ちでいっぱいだった。

その新しい星にユーリヤって名前をつけて、それをユーリヤにプレゼントしたいって思った。自分でも子供っぽい考えだなって思ったけれど、それでも僕は新しい星を探す旅に出た。そんなことを思いながら望遠鏡を覗き込んでいると、背後から歌声が聞こえてきた。

それはこの天文台に来るまでの車内で流れていた曲で、僕が嫌いになりかけていたジャズだった。

ユーリヤがその曲を歌っている。

とても切なそうな声で。

とても感じやすそうな歌声で。

それは、僕の胸を強く打つ歌声だった。

Say, it's only a paper moon
Sailing over a cardboard sea
But it wouldn't be make-believe
If you believed in me

僕の胸の奥の宇宙を——そして、僕の魂を震わせる歌声だった。英語の歌詞で——「それはただの紙の月」と歌われた時、僕は不意に月を思い出した。

僕の胸の奥の宇宙に——大きな月が浮かび上がった。紙の月なんかじゃない本物の月が。

そうだ。ユーリヤには月がある。新しい星をプレゼントするんじゃなく、ユーリヤには月という星があるんだ。僕たち二人がたどり着く、なによりも大きな星が。

その瞬間、僕はユーリヤに告げることを決意した。

千キロの距離を越えてユーリヤに会いにきた意味を思い出していた。

二人で月に行こうって告白をするんだって。

「ユーリヤ」

僕は覗《のぞ》き込んでいた望遠鏡から目を離して、そして振り返った。ユーリヤに、僕のぜんぶを伝えるために。振り返って僕の瞳の中にユーリヤを受け止めるのと同時に、僕の視界からユーリヤが消え去った。歌われていたせつない歌声も消え去り、そのかわり耳を覆いたくなるように鈍い音が響いた。

僕の目の前に――気を失って倒れたユーリヤがいた。

青白い星明かりに照らされたユーリヤは、海の底の石みたいにぴくりとも動かなかった。まるで海の底に沈んでいくみたいに、ユーリヤがとても遠くに行ってしまうような気がした。静寂にこだまする僕の叫び声が、ユーリヤの名前を呼ぶ声だけが――何度も何度も、僕たちの宇宙を震わせていた。

満天の星の下で。

18　漂流者

ユーリヤが眠っている病室の前で――僕は一人ぽつんと佇《たたず》んでいた。緑色の不気味な光に照らされた薄暗い病院の廊下。窓ガラスの向こうでは、たくさんの花火が打ち上げられている。僕とユーリヤが二人で見ようって約束した花火が。

あの天文台でユーリヤが倒れた後のことは、よく覚えていない。

自分の目の前で何が起きているのか、僕にはまるで理解できなかった。

僕の叫び声を聞きつけた当直の職員たちが入ってきて、僕にあれこれ質問をしたけれど――僕は自分がなんて答えたのか、正しく応答できたのか、まるでわからなかった。たぶん、正常にものを考えるという機能が失われていたんだと思う。

僕は、ただユーリヤの名前を大声で叫んでいるだけだった。まるで泣きじゃくる子供みたいに、ただ大声を上げて叫ぶことしかできなかった。呆然《ぼうぜん》と立ちつくしながら。

ユーリヤの父親が慌てて戻ってきて、あれこれと指示を出し始めた時、僕はあまりの情けなさと申し訳なさで目を合わせることも、声をかけることもできなかった。説明どころか、言い訳一つできなくて――僕は、その場から逃げ出したくてしかたなかった。いっそのこと消えてしまいたいと思った。

それから、救急車がやってきた。

僕は時間の感覚というものも失っていて、それが到着するまでものすごく長い時間を待っていたような気がしていた。おそらく十数分足らずなのだけれど、僕にはそれがとても長い時間に感じられた。まるで永遠のように。救急隊員がユーリヤをストレッチャーに乗せて運んで行ってしまうと、彼女の父親はそれに付き添って一緒に救急車に乗った。一人取り残された僕は、どうしたらいいのかまるで分からずにいた。ただ呆然と、先ほどまでユーリヤと一緒に眺めていた星空を見上げていた。心ここにあらずで。

まるで、ユーリヤの星を探すみたいに。

そして夜空に浮かぶ月を見つけた時、僕は思わず吐きそうになって俯《うつむ》いた。

月から目をそらして。

いつの間にかユーリヤのお母さんが僕を迎えにきていて、僕の様子を見ると、今にも泣きだしそうな顔で僕を抱きしめてくれた。

「ごめんなさい。こんなことになってしまって。あなたのせいじゃないからね？　気にしたり、責任を感じたりしちゃ絶対にだめよ？　そんなことになったら――ユリヤが一番悲しむから」

ユーリヤのお母さんは優しく言ってくれたけれど、僕はその意味をうまく理解することができなかった。僕たちは、そのままユーリヤの運ばれた病院に向かった。

僕は、病室の前で呆然としていた。ユーリヤの病室から彼女の父親と母親が出てきて、僕と向き合う。

「ごめんなさいね。ユリヤ、今夜は目を覚ましそうにないみたい。明日、もう一度お見舞いに来てあげてくれる？」

今にも泣きそうな顔で、それでもせいいっぱいの笑顔をつくって言うその表情に、僕は深く傷ついた。その言葉を聞いた僕は、泣きたくてたまらなかった。でも、僕が泣いちゃいけないんだと歯を食いしばった。

僕のせいでユーリヤがこんな目に遭ってしまったんじゃないかって思うと、僕はどうしていいのかまるで分からなかった。今すぐこの場所から立ち去って、この島から消え去りたかった。海の底に沈みたいと思った。

「僕が話をしよう。君は入院の手続きを済まして、そのまま家に帰ってくれ。着替えなんかの用意も必要だろうし、しばらくは病院に通うことになるだろうから」

ユーリヤの父親が言って、母親は「でも?」と食い下がった。たぶん、僕たちを二人にして大丈夫なんだろうかって思ったんだと思う。

「男二人のほうが話しやすいこともある。大丈夫、僕がしっかりと話をするよ」

「わかったわ」

そう言うと、ユーリヤのお母さんは病院の受付に入院の手続きをしに行き——僕たちは、病院の外に出て車に乗り込んだ。まるで棺桶《かんおけ》の中みたいに冷たく静まり返った車内では、僕もユーリヤの父親も口を開かなかった。

窓の外で続いている花火だけがけたたましくて、僕の心をかき乱し続けた。ユーリヤと二人で見るはずだった花火が、今も夜空を彩っている。二人で一緒に見ようって約束をした花火を、こんな形で見ることになるなんて——楽しみにしていた花火がこんなに悲しく見えてしまうなんて、僕は思いもしなかった。

その夜空は、残酷なまでにきれいだった。

いつの間にか、車は停まっていた。

僕たちは、まるで無人島に漂流したみたいだった。

19　宇宙に一番近い島、宇宙に一番遠い女の子

「ユリヤの体が弱いのは知っているね？」

車の外に出て話をはじめたユーリヤの父親は、とても静かな声で尋ねた。感情というものをできるだけ表面に出さずに、丁寧に言葉を綴《つづ》った。

僕は怒鳴られ、罵倒《ばとう》され、怒りをぶつけられると思っていたのでいくぶんか驚き――そして戸惑った。俯《うつむ》いたまま「はい」と頷《うなず》き、話の続きを待つ。その沈黙が苦しくて、いっそのこと殴られたいとさえ思った。強く断罪されて、僕が全て悪いんだと一思いに言ってほしいとさえ思った。

海岸線に停められた車の先には夜の帳《とばり》が下《お》りた海が広がっていて、よせてはかえす波の音がかすかに響いている。すでに花火大会は終わりを迎え、夜空と島の空気は祭りの後の静けさに包まれていた。世界の全てが、眠りについてしまったみたいに。

そんな寂しくて悲しげな光景が――どうしてか、世界の終わりのように見えた。

「実は最近とくに体が弱くなってきていて入退院を繰り返していたんだ。君が島にやってくる前日から熱が引かなくて、解熱剤を飲んだりして誤魔化していたんだ」

「え？」

僕は、島で再会してからのユーリヤの様子を思い出した。

彼女が無理をして明るく振る舞っていたんだと思うと、僕は頭の中が真っ白に――そして、目の前が真っ暗になった気がした。足元が崩れていくような感覚に襲われた。まるで、夜の闇よりも暗

くて冷たい場所に沈んでいくみたいに。冷たい海の底に。

「だから、今回のことは本当に君のせいじゃないんだ。娘の体のことを、君に伝えておかなかった僕たちのせいなんだ。こんなことになってしまって、君を傷つける結果になってしまって——本当に、すまないと思っている」

そう言うと、ユーリヤの父親は僕の目の前で頭を深く下げた。その両手はかたく握られ、その体は心細そうに震えている。娘が倒れて一番心配しているはずの父親が、一番不安に思っているはずの家族が、僕に頭を下げている。そんなことは間違っている気がした。

「やめてください。僕が悪いんです」

僕は叫ぶように言った。

「僕が、ユーリヤの具合が悪いのに気づけなかったのがいけないんです。昨日から様子がおかしかったし、何度も部屋で休んでいたのに、それなのに。僕は、僕のせいで——」

「それは、違うんだよ」

頭を上げた父親は、首を横に振って続ける。

「君が島に遊びに来ると聞いた時、僕は強く反対したんだ。ユリヤが無理をするのはわかっていたから。その結果、今夜のようなことになるんじゃないかって心配していたんだ。家内は、君が島に来ることに賛成していたんだが——私は、どうしても賛成できなかった」

申し訳なさそうな瞳が、僕を見て揺れる。その瞳が優しく滲《にじ》んでいることに、僕は気がついた。

「でも、ユリヤがどうしても君に会いたいと——自分の体が元気なうちに、元気な自分の姿をどうしても君に見せたいと言ったんだ。そんなふうに必死に頼まれたら、泣きながらせがまれたら、それをなんとかして叶《かな》えてあげたいと思ってしまったんだ。僕は、反対しきれなかった」

その声は、震えていた。今にも泣き出しそうなくらいに。そんな胸の詰まる言葉の数々を、優しさと思いやりの籠《こ》もった言葉を聞いていたら、先ほどまで僕が抱いていた逃げ出したいという気持ちは、いつの間にか消えていた。

僕はユーリヤの父親の言葉に耳を傾けて、そしてしっかりと向き合わなくちゃいけないんだって思った。ユーリヤの病気のこと、体のことをちゃんと知って――向き合わなければいけないと自分に言い聞かせた。

「君が島に来てからのユリヤは、本当に楽しそうだったんだ。あんなに笑って、あんなに目を輝かせている娘は本当に久しぶりで、本当に幼い頃に戻ったみたいで、僕はせめて君が島にいる間は、ぜんぶ娘の好きにさせてあげようと――」

そこで言葉が途切れた。

僕は、彼の顔を真っ直ぐに見続けるのがつらくなっていた。娘を思う父親の顔が、こんなにも苦悩と後悔でまみれているのを見るのが、どうしようもないほどに苦しかった。

でも、僕は目を逸《そ》らすことだけはしなかった。それを受け止める準備はすでにできていたから。

「僕たちのせいで、娘は――ユリヤは、複雑な女の子に育ってしまった。日本人とロシア人のハーフということも、宇宙飛行士からつけた名前も、僕の仕事も、生まれながらに弱い体も――全てが、娘を複雑なところに追いこんでしまった。あの子から、多くのものを奪ってしまった。そして今は、ユリヤが一番大切にしてきた最後の希望をも奪おうとしている」

「最後の希望――それって？」

思わず口を挟んでしまった。

僕は、どうしてもそれを聞かなくちゃいけなかった。そのために、千キロの距離を越えてこの島に来たのだから。

「ユリヤが、宇宙飛行士を目指していたのは知っているね？」

「はい。きっと今だって目指していますよ」

僕がそう言うと、ユーリヤの父親は苦しそうに顔を歪《ゆが》ませて頷《うなず》いた。

「それは、あの子が本当に小さな頃からの夢だったんだ。僕の書斎の本や模型を見たユリヤは、真っ先に『宇宙に行きたい』って、『私、絶対に宇宙飛行士になる』って大声で言ったんだ。そのことを、昨日のことのように覚えているよ。『宇宙飛行士は、月にだって行けるんだよ』と僕が言うと、ユリヤは目を輝かせて『私も月に行く』って言った」

過去をたどるその言葉は、よせてはかえす波のように揺らめいていた。たくさんの感情がとめどなく溢《あふ》れ、それが言葉となって流れ出しては、大きな波をつくっていた。

僕は、その思いの波にのみこまれてしまいそうだった。

自分がどこにいるのかわからなくなりそうだった。

「でも、ユリヤの体はとても弱く——宇宙飛行士にはなれないんだ。娘は、月に行くことはできないんだ」

その言葉は、僕が一番聞きたくない言葉だった。

世界で一番——この宇宙で一番聞きたくない言葉。

僕は、その言葉を大声で否定したかった。

そんなことはないんだって。

絶対に違うんだ、と。

僕とユーリヤは二人で宇宙飛行士になって、一緒に月に行くんだって——そう大声で口にしたかった。だけど、どうしてそんなことが言えるだろう？

壊れてしまいそうなくらい表情を歪ませ——今にも崩れ落ちそうなくらい体を震わせる彼女の父親に、僕が何を言えたっていうんだろう？

だから、僕は話の続きをただ静かに待った。

「娘も、薄々そのことに気がついていたんだろう。ある時期から、宇宙飛行士になるという話をしなくなったよ。その代わり、より現実的な方法で宇宙と関わろうとしはじめた。種子島について来たのも、おそらくそのためだろう。ユリヤは宇宙開発に携わることで、自分が叶《かな》えられない夢に近づこうとしているんだと思う」

僕は、ユーリヤがこの種子島に来てから学び、発表した数々の成果を思い出した。それらの全てが、自分が宇宙に行くためでなく、宇宙に行く誰かのために向けられていたのかもしれないということを、僕は信じたくなかった。

「将来、ユリヤは宇宙開発に携わることになるだろう。だけど、宇宙飛行士にはなれない。宇宙飛行士になることをある種の救いや、希望にしていたあの子が、宇宙飛行士になれないことにどれだけ傷ついたのか、どれだけ自分の人生を恨んだのか——僕には想像もつかないよ。僕は、どれだけ娘から未来を奪えばいいいんだろう？　あの子が苦しんでいるのに、何もしてあげられないんだ。ユリヤは、日に日に弱っている。そのうち、自分で歩くこともままならなくなるかもしれない。それに――」

その先の言葉は夜の闇の中に消えていった。

僕はその言葉に大きな衝撃を受けて、深く傷ついた。隣に彼女の父親がいなければ、僕は呆然《ぼうぜん》と立ちくし――海に向かって泣き叫んでいたと思う。

いつの間にか、夜空には雲がかかっていた。わずかな星明かりさえ消し去って暗闇を濃くし、漂流者からわずかな夜の明かりさえも奪い去ってしまうみたいに。

僕たちは、閉ざされた空の下で途方に暮れていた。行く先の見えない暗闇を前にして呆然《ぼうぜん》としていた。僕たちは迷子で――漂流者だった。

「君がユリヤに会いに来ると言った時、僕が反対した理由はもう一つあったんだ」

「もう一つですか?」

白状するように言った彼女の父親に、僕は尋ねる。

「ああ。君と再会したユリヤが、もう一度宇宙飛行士を目指そうとするんじゃないかって、幼い頃の情熱や推力を取り戻してしまうんじゃないかって、それを恐れてもいたんだ。ユリヤは君が隣にいると――いつだって、どこまでだって飛んで行けるんだって顔をして、自信満々になってしまうんだよ? でも、僕はもう一度そんな娘の顔が見たかったのかもしれないな。きらきらと輝く瞳で夜空に浮かぶ月を見ていた娘を、もう一度見たかったんだ」

僕は、ユーリヤの父親に伝えたいことがたくさんあった。

ユーリヤは、きっとまだ宇宙飛行士になることを諦めていないんだってことを。その方法を探すために、今もありとあらゆる情熱と推力を燃やし続けているんだってことを。たとえ、日に日に体が弱っていたとしても。いずれ、自分の足で歩けなくなってしまうとしても。

ユーリヤは月を目指し続ける。

幼い頃から――僕とユーリヤが出会い、ユーリヤ・アレクセーエヴナ・ガガーリナと名乗ったあの日、あの時から、彼女はまるで変わっていない。今も、ユーリヤは月を目指して前に進み続けているんだってことを――僕は伝えたかった。そのために、僕たちは北方四島を賭けたんだ。

そして、僕たちは人生を賭けた。

そのことを、僕は彼女の父親に伝えたかった。宇宙に行くための、月を目指すための一番はじめの情熱と推力を彼女に与えたのは、ユーリヤの父親だった。

今、僕の隣で娘のことを必死に案じているあなたに、ユーリヤのことを伝えてあげたかった。あなたのことを、ユーリヤは世界で一番大好きで、そしてとても深く尊敬しているんだって、伝えてあげたかった。

そうだ。僕は、伝えなくちゃいけない。

僕たちは北方四島を賭けて――そして、人生を賭けたんだ。

だったら、僕はこんなところで足を止めていられない。迷子になって、こんな世界の終わりみたいな景色の前で漂流している場合じゃない。だって、たとえどれだけ空が閉ざされていても、暗闇に包まれていても――見上げれば、いつだってそこには月が浮かんでいるのだから。

目指す場所は――いつだってそこにある。

いつの間にか、僕の中から不安や、恐れや、戸惑いや、後悔といった感情は消えていた。泣きたいって気持ちだけはまだ僕の中に残っていて、おそらく僕の隣で涙を流す人がいなければ、やはり僕は大声で泣き叫んでいただろうと思う。

けれど僕の涙は、今流してはいけないんだって思った。それを流すべき人が流している時に、僕は涙を流してはいけないんだって。だから、僕は涙をこらえて夜空を見上げた。雲間にはわずかな月明かりが差しこんでいて、そこに僕たちの向かうべき星が——僕たちのたどり着くべきゴールがあった。

そうだ。いつだって、月はそこにあるんだ。

「宇宙飛行士になるには——どうしたらいいですか？」

僕は、ようやくその言葉を口にした。

千キロの距離を越えて——この種子島に来た目的をようやく果たした。

この時、僕は心の中で北方四島を賭けたんだ。

そして、僕の人生を。

もう後戻りも、振り返りもできないってことを、自分自身に刻みつけるように——僕は、はっきりとその言葉を口にした。曖昧《あいまい》な言葉ではなく、正確な言葉と意志をもって。

正しい進路と軌道を知るために。

「僕は、宇宙飛行士になって月に行きたいんです。ユーリヤを月につれて行ってあげたいんです。だから——どうしたら宇宙飛行士になれますか？」

Track3

It's Only a Paper Moon

1　一万キロ

それから僕は、ただ月を目指して走り続けた。これまでよりもせいいっぱいに。ただ真っ直ぐに。月にたどり着くことだけに集中した僕は、これまでよりももっと先鋭的になっていった。ロケットの先端のように鋭く。そして、これまで以上に多くのものを切り捨てていったように思う。ロケットが一段目と二段目のロケットを切り離して宇宙にたどり着くみたいに。

僕は、38万４４００㎞先を目指して走り続けている。それはとても長い距離で——おそらくその距離に到達できるランナーは、人類史上でも数えるほどしかいない。

僕は、そんな途方もないゴールを目指して走っている。

だから、僕は走り続けた。

月までの距離を。

せいいっぱいに。

そうして、僕は一浪をして志望していた大学の工学部に入学することができた。大学でも長距離走を続け、駅伝のちょっとした有名選手にもなった。

僕が一年遅れで大学に入学したころ、ユーリヤと僕との距離はさらに遠くなっていた。ユーリヤは一度東京の大学に入学した後、アメリカの大学に留学してしまった。ＪＡＸＡの高校生インターン時代にまとめた研究成果と論文がアメリカの大学の研究室の目に留まり、彼女の狙い通り研究留学生に選ばれた。

僕たちの距離は、徒歩でわずか五分の距離から千キロへ――そして、さらにその十倍になってしまった。

一万キロ。

ユーリヤは遠く離れたアメリカ合衆国へと旅立ってしまった。

海を越え、国境を越えて――一万キロ先へ。

けれど、僕はもう迷ったり不安に思ったりすることはなかった。僕たちの距離がどれだけ遠く離れていても、僕たちのたどり着くところは一緒で――僕たちの軌道は、いつか一つに重なるのだから。

あの夏の再会から、僕たちの関係はまた別のものになっていた。

あの日、僕はユーリヤと顔を合わせないまま、種子島を離れなければならなかった。彼女は、僕が帰りの飛行機に乗る時間までには目を覚まさず、しばらく絶対安静とのことだった。

だから、僕は病院からそのまま空港に向かった。

あの日の種子島の天気は残酷なまでに晴れ渡っていた。ユーリヤに会いに種子島に到着した時、こんな気持ちで帰りの飛行機の座席に座ることになるなんて思いもしなかった。彼女に何も告げられないまま東京に戻るなんて、考えもしなかった。種子島から戻ってきてから、僕たちは以前のように頻繁にメールを交わさなくなってしまった。月に数回交わし合ったメールのやり取りが、次第に月に一回、数か月に一回と減っていき、今では半年に一度くらいに。

そしてユーリヤは、エアメールで手紙を送ってくるようになった。

彼女の文字が少しずつかすれ、弱々しくなっていくことに僕は胸を痛めて、その度に涙を流したくなったけれど、僕は月までの距離を走ることだけに集中した。

種子島から帰ってきた後に届いた手書きの手紙の内容を、僕は片時も忘れない。思い出す必要もないくらい、その手紙の言葉はいつも僕のそばにある。僕のすぐ隣に寄り添っている。


『ハロー、スプートニク。

無事に東京にたどり着いているでしょうか?

せっかく私に会いに来てくれたのに、お別れがあんな形になってしまってごめんなさい。

なんだか、私たちっていつも変なお別れのしかたをしているわね? だいたい私のせいなんだけれど。そのたびに、あなたには迷惑をかけてしまってごめんなさい。おそらくだけど、そのたびにあなたを深く傷つけてしまっているわよね?

なんだか、私っていっつもあなたを困らせて、複雑な目に遭わせて、傷つけているんじゃないかって思うの。ほんと、自分にうんざりしちゃうわ。それに、とってもやれやれって気分になってしまう。

ねぇ、スプートニク?

たぶんだけれど、あなたは、私に何かを伝えるために私に会いに来てくれたのよね? そのために、わざわざ種子島まで来てくれた。でも、それを私に伝えたりはしないでほしいの。それは、あなたの胸の中にしまっておいて。これ以上、私はあなたを縛りつける重力でいたくはない。だから、あなたはあなたの人生を歩んでほしい。

私たちの約束は、幼い頃の素敵な思い出。ほんのひととき、同じ夜空を見上げて見つけた流れ星みたいなものだった。たぶん、そういうものだったのよ?

あなたのおかげで、私は素敵な夢を見た。こんな私が、どこまでも飛んでいけるような、どこにだってたどり着けるような、そんな夢を。

私はひとりぼっちではなかったけれど、でも、やっぱりソユーズだったのね。それでも、私は宇宙が大好きよ。

だけど、私たちの素敵な宇宙旅行はここまで。

スプートニク、you copy?』


その手紙に、僕ははじめて『i copy』と返さなかった。

心の中で『no copy』と返事をした。

その手紙の内容は、端的に言えば僕がユーリヤに振られてしまったということになるのだろう。

ユーリヤが手紙で書いた通り――

僕たちの素敵な宇宙旅行はここまでと。

でも、僕たちの約束や思い出は、たったひと時夜空を見上げて見つけた流れ星なんかじゃない。

そこには確かな情熱があって、僕たちを宇宙へと引っ張っていく確かな推力が存在していた。僕たちは、互いの引力に引かれ合いながらここまで進んできたんだ。だから今さら、これまでの全てが素敵な思い出で、これでおしまい、さよならよ、だなんて言われても――僕はもう、もといた場所に戻るなんてことはできなかった。

僕は、すでに空のかなり高いところまで打ち上げられていたんだ。

ユーリヤがくれた情熱と推力で。

そして、僕自身の情熱と推力で。

だから今さら、もといた場所に戻るなんてことはできなかった。そんなことは、ただ地面に落下してばらばらになってしまうことと同じだった。僕の人生の全てが、意味もなく粉々に砕けてしまうこととまるで同じ。

それでも、ユーリヤの言葉の意味は痛いほど理解できた。ユーリヤが彼女の人生から僕を遠ざけようとする意味も理由も、ぜんぶ理解できた。たぶん僕たちは、そばにいすぎると――お互いの距離が近すぎると、だめになってしまうんだと思う。

お互いのもつ引力に引かれ合いすぎて、正しい軌道を取れなくなってしまうんだと思う。まるで星と星がぶつかり合って砕けてしまうみたいに。僕たちのもつ引力は強すぎて、お互いの存在に寄りかかり、依存しすぎてしまうんじゃないかって。遠く離れているからこそ感じられる絆《きずな》や、正しい引力のようなものを――僕たちは互いに実感していたんじゃないかって、そんなふうに思うんだ。

その絆や引力を感じているのなら、僕たちはお互いがどこにいても――どれだけ距離が離れていたとしても、僕たちは前に進んでいけるんじゃないかって、そう思った。たとえ僕が宇宙を目指していなくても、ユーリヤを月につれて行かなくても――彼女は前に進み続けて、宇宙開発に携わり続けるだろう。そしてユーリヤは、絶対に自分が宇宙飛行士になることを、月に行くことを諦めたりはしないだろう。僕は、そう確信していた。

今なら、あの満月の夜にユーリヤが言った言葉の意味を正しく理解することができた。ユーリヤが何に怯《おび》え、何を不安に思い――どうして僕にあんな言葉をかけたのか、ぜんぶ理解できた。それはとても悲しく、とても残酷なことだった。

幼い頃、小さな女の子はただ国境線のない世界に、神さまのいない世界に行きたいと願った。そして、宇宙に神さまは見当たらないといった宇宙飛行士の言葉を信じて――宇宙を目指した。女の子は、次第に宇宙を目指した先に何があるのかを探すようになった。宇宙を正しく開発した未来が、人類にとってどのような恩恵をもたらすかを想像し、そんな世界と未来を切り開こうとした。

それが、月にたどり着くということ。月の金貨であるヘリウム3というエネルギーこそが、女の子にとっての正しい解答だった。

成長とともに残酷な現実を知り、そんな現実と向き合い続けた女の子は、それでも宇宙と月を目指し続けた。たとえ自分が宇宙に行けなかったとしても、月にたどり着けなかったとしても、自分以外の誰かが宇宙に上がり、月にたどり着くと信じて――今この瞬間も、宇宙開発に携わり続けている。

ユーリヤが言った通り、軌道エレベーターの開発はすでに始まっていた。赤道上の島に軌道エレベーターのターミナル建設がはじまり、今後打ち上げられる軌道エレベーター用の衛星とドッキング用の宇宙ステーションによって、その開発の速度は加速していく。

五年後には、軌道エレベーターの稼働実験が始まる。

そうなれば、あの満月の夜にユーリヤが語った――

誰もが自由に宇宙に行くことができる未来の扉が開く。

今、ユーリヤはその最前線にいる。

アメリカの大学の研究室で天体物理学を学んだ彼女は、在学中に発表したいくつかの論文が認められて軌道エレベーターを開発する専門家チームに加わった。ＮＡＳＡやＪＡＸＡだけでなく、軌道エレベーター建設のプロジェクトに参画する多くの民間企業とともに、軌道エレベーターの開発に力を尽くしていた。

僕は、最後に送られてきたユーリヤからの手紙を読んだ。それはアメリカから送られてきたエアメールで、僕たちが続けていた手紙のやり取りの最後のもの。


『ハロー、スプートニク。

大学院での生活はどうですか？

正直なところ、あなたが大学院生っていうのがぜんぜん想像できません。だってスプートニクって勉強はぜんぜんだめだったじゃない？ それと、長距離の選手として有名だってことも信じられないわ。今年の駅伝で走っているところをテレビで見ました。まぁ、なかなか様になっていたと思うわよ？ 惜しくも優勝はできなかったけれどね。

私のほうはなかなかに多忙な毎日を送っています。基本的には、アメリカと赤道上の小島を往復する毎日にうんざりしているところ。これまではフェリーにうんざりしていたんだけど島にようやく空港ができたので、今度は飛行機にうんざりね。まぁ、船酔いをせずに済むのはありがたいんだけれど。

実は今度、ロシアに出張することになっているの。向うの宇宙飛行士や技術者と会って、軌道エレベーターの運用について意見交換をする予定です。

星の街に行くのよ？ 今からわくわくしちゃうわ。

スプートニクの近況はどうですか？ あなたもそろそろ就職活動をしたほうがいいんじゃないかしら？ 今は院生だって厳しいって聞くわよ？

you copy?』

僕は、飛行機の座席に座っていた。弱々しい筆圧で、長い時間をかけて書かれたであろうその手紙を読みながら、飛行機が離陸するのを待っていた。

僕はユーリヤから送られてきたエアメールの封筒と、もう一つ別の封筒を握りしめながら、目をつぶって——ユーリヤと出会ってから、もうずいぶんと時間がたったんだなって、そんなことを考えていた。それと同時に、ユーリヤと別れてから、もうずいぶんと時間がたってしまったんだなって思った。

僕は、ユーリヤが倒れたあの夜に、彼女の父親と海岸で交わした言葉の続きを思い出した。

僕が「宇宙飛行士になるには——どうしたらいいですか？」と尋ねると、ユーリヤの父親は困ったような顔で僕を見た。

「君が、娘の人生を背負う必要はないんだ。子供の頃の約束を、いつまでも引きずる必要なんてない。そんなものに囚《とら》われてしまったら、過去の重力に押しつぶされてしまうよ？」

「僕、ユーリヤが大好きなんです」

僕は、ぜんぜん違うんだと伝えたかった。

ユーリヤが過去だなんてことはないんだって——僕にとっての重力なんかじゃないんだって、どうしても伝えたかった。

「ユーリヤのために、できることをしてあげたいんです。ユーリヤは、僕に大切ものをたくさんくれたんです。僕に宇宙を教えてくれた。僕にたどり着くべき星を教えてくれた。それに、ユーリヤは僕にとって過去なんかじゃないんです。ユーリヤは僕の未来で――いつだって、僕を引っ張ってくれる大切な引力なんです。だから、僕は宇宙飛行士になって――月に行くんです」

そこから先、僕たちが何を話したのかを書くのは無粋だし、たいして面白みもないから割愛しようと思う。いくぶんか、めそめそした話になってしまうかもしれないし。

一つだけ言えることは、僕たちはそこで誓い合い――約束をした。

ユーリヤを月につれて行くために、僕たちの人生を賭けようって。僕たちの持っている情熱と推力の全てを、そのことだけに注ごうって、僕たちは約束したんだ。

僕は、その約束を胸に――種子島を離れた。宇宙に一番近い島を。

ユーリヤは、いったいどんな気持ちであの島から月を見上げていたんだろう？

宇宙に一番近い島にいながら、宇宙に一番遠い場所にいる自分を、どのように思っていたんだろう？

それでも、宇宙に関わろうとし続けるユーリヤの情熱と推力を――僕は心の底から素敵だと思った。そしてあの夏に、ユーリヤと再会できてよかったと思った。もう一度ユーリヤと再会をして――二人で話をして、彼女の生活を知って、二人だけの時間を過ごせてよかった。彼女の家族に会って、彼女の父親からユーリヤの話を聞けてよかったと思った。

僕が月を目指すうえで、宇宙飛行士になると自分に言い聞かせるうえで――それは、とても大切な通過点だったように思えた。その場所を通り過ぎることでしか前に進めない、月を目指すことができない、僕にとってもっとも大切な軌道だったんじゃないかって、そう思えたから。

38万４４００㎞の距離を越えて、月にたどり着くうえで。

そんなことを改めて思い出してしまうと、やっぱり、もうずいぶんたったんだなって――過ぎてしまった時間の膨大さに途方に暮れそうになった。そんな過去の重力に引かれる僕の背を押すように、ようやく飛行機は飛び立った。

千キロ、一万キロと離れていき――そして、いずれ38万４４００㎞の距離を越えて再会することになる彼女のもとに向かって。

飛行機は、まっすぐに飛び立った。

やはり、未来と――


月に向かって。


僕は目の前にそびえ立ったガガーリン像を眺めながら、そのあまりにも前衛的で衝撃的な姿に苦笑いを浮かべた。

ロシアの首都モスクワ市内の南西部にあるガガーリン広場。レーニンスキー大通りとコスィギン通り、十月革命六十周年大通りの三つの交差点に位置する広場。といっても、道路によって占められる部分が多く、人がたくさん集まることのできるような空間ではない場所に、その像はそびえ立っている。像というよりもタワーといった感じだけれど。

人類初の宇宙飛行士であるユーリイ・アレクセーエヴィチ・ガガーリンを記念して建てられた彼の像――モニュメントは銀色に輝き、その両手を大きく広げている。今まさに宇宙に向かって飛び立ってしまうのではと思わせるその姿は、まるで『鉄腕アトム』に登場するロボットのように勇ましかった。数多く存在するガガーリン像の中でも、これほどまで強く、勇ましく、突き抜けた像はここにしか存在しない。

僕はそんな人類で一番はじめに宇宙にたどり着いた宇宙飛行士を見上げながら、心の中で声をかけた。

「ハロー、ガガーリン。あなたも、まさか自分の死後にこんな銅像を立てられるだなんて思いもしなかっただろうね？　あなたが宇宙に行ってから、人類はずいぶんとたくさんの人を宇宙におくり出しているんだよ。もう少しすれば、人類はロケットに頼らなくても宇宙に行けるようになると思う。エレベーターに乗るような気軽さで、誰もが宇宙に行けるんだ。だからといって、あなたの偉業や功績――そして、勇気がかすんでしまうなんてことはないから安心してほしい。それは、人類にとっていつまでも輝き続ける偉業であり、モニュメントなんだ。あなたが宇宙に行った時に口にした言葉――『ここに神は見当たらない』って言葉のおかげで、僕たちはずいぶんと複雑な人生を歩むことになったんだ。僕の一番大切な女の子は、あなたの言葉に希望を見出《みいだ》して宇宙を目指すようになった。きっとあなたは、これから先も人類に夢や希望を与えていくんだと思う。もちろん、僕にとってもあなたはとても特別な人だ。そしてこれから、あなたから名前をもらった女の子に――僕は会いに行くんだ」

ガガーリンに別れを告げた後、僕は車に乗ってモスクワの北東にある街へと向かった。

星の街と言われるその場所に。

2　星の街

星の街は『ガガーリン宇宙飛行士訓練センター』のある街で、世界中の宇宙飛行士がこの場所で宇宙に行くための訓練をしている。日本人宇宙飛行士の多くも、かつてこの場所で訓練を行った。または、現在進行形で行っている。

ソ連時代は軍の研究施設や訓練施設などもあり、厳重に隔離された場所だったらしく、ロシア人でさえどこにあるのか知らない街だったという。今では、一般の観光客も自由に訪問することができる開かれた街となっている。多くの宇宙飛行士とその家族が暮らす街に。

街を取り囲むように広がった木々、そして白樺《しらかば》並木を抜けた先に広がる星の街は――大きく居住区と訓練区に分かれていて、居住区にはカフェ、レストラン、学校、保育園、郵便局、銀行、公民館などがある。中央広場には、やはりガガーリンの銅像が立っている。

訓練区には、ソユーズやブランなどソ連で開発された主要な宇宙船や、ミールやＩＳＳなどの宇宙ステーションの訓練用の実物大模型、無重力状態の訓練を行うためのプール、遠心加速器などがあり――観光客は宇宙飛行士の訓練や宇宙での生活の様子を見学することができる。

僕の目的は観光でも見学でもないので、中央広場に立てられた等身大のガガーリン像に別れを告げて、目当ての場所に向かって足を進めた。

そろそろ、今日の予定を終えたユーリヤが出てくる頃だった。実のところ、ユーリヤに僕の訪問は伝えていなかったので、彼女がどのような反応をするのか、不安といえば不安だった。もしかしたら、ものすごく怒って、その場で僕を追い返してしまう可能性だってあったし——僕を見るやいなや、逃げ出してしまう可能性だってあった。

それでも、僕はなんとなくこの突然の訪問が——あの夏の再会以来の再会が、うまくいくような気がした。本当になんとなくだけれど。

この再会がロシアの星の街になったことに、僕はなんとなく運命的なものを感じていた。

ユーリヤのもう一つの故郷であり——ユーリヤが宇宙を目指すきっかけの一つとなった宇宙飛行士が生まれた国であるロシア。その宇宙飛行士が訓練をして、人類初の宇宙飛行を成功させた場所である星の街。ユーリイ・アレクセーエヴィチ・ガガーリンの名前を与えられた『ガガーリン宇宙飛行士訓練センター』の前で——僕たちは、あの夏の再会以来の再会を果たす。そのために、僕は飛行機に乗ってロシアへとやってきた。

小さな封筒の中にしたためられた小さな報告を胸に秘めて。

僕たちが賭けた小さな島——まるで高いところから落とした雫《しずく》が飛び散って、さらに遠くまで飛び跳ねてできたみたいな北方四島を飛び越えて。

国境を越えて。

僕は、ロシアの地に立った。

小さな一歩を踏み出すみたいに。

『ガガーリン宇宙飛行士訓練センター』の入り口から出てきたユーリヤを見つけた僕は、こみ上げる数々の思い出や感情の波にのみこまれて、ただ呆然《ぼうぜん》と立ち尽くしていた。

その瞬間、僕は懐かしい無重力を体験していた。

いつだって、僕のはじまりは——ゼログラビティは、ユーリヤだった。

僕はいま、そのことをしっかりと思い出していた。

長い髪の毛をバレッタで無造作にまとめているユーリヤは、二十メートルほど離れたベンチに腰を下ろしている僕を一瞬で見つけると——吸い込まれるように僕と視線を合わせた。まるで、お互いの引力を瞬間的に感じ取ったみたいに。

黒いコートに長いスカートをはいた彼女は、僕と同じように一瞬呆然とした後、彼女と一緒に施設からできた同僚たち——おそらく同じ研究チームの——にいくつか声をかけて、僕のところに足を進めた。正確には、乗っていた車椅子で。

僕は立ち上がってユーリヤを迎えに行こうとしたけれど、彼女は小さく首を横に振って「そこで待っていて」と告げた。

慣れた動作で車椅子を前に進める彼女の姿に、僕はどうしようもない痛みを感じた。そして、どこにぶつけたらいいのか分からない怒りのようなものを覚えた。この世界に存在する、ありとあらゆる理不尽さや不平等さを糾弾《きゅうだん》したくなっていた。

ユーリヤが僕にたどり着くまでのほんの数十秒が、なんだかとても長い時間に——まるで永遠のように感じられた。

こちらに向かってくるユーリヤの表情は、とても穏やかだった。まるで僕の訪問をあらかじめ知っていたみたいで、それを当然のことと受け入れているみたいだった。それどころか自分に降りかかる、巻き起こる全てのことを受け入れてしまっているみたいに見えた。車椅子で僕の前にたどり着くと、ユーリヤは僕を見てにっこりと笑った。

「ハロー、スプートニク。何も言わずにいきなり会いに来るなんて反則よ？　あなたが会いに来るって知っていたら、もう少しおめかしをして、お化粧だってばっちりしておくのに」

そう言ってはにかんだユーリヤは、世界で一番きれいだった。

世界で一番――いや、宇宙で一番特別な女の子だった。誰にとってもというわけではなく、もちろん僕にとって。

ユーリヤはもう女の子ではなく――大人の女性になっていた。それも、成熟した大人の女性に。

彼女の整った顔立ちには知性や気品のようなものがしっかりと刻まれていて、それはどんなお化粧よりも彼女を魅力的にしていた。その理知的な表情には、彼女のこれまでの人生が、苦難や困難の証《あかし》が、しっかりと映し出されていた。

それでも、僕にとってユーリヤはいつまでも特別な女の子のままだった。

僕に、人生の意味と未来をくれた特別な女の子。

僕をスプートニクにしてくれた――僕のお姫さまのままだった。

これから先も何も変わることはない。

たとえ、僕たちの距離がどれだけ離れてしまっても。

「ちょっと、何か言ってよね？」

僕がこみ上げるものの数々にのみこまれていると、ユーリヤが困ったように言った。

「ごめん。そのままで十分きれいだよ。僕にとっては――宇宙で一番きれいだよ」

僕が思わずそう言うと、ユーリヤは信じられないくらい顔を真っ赤にしてみせた。まさか、そんな反応が返ってくるとは思わなかったので、僕も急に恥ずかしくなってしまった。僕たちは、そろって赤い顔をして俯《うつむ》いた。

「ほんと、どんどんお世辞ばっかりがうまくなるのね。東京ではずいぶんと楽しんでいるんでしょうね？」

「そんなことないよ。こんなことを言ったのははじめてだよ」

「ほんとかしら？　まぁ、素直に受け取っておいてあげるわ」

「僕が会いに来たこと、あんまり驚いていないんだね」

僕が言うと、ユーリヤは「どうかしら？」と首を傾《かし》げる。

「これでも、けっこう驚いてはいるのよ。でも、あなたを見つけた時に――どうしてだろう？　なぜだか、それをあたりまえのように受け入れられたの。とっても不思議なんだけれど、あなたが私に会いにくるんじゃないかって、私はどこかでそれをわかっていたみたいなの。変よね？」

「変なんかじゃないよ。僕たちには、きっとお互いを感じ取れる特別な引力があるんだよ」

「特別な引力かあ。確かに、子供の頃はそれを毎日感じていた気がするなあ。いいえ。離ればなれになっても――私たちは、それを感じていたのかもね？　だから、私たちはここまで進んでこられた」

ユーリヤは僕が思っていることとまったく同じことを言って頷《うなず》いた。僕は、そのことがたまらなく嬉《うれ》しかった。

僕たちは、たとえどれだけ離れていても同じ気持ちなんだって、改めて思うことができた。千キロ、一万キロと離れていても――そして、最終的に月と地球くらい離れてしまったとしても。僕たちの気持ちはずっと一緒なんだ。

「こんなところで立ち話もなんだから、少し歩きましょうよ？　といっても、私は座ったままなんだけれどね」

　ユーリヤは冗談めかして言い、自分の乗っている車椅子を見て苦笑いを浮かべた。僕は、彼女の後ろに回って車椅子を押した。

「あら、自分で前に進めるからぜんぜん大丈夫なのよ。もう慣れたものなんだから」

「それでも、僕が押すよ。僕がユーリヤを押したいんだ」

「そう？　ならお願いするわね」

　ユーリヤは振り返らずに、少しだけ震えた声で言った。彼女の背中はとても小さくて、車椅子はとても軽かった。まったく重みを感じず、月の上にいるんじゃないかってくらいに。その軽さが僕をとことん打ちのめして、とことん傷つけた。

「体は大丈夫なの？」

「ええ。そんなに悪くはないわ。車椅子だって本当は必要ないのよ。長時間歩いたり、運動をしたりしなければ日常生活に支障はないし、家の中では立って動いているし、家事だってぜんぶ自分でやっているんだから」

「そっか」

　僕たちは、星の街を歩きながらたわいない会話を交わした。灰色の空、広い道路、同じ高さの建物、たくさんの木々に囲まれた森閑とした空気――そういったものを感じながら、僕たちはあてもなく外国の街を前に進んだ。

目的もなく。目的地もなく。

それは僕たちがはじめて経験する無軌道のような気がした。僕たちはこれまで、いつだって目的地に向かって進んでいた。月に向かって走り続けてきた。でも、今この瞬間だけは――目的もなく、目的地もなく、ただあてもなくゆっくりと前に進み続けているような気がした。

「クドリャフカがね、子供を生んだのよ」

「クドリャフカって雌だったんだ？」

「そうよ。可愛い女の子が、立派な母親になったのね。お母さんが――『三匹の子猫たちが、毎日餌をねだりに来て大変だ』ってぼやいていたわ。子供たちはジンジャーエールが嫌いみたいなの。クドリャフカは、今までよりももっと丸々と太ったみたい。ああ、素敵なことだわ」

ユーリヤは楽しそうにくすくすと笑った。僕はその話を聞きながら、ユーリヤが野良猫にクドリャフカと名前をつけたことの意味を考えていた。

クドリャフカは、人類史上はじめて宇宙に打ち上げられた動物――ライカ犬の名前だった。

クドリャフカは、不幸な星のもとに生まれてきた犬だった。

そのライカ犬は、ソ連の『スプートニク2号』という宇宙船に乗せられて宇宙に打ち上げられた。そして地球に帰還することなく宇宙船の中で死亡した。死亡の日時や原因などには諸説あり、『スプートニク2号』そのものはもともと大気圏再突入が不可能な設計だったため、不幸なライカ犬は毒入りの餌で安楽死させられる予定だったという。

ユーリヤは、いったいどんな意味をこめて野良猫にクドリャフカと名付けたのだろうか？

僕は車椅子を押しながら、ユーリヤが語った動物を飼うことについての見解を思い出した。

『動物を飼うなんて、人間の傲慢《ごうまん》よ。野良猫は自由にどこにでも行けるし、どこでだって生活していけるんだもの——わざわざ、檻《おり》の中に入れる必要なんてどこにもないわ。人間の国境線を押し付ける必要なんてまるでない。それに、かわいいから自分のそばに置いておくなんて、それはただのエゴよ』

『本当は、猫には名前なんて必要ないの。だって、猫たちは生まれながらに自分がなにものであるかを知っているんだから。何も知らない、何も分からない私たちと違ってね』

『クドリャフカ、君は素敵だね。何にも縛られることなく自由気ままに生きていけるんだから。人間がつくった壁や国境線を自由に越えて行ける』

ユーリヤは、クドリャフカに自分を重ねようとしていたのだろうか？

それとも、自分とはまるで違ってどこにでも行ける国境線に縛られない存在に憧れていたのだろうか？

最終的に地球に帰ることができなかった犬と同じ名前に、いったいどれだけの意味や感情を込めたのか——僕にはまるで分からなかった。

ユーリヤが、僕をスプートニクと呼んだことと同じくらい。

そして、今も僕をスプートニクと呼び続けるのと同じくらい。

僕たちは、あてもなく進み続けた。

目的もなく。目的地もなく。

たわいない会話だけを道しるべに。

しばらくすると、ユーリヤが歌をくちずさみはじめた。

それはあの夏の再会の夜、天文台に向かう車内で流れていたジャズの一曲——ユーリヤが倒れる前にくちずさんでいた曲だった。僕が嫌いになりかけ、今もその態度を保留している一曲。

その曲のタイトルは——


『イッツ・オンリー・ア・ペーパー・ムーン』


直訳すれば『ただの紙の月』という味気ないタイトルで、その歌詞も基本的には愛を歌ったなんとなく陳腐なものだった。なんとなく、ユーリヤが好むには安っぽい曲なんじゃないかって思っていた。『フライ・ミー・トゥー・ザ・ムーン』と比較してみれば。

「その曲、気に入っているんだね？」

僕が尋ねると、ユーリヤは歌をくちずさむのをやめて振り返った。

「ねぇ、そこの広場で少し休憩をしましょう」

ユーリヤは僕の質問には答えず、広場の屋台を指して言った。

僕たちは、屋台に並んでチェブレキという食べ物と飲み物を購入した。チェブレキは薄く延ばした生地を油で揚げた食べ物らしく、見た目は大きな揚げ餃子《ギョーザ》に似ていた。クレープをそのまま揚げたようにも見える。

僕はベンチに腰を下ろし、ユーリヤは車椅子のまま僕に向かい合った。彼女はチェブレキと一緒に購入したジンジャーエールを飲んで、揚げ餃子のようなそれを頬張る。僕もホットコーヒーを一口飲んだ後、チェブレキを食べた。中から温かいチーズとハムが飛び出し、さくさくの生地と相まってとてもおいしかった。

「おいしいでしょう？　クリミア半島のタタール人のいる地域で食べられている伝統料理なのよ。本当は羊のひき肉を生地に詰めるんだけど、最近はいろいろアレンジされていてハム&チーズは一番人気なの」

「うん。おいしいね」

僕たちは、ガガーリンの見守る広場でもくもくとチェブレキを食べた。閑散とした広場では子供たちが数人駆け回っていて、ロシア語と元気な笑い声が聞こえてきた。僕は穏やかな気持ちでそんな光景を見つめていた。

「『イッツ・オンリー・ア・ペーパー・ムーン』はね――私にとっては、ある意味で救いみたいな歌なの」

「救いのような歌？」

僕は、おもむろに話しはじめたユーリヤの声に耳を傾けた。

「ええ。私のお気に入りの『フライ・ミー・トゥー・ザ・ムーン』は、私にとって願いのような歌だった。『私を月につれて行って』ってフレーズが、最高に気に入っていて――幼い頃の私の気持ちにとても寄り添ってくれた。『イッツ・オンリー・ア・ペーパー・ムーン』はね、今の私の気持ちにとても寄り添ってくれているの」

「今のユーリヤの気持ちに寄り添ってくれている？」

「ええ。『ペーパー・ムーン』っていうのはね、アメリカで記念写真によく使われていた背景のこと。まだ写真が特別だった時代に、家族や恋人と一緒に月をバックにして撮影をしたの。そんな写真を見たことあるでしょう？」

僕は頷《うなず》いた。

大きな月――顔の描かれた三日月――を背景にして撮影された写真には見覚えがあった。三日月に腰を下ろして恋人同士が仲睦まじく手を握っている写真なんかは、定番と言えば定番だった。

「ジュール・ヴェルヌの『月世界旅行』あたりからイメージを受けた背景だと思うんだけど、『ペーパー・ムーン』を背景に写真を撮るということには、その人たちの幸福な時間を記録しておくっていう意味があったのね。激動と呼ばれた時代に翻弄《ほんろう》されたアメリカの人々が――幸福な時間を楽しかった思い出として記録しておく、そのシンボルとして『ペーパー・ムーン』が使われたのよ」

そこまで言うと、ユーリヤは不意にその曲を歌いだす。

Without your love
It's a honky-tonk parade
Without your love
It's a melody played in a penny arcade
It's a Barnum and Bailey world

Just as phony as it can be
But it wouldn't be make-believe
If you believed in me

その歌詞は――『愛がなければ全て偽物で、信じれば全ては本物』と歌っていた。

「『あなたが私を信じてくれるなら、紙のお月さまだなんて思えない』。愛さえあれば、それは本当のように思えるっていうところが――なんだか、ものすごくじーんときちゃったの。安っぽいと言えば安っぽいんだけど？」

ユーリヤは、はにかみながら僕を見つめた。灰色の大きな月が、僕を真っ直ぐに照らす。

「それに『ペーパー・ムーン』には信じ続けていれば本当になるっていう意味もあるのよ。紙のお月さまだって――本物の月になれるって。それって、なんだかとっても素敵なことじゃない？　ものすごく、私に寄り添ってくれているような気がするわ」

そう言って笑ってみせたユーリヤは、車椅子に乗る自分の足を見つめて悲しげな顔をした。

ユーリヤがその曲を好んだ理由も、今の自分の気持ちに寄り添っていると感じた理由も、僕には痛いほど理解できた。月に行きたいと願った女の子は――今、紙のお月さまに寄り添っていた。たとえ偽物でも、信じ続けていればそれが本物になると願い、信じて。

ユーリヤは自分の足で進めなくなっても、月を目指して前に進もうとしていた。そんな彼女のひたむきさや愚直さに、僕は胸を打たれていた。そして、やはり深く傷ついていた。

僕たちは、しばらく何も語らずに無言でいた。

暮れなずむ灰色の空を見上げて。

次に何を語るべきかはわかっていたんだけれど、僕たちはしばらく再会の余韻にひたっていた。素敵な音楽を聴いた後、不意に生まれる静寂に耳をすませるみたいに。『イッツ・オンリー・ア・ペーパー・ムーン』の余韻にひたって、僕たちは灰色の空に月を探していたのかもしれない。次に語るべきは僕の番だってことはわかっていたんだけれど、僕はきっかけのようなものを探していた。背中を押してくれる何かを待っていた。

すると、広場で遊んでいた子供の一人が僕たちのところにやってきて「プリヴィエート」と声をかけた。ロシア語で「やあ」という挨拶《あいさつ》。

「ズドラーストヴィチェ」

ユーリヤは、にっこりと笑って流暢《りゅうちょう》なロシア語で「こんにちは」と返した。言葉が通じるとわかった男の子は、真っ赤だった頬をもっと赤く、熟《う》れた林檎《りんご》みたいにして「きゃっきゃっ」と喜んだ。

「ヤポンスキー？」

羊の毛みたいにふわふわとした金色の髪の毛を揺らした男の子は、人懐っこい笑みを浮かべながら、僕たちに「日本人？」って尋ねた。

「ええ、そうよ。私たちは日本からやってきたの」

「わーお。サムライ、ニンジャ、ドラえもんだね。この街には観光に来たの？」

「いいえ。私は宇宙飛行士と一緒にお仕事をしているの。この街には、特別なお仕事をしに来たのよ。これは内緒の話なんだけれど、宇宙まで行けるエレベーターをつくっているの」

「わーお、国家機密だね。僕、絶対誰にも言わないよ」

「これが漏れたら粛清《しゅくせい》されちゃうわよ」

ユーリヤとロシア人の男の子は楽しそうに会話をはじめて、二人でくすくすと笑い合った。大学ではロシア語を専攻したおかげで、僕もなんとかその会話についていくことができたけれど、二人のテンポの良い会話にまざる自信はなかった。

「僕はアリョーシャだよ」

「私はユーリヤよ。ユーリヤ・アレクセーエヴナ・ガガーリナ」

「わーお、僕たちの英雄ガガーリンと同じ名前なんて、ユーリヤは宇宙に行くために生まれてきたみたいな女の子なんだね。すごいや」

「そうよ。私は月に行くために生まれてきたんだから」

僕はユーリヤがそう名乗った時、そして、そう告げた時――今にも泣き出しそうになっていた。もう二度と、彼女はユーリヤ・アレクセーエヴナ・ガガーリナと名乗ることはないんじゃないかって――もう二度と、僕の大好きな名前で自己紹介をしたりしないんじゃないかって、僕はそんなふうに思っていたんだ。

そのことを、とても残念に思っていた。

だから、その不意打ちは僕の胸を激しく打った。まるで、小惑星が衝突したみたいに。

そして、彼女が月に行くために生まれてきたんだとはっきりと宣言したことに、僕はものすごく感動していた。それは、ユーリヤが何一つ変わっていないっていう証《あかし》だった。

彼女は、僕にしっかりとそのことを教えてくれた。

示してくれた。

僕の背中を押すように。

僕を、月まで引っ張ってくれるように。

「お兄ちゃんの名前は？」

アリョーシャは僕を見て楽しそうに尋ねる。次はどんな素敵なことが飛び出してくるんだろうって、とてもワクワクしているみたいだった。

「お兄ちゃんは、私のスプートニクなのよ。いつだって私の後ろをくっついて——私の背中を追いかけてくるんだから」

答えたのは、ユーリヤだった。

ユーリヤが、僕のことを誰かにスプートニクと紹介するのははじめてのことだった。だから僕はユーリヤが僕のことをスプートニクと呼んで、アリョーシャに紹介してくれたことがとても嬉《うれ》しかった。とても。こんなにも誇らしい気持ちになったのは、いったいいつ以来だろう？

僕は、もう胸がいっぱいになっていた。

「わーお、自分の衛星をもっているなんてすごいや。ユーリヤはとっても特別なんだね。うらやましいや」

「わーお」が口癖のアリョーシャは、灰色の目を輝かせながらぴょんぴょんと跳ね回る。アリョーシャ自身が衛星になってしまったみたいだった。

「アリョーシャだって、きっとあなただけの特別な星を持てるわよ」

「ほんとに？」

「ええ。あなただけの星を持つのに大切なことは一つだけ。世界で——いいえ、宇宙で一番特別な人を見つけることよ」

「宇宙で一番特別な人かあ？　僕も探してみるよ」

アリョーシャは興奮した様子でにっこりと笑った。ユーリヤは振り返り、アリョーシャと同じようににっこりと笑った。僕に向かって。その言葉の意味をしっかりと僕に届けるみたいに。

僕は、ユーリヤの引力を感じていた。

今までよりも強く。

「僕も、ユーリヤと同じように宇宙に行くんだよ。僕、大人になったら宇宙飛行士になるんだ。そうしたら、僕も一番特別な人を宇宙につれて行くよ」

アリョーシャは、まるでそれがあらかじめ決まっていることのように、自信に満ち溢《あふ》れた表情でそう宣言した。怖れや不安の一切ない、澄んだ夜空みたいな表情で。かつての僕たちみたいに。ユーリヤは灰色の瞳を少しだけ滲《にじ》ませて、アリョーシャの頭をくしゃくしゃと撫《な》でてあげた。

「アリョーシャ。あなたならきっと、立派な宇宙飛行士になれると思うわ。でも、宇宙飛行士になるなら――どうして宇宙に行きたいのか、その理由がなきゃダメよ。その理由が、きっとあなたを宇宙まで引っ張って行ってくれる」

「理由ならあるよ」

アリョーシャは満面の笑みで、そして自信と確信に満ちた表情で言った。

「僕は、神さまを見つけに行くんだ」

「神さまを見つけに？」

ユーリヤは驚いたように尋ねる。

「うん。僕たちの英雄ガガーリンがね、宇宙には神さまが見当たらないって言ったんだ。でも、僕は神さまはいると思うなあ。僕のパパは教会で働いているんだけど――宇宙にだって神さまはいるよって言ってたし。それに、宇宙に行った聖人だっているんだよ」

「宇宙に行った聖人？」

「そうだよ。森の中で修行してたすごい人なんだ」

「その人は、どうやって宇宙に行ったの？」

「宇宙飛行士がね、持って行ってあげたんだ」

「持って行ってあげた？」

「そう。その聖人の骨を、宇宙に持って行ったんだよ。それで、ちゃんと宇宙に行って帰ってきたんだ。その骨はね、僕のパパが働いてる教会にあるんだ。ほんとだよ？　あそこの教会にちゃんとあるんだ。嘘《うそ》じゃないよ」

アリョーシャは広場の先にある建物――白樺《しらかば》に囲まれた教会を指差した。

「ええ。もちろん信じるわ」

「だから、僕が宇宙に神さまを見つけに行って、みんなに神さまはいたよって教えてあげたいんだ」

「とっても素敵なことね。アリョーシャ、あなたならきっと見つけられると思うわ」

「うん。僕もそう思う。それで僕は、宇宙にも神さまはいたから、みんなも安心して宇宙に上がっておいでよって教えてあげるんだ。そうしたら、きっとたくさんの人が宇宙に上がると思うんだ」

アリョーシャは、しっかりと宇宙を目指すための理由をもっていた。宇宙に上がるための情熱と推力をもっていた。幼い頃の僕たちみたいに。

仲間たちのところに帰って行くアリョーシャは、何度も何度も僕たちに手を振った。「いつか宇宙で会おうね」っていう約束を大声で叫びながら。

「とっても素敵な子ね。あの子はきっと宇宙に行くと思うわ。もしかしたら本当に神さまを見つけちゃうかも」

ユーリヤは静かに言った。その穏やかな顔には、何か新しい気づきのようなものが宿っていた。

「ねぇ、あの教会に行ってみない？」

僕たちは広場の先の教会に向かった。ユーリヤの背中を――車椅子を押しながら、僕はこの無軌道な旅が終わりに向かっていることに気がついた。旅の終わりとなる教会が近づくにつれて、僕の足取りは重くなっていった。この旅の最後にたどり着く場所が星の街の教会だったことに、僕は不思議ななにかを――ある意味での運命のようなものを感じていた。

これまで走り続けてきた長い道のりの全てが、まるで巡礼の旅だったように思えて――僕は、その意味を測りかねていた。


それでも、この旅の終わりだけは訪れようとしていた。

3　巡礼の終わり

宇宙飛行士の街である星の街に建てられた――小さな教会。

こぢんまりとした石造りの建物の内部は、とてもひっそりとしていた。静寂の保たれた聖堂には誰もおらず、そこはまるで人知れず上演の終わった劇場のように見えた。夜のしじまに包まれたようにも。祭壇までの廊下を、音を立てないようにゆっくりと進むと、そこに観光客用のパネルが立てられていて、僕とユーリヤはそれを眺めた。

そこには、とあるロシア人宇宙飛行士によって宇宙に上がった聖人について書かれていた。

『サロフのセラフィムの遺骸《いがい》の一部がロシア人宇宙飛行士の手によって宇宙に上がり、無事に帰還後、この星の街の教会に寄贈された。遺骸の一部はいまも当教会にて厳重に保管されている。サロフのセラフィムはロシアで最も崇拝されている聖人の一人で、深い森の中で修行を行った』

「なんだか、途方に暮れちゃうくらいすごい話ね。森の中で孤独に修行をしていた修道士が、死後に聖人になって――そして、宇宙にまで行っちゃうなんて」

ユーリヤは静かに言って教会を見回した。

アリョーシャが教えてくれたその話は、僕に一つの約束を思い出させた。そして、実際にその記述を目《ま》の当たりにした僕は今、僕が宇宙に行くその意味と理由をかみしめていた。

国境線のない平和な世界を望んだ女の子との約束を。意地の悪い神さまのいない世界を求めて宇宙を目指し、そして月にたどり着こうとした女の子が口にした、あの日の約束を。

あの満月の夜の言葉を。

それを果たすためだけに僕の人生はあったのかもしれないと――僕は、ふと思いはじめていた。

『ねぇ、私ね——私がもしも死んじゃっても、地球のお墓には入りたくないって思うな。そうね、月にまいてほしい。なんだか、それってとても素敵じゃない？　私の一部が月で舞って、まるでダンスを踊るみたいで。だから、お願い——』

僕はその約束を思い出しながら、ゆっくりと車椅子を押して祭壇のほうに向かった。しっかりと一歩一歩を踏みしめ、巡礼の重みを確かめるみたいに。そして、深い森の奥に進んでいくみたいに。

聖堂内は装飾の施されたたくさんの窓と、たくさんのステンドグラスによって光を灯《とも》す造りになっていた。太陽はすでに傾きかけていたけれど、聖堂はとても明るかった。輝く宝石のような光を放つグラスの一つ一つには、まるで絵画のような模様が施されていて、一つの大きな物語を描いているみたいだった。色とりどりの光が万華鏡《まんげきょう》のように差し込んだ空間には、人工的な光に頼ることのない温かさと頼もしさが充満していた。

天井に嵌《は》め込まれた一際大きなバラ窓のステンドグラスには、宇宙飛行士の街らしくたくさんの星と大きな月が描かれている。そこに、小さな宇宙が広がっているみたいに。その小さな宇宙にたどり着き——祭壇にまでたどり着くと、ユーリヤはそのステンドグラスから降り注ぐ七色の光に包まれた。

なんだか、祝福を受けているような光景だった。

それは、とても神秘的で美しく——そして、どこか悲しげで寂しげな光景に見えた。

「とってもきれいね？　それに、月が描かれてる。まるで——ペーパー・ムーンみたい」

ユーリヤは顎を上げて、天井のステンドグラスを眺めながら言った。彼女はその月に手を伸ばそうとしたけれど、不意にその手を下ろしてしまった。

ユーリヤが泣いていることに気がついたのは——その時だった。彼女の体はまるで凍《こご》えたみたいに震えていて、今にもばらばらになってしまいそうだった。

「ユーリヤ?」

僕はユーリヤの正面に回って屈《かが》み、彼女の顔を覗《のぞ》き込んだ。目と目を合わせて、心を通わせようとした。ユーリヤの大きな灰色の瞳からは、大粒の涙がぽろぽろとこぼれ落ちている。ステンドグラスの光が当たったその涙の粒は、本物の宝石のようにきれいだった。残酷なくらいにきれいだったんだ。

「ねぇ、スプートニク。どうして、私は宇宙に行けないんだろう? どうして、宇宙飛行士になれないんだろう? どうして、月に行けないんだろう。ねぇ、どうしてだと思う?」

ユーリヤは、その言葉をこぼれる涙と共に口にした。彼女の中のありったけのものを振り絞って出されたその言葉は、とても悲しくて、とても重かった。これまでの人生でユーリヤが一度も口にしなかった、一度も言葉にしなかった思いの数々。ずっと向かい合い、立ち向かい続け、乗り越えようとしてきたその思いが——今、ようやく言葉になってこぼれ落ちた。

ユーリヤが振り絞った勇気や、希望や、未来や、過去や、絶望。言葉にできない多くの感情が込められたその言葉を受け止める覚悟はできていたけれど、それでも僕はその言葉に深く傷ついたんだ。こんなにも悲しくて、こんなにも残酷なことが、この世界にあるだろうかって。

僕は、世の中のありとあらゆる理不尽やインチキに立ち向かって——もしもいるのなら、神さまっていうインチキの権化《ごんげ》をぶん殴ってやりたい気持ちにさえなっていた。

「こんなのひどいよ。こんなのひどすぎるって思わない？　こんなのってないよ？　だって、私――こんなに、こんなにがんばったんだよ？　なのに、どうして宇宙飛行士になれないの？　どうして月に行けないの？　それに、もうすぐ私は歩くこともできなくなって、きっと宇宙と月を見上げることもできなくなっちゃう。そんなの、怖いよ」

壊れてしまいそうな声で、必死に言葉を振り絞るユーリヤを――僕はただ真っ直ぐに見つめ続けた。その告白を、その泣き声を、その苦悩を、その悲しみを、その恐怖を、その叫びを、ユーリヤの本当の気持ちを、彼女がこれまで胸の奥に押し留《とど》め、押し殺してきたありとあらゆるものを――僕は、ぜんぶ受け止めようって決めていた。すべてを聞き届けて、見届けて、受け入れようって。そのために、僕は国境線を越えて――僕たちの賭けた北方四島を飛び越えて、この星の街を訪れたのだから。

小さな子供のように大声で泣くユーリヤを、僕はようやく抱きしめることができた。僕の胸に顔をうずめたユーリヤは、生まれたばかりの赤子のように泣いた。

全てをさらけ出してしまうみたいに。

全てを告白するみたいに。

僕は、ようやくユーリヤの涙を拭《ぬぐ》ってあげることができた。おそらくずっと前から、僕と出会った幼い頃からずっと流し続けてきた彼女の涙を、僕はようやく拭うことができたんだ。

僕はユーリヤの涙を拭い、抱きしめながら――おそらく、神さまってやつがいるだろう祭壇を見つめた。そして、心の中で神さまってやつに言ってやった。

ユーリヤは、神さまの前だから告白したんじゃない。あんたが見ているから、本当の気持ちを言葉にしたわけじゃないんだ。ユーリヤは神さまに祈ったり、告白したり、ましてや、それにすがるような女の子じゃない。

それだけは、絶対に違うんだって——僕は、言ってやった。

ユーリヤが少しずつ落ち着きを取り戻した頃には、太陽はすっかり沈んでいて——夜が教会と僕たちを包みこんでいた。

聖堂は、まるで夜の森のように静かだった。

僕とユーリヤの行方《ゆくえ》を見守っているみたいに。

僕たちの巡礼の終わりを——

月だけが見届けようとしていた。

4　月の結婚式

「スプートニクに会ったら、絶対に泣いちゃうって思っていたから——弱音を吐いて、めそめそしちゃうって思っていたから、せっかく距離を置いて会わないようにしていたのに。あーあ、もう、ぜんぶ台無しよ」

泣きやんで落ち着きを取り戻したユーリヤは、真っ赤な目と真っ赤な顔で愚痴をこぼすように言った。その表情はとても傷ついていたけれど、どこか清々《すがすが》しかった。言葉と涙をこぼしたことで、長い間抱え込んでしまっていた重い荷物を下ろしたみたいだった。

「ごめん。どうしても、ユーリヤに会って伝えたいことがあったんだ」

僕が言うと、ユーリヤは困ったように笑った。

「スプートニク、あなたってほんと馬鹿よね？　私みたいなめんどうくさい女の子につきあって、こんな田舎町まで会いにくるなんて。ほんと、どうかしてるわよ？」

「僕もそう思うよ。なんでこんな世界で一番めんどうくさい女の子のスプートニクになったんだろうって、最近よく考えるんだ」

僕たちは、二人してくすくすと笑った。

「私たち、きっとそういう星の巡り合わせだったんでしょうね」

「うん、僕もそう思う」

「でも、ありがとう。あなたが会いに来てくれて、嬉《うれ》しかった。それに、私の話をちゃんと聞いてくれて嬉しかった。スプートニクの前じゃなきゃ——きっと私は、それを口にできなかったと思うから」

「僕のほうこそ、聞けてよかったよ。ユーリヤの本当の気持ちが聞きたかった。ユーリヤが抱え込んでいるものを、少しでもわけてほしかったんだ。それを聞けたから——僕は、これからも月を目指せる。月に向かって走って行ける」

その言葉を、僕はようやく口にした。これまで伝えようとして伝えられずにいたその言葉を、僕はようやくユーリヤに届けることができた。

ユーリヤは一瞬でその言葉の意味を理解して、信じられないと灰色の瞳を見開いた。まるでそこに、新しい星を見つけたみたいに。

「僕、宇宙飛行士になって月に行くよ。僕がユーリヤを月につれて行く。だから、もう少しだけ待っていてほしいんだ」

僕は、言葉と一緒にユーリヤに一枚の封筒を手渡した。空港でユーリヤから届いたエアメールと一緒に握りしめていたもう一つの封筒。差出人はＪＡＸＡで、宛先は僕となっているその封筒の中の通知には――こう書かれている。

『宇宙飛行士候補者の第二次選抜結果について。厳正な審査の結果、二次選考を無事通過されましたことをご報告させていただきます。おめでとうございます』

「これって？　うそ？」

「ＪＡＸＡが、宇宙の資源採掘を行う宇宙飛行士候補生を募集したんだ。それに応募した。一次、二次試験は無事に通過して、来週から最終試験の長期滞在適性検査が始まる。今日は、それをユーリヤに伝えにきたんだ。僕は――宇宙飛行士になるよ」

ＪＡＸＡの宇宙飛行士候補者募集の試験は、大きく分けて三次試験まである。

一次試験の前に書類選考があり、それを通過した者のみ一次選考に進める。一次選考は筆記試験と各種検査。二次試験は面接と医学検査。ここまでで千名を超える応募者は約百分の一の十名にまで減らされ、最後の長期滞在適性検査に進む。

長期滞在適性検査とは、国際宇宙ステーションを模した窓のない閉鎖空間で宇宙飛行士候補者十名が、一週間缶詰め状態で共同生活を送るという検査で、二十四時間監視された状態で様々な課題に取り組む。トイレとシャワー以外は全て監視され、ベッドはカーテンで仕切られてはいるものの個室はない。腕時計型のセンサーを身に着けているので、心拍数の乱れや精神状態、熟睡しているかどうかまで、全てが筒抜けになる。宇宙船と同様のストレス下に置くことで、面接では見抜けない宇宙飛行士候補者の本質や、素の部分を見る過酷な検査で——僕は、その最終試験を来週に控えている。

そのことをユーリヤに伝えにきた。長い間言えなかった、伝えられなかった言葉を——言葉だけでなく、月を目指して走り続けた成果と共に伝えたかった。その成果がたとえわずかなものだったとしても、その成果と一緒にユーリヤに報告しようと、僕はあの夏の再会の時に決めた。

希望だけを語るんじゃなく、未来の展望に思いを馳《は》せるのではなく、ましてや期待だけを持たせるのではなく——僕たちが交わした約束が、現実のものになるという実感や、確信の持てる言葉と成果を、僕はユーリヤに伝えようと決心したんだ。

ユーリヤはその通知を信じられないと眺めながら、そこに書かれた『おめでとうございます』の文章の上に大粒の涙をこぼしはじめた。ステンドグラスの月明かりに照らされたその涙は、ダイヤモンドのようにとてもきれいだった。その涙に悲しみはこもっていないような気がした。

「スプートニクって、ほんとバカよね？　あなたバカよ。あんな幼い頃の約束を今でも覚えていて、それを叶《かな》えようとし続けるなんて。ほんとバカよ。あんな約束——忘れちゃえばいいのに」

ユーリヤは僕の胸を優しく叩《たた》いた。幼い頃のようにぽかぽかと。

「きっと、私はあなたの人生の多くを奪ってしまったのね？　私は、あなたを縛りつける重力になってしまったんだわ」

「違うよ」

僕は、はっきりとそう口にした。

それは違うんだって——声を大にして伝えた。

「ユーリヤは、僕に人生をくれたんだ。ユーリヤが、僕をスプートニクにしてくれた。僕をここまで打ち上げてくれた。だから、僕はこれから先も月を目指し続けるんだ。それで、ユーリヤを月につれて行くんだ」

「ああ、もう——ほんと信じられないわ。こんなに素敵なことがあるのかしら？　ああ、幸せすぎてどうにかなりそう。ほんと、なにもかもが素敵に見えるわ」

ユーリヤは、天井のステンドグラスを愛《いと》おしそうに眺めた。そこに本物の月が浮かんでいるみたいに。

「でも、まだ長期滞在適性検査に進んだ十名に選ばれたにすぎないんだからね？　ここから宇宙飛行士候補生に選ばれるのは、多くて四名。少なくて二名。これで宇宙飛行士になれなかったら、ぜんぶ台無しよ？　私の涙と、この気持ちを返してよね？」

ユーリヤは手厳しく言い、僕はなんだかとても穏やかな気持ちになっていた。そんなふうに、幼い頃みたいに言ってもらいたかったんだ。お姉さんぶって、僕を引っ張って行ってもらいたかった。

「大丈夫だよ。たぶん、僕は宇宙飛行士になると思うんだ。それもなかなか悪くない宇宙飛行士に。なんだかそんな気がするんだ」

僕は、心からそう思っていた。ユーリヤにこのことを告げた瞬間から、僕が宇宙飛行士になるという未来は、この世界の公式な記録になったんじゃないかって——人類のカレンダーに書き加えられたんじゃないかって、本気でそんな気持ちになっていた。

「そうね。私もなんだかそんな気がするわ。あなたは、きっと悪くない宇宙飛行士になる。そして、私を月につれて行ってくれるのね？」

僕たちは、向かい合って頷《うなず》き合った。ユーリヤを月につれて行くという言葉の意味を、僕たちはそれぞれに胸に秘めて、かみしめた。言葉にしなくても、僕たちはその未来をしっかりと見据えて受け入れていた。

「ああ、きっと――ここが、私の月なのね。紙のお月さまも信じていれば本物になる。ペーパー・ムーンの歌詞の通りね？　私はいま、私の月にたどり着いたのね。スプートニク、あなたは私の思いを受け取って、私を本物の月につれて行ってくれる。なんだか、私の人生はそのためにあったんだなって、そんなふうに思えるわ。あなたを月に向かわせるために――私の人生は、あったのよ」

ユーリヤは天井に描かれたステンドグラスの『ペーパー・ムーン』を――ユーリヤだけの月を眺めながら、全てを理解して、そして受け入れたような表情でそう言った。

そして、自分の人生の意味を知ったみたいに全てを受け入れようとした。それはやはり長い年月をかけて――何千光年、何万光年も離れていた場所からようやく届いたような声と言葉だった。

ステンドグラスから零《こぼ》れる淡い月の光に縁どられたユーリヤはとてもきれいで、やはり妖精のように羽を広げて、そのまま月に飛んで行ってしまいそうに見えた。つまらない争い事や、意味も分からずに引かれすぎてしまった国境線だらけのこの星をおいて行ってしまうみたいに。

あの満月の夜の再会と同じように、月を見上げるユーリヤの心の半分は――魂の片方は、すでにこの重力に縛られた星を離れて月にあるような気がした。

いや、たった今、この瞬間に――

ユーリヤは、彼女だけの月にたどり着いたんだ。

この巡礼の旅がユーリヤのためのものだったことに、僕はいま気がついた。そしてユーリヤはいまその巡礼を終えて、彼女だけの月にたどり着いたんだ。ユーリヤを本物の月につれて行くのは、僕の役目。

僕は、月を見上げ続けるユーリヤに手を伸ばそうとした。今にも月に旅立ってしまいそうなユーリヤに手を伸ばして、彼女をこの星に留《とど》めておきたいと思った。

まだ、僕のそばにいてほしいと。

僕の隣にいてほしいと。

「僕たち、結婚しよう」

何の覚悟や準備もなく飛び出したその言葉に、僕自身が一番驚いていた。ユーリヤに結婚を申し込むなんて、まさか考えてもいなかったから。

「いやよ」

ユーリヤも心の底から驚いたみたいに目を見開いたが、すぐにお断りの返事をした。彼女に申し込んだ僕のプロポーズは、あっさりと断られてしまった。そんな僕を見て、ユーリヤはとても優しく微笑《ほほえ》んだ後、震える手を伸ばして僕の手をそっと握った。

「ねえ、スプートニク？　私たちは、お互いの推力でここまで進んできた。私一人でも、あなた一人でも――きっと、私たちはここまでたどり着けなかった。だから私、最後の最後であなたの重力になんてなりたくないんだから」

僕はユーリヤの手を握りながら、なんて言葉を返せばいいのかわからずにいた。僕の言葉は喉の奥で迷子になっていた。深い森の奥に迷い込んでしまったみたいに。

ユーリヤはそんな僕を見てくすくすと笑った。涙を流しながら。ユーリヤの温かい涙が僕の手にこぼれると、まるでユーリヤの気持ちがはっきりと伝わってくるみたいだった。たくさんの思いが一度に流れ込んでくるみたいだった。

「スプートニク、あなたが結婚しようって言ってくれて本当に嬉《うれ》しかった。こんなに素敵な言葉が、この世界にあるのね？　なんだか、心が無重力空間に放り出されてしまったみたいだわ」

「何度でも言うよ。これから先——僕は何度だってユーリヤに結婚しようって言うよ」

ユーリヤは小さく首をふる。

「だめよ。素敵な言葉は——たった一度だから素敵なんだわ。だから、特別なのよ」

ユーリヤは僕の頬に触れてにっこりと笑った。

はじめて彼女と出会った、あの秘密の図書館の中で笑ってくれたみたいに。

僕の心は、あの頃に——少年時代に戻っていた。ユーリヤが微笑《ほほえ》んでくれれば、僕はいつだってあの頃に戻ることができた。

「これは、きっと紙の結婚式なのね」

「紙の結婚式？」

「そう。私とスプートニクだけが知っている、二人だけの結婚式よ。私にとって、宇宙も、月も、宇宙飛行士も——ぜんぶ『ペーパー・ムーン』。紙の月の上のことだった。私は、紙の月しか知らないし、知ることができない。でも、あなたが私を本物の月につれて行ってくれる。それで、じゅうぶんだわ。だから、私たちの結婚も——紙の結婚式でいいのよ。ほら指輪をつけて」

そう言うと、ユーリヤはそっと左手を僕に差しだす。細く長い薬指に力を込めて。

「指輪って言われても——僕、なにも用意してきてないんだ？　まさか、プロポーズするなんて思わなくて」

僕が慌てて言うと、ユーリヤは「大丈夫」と頷《うなず》いた。

「ほら、信じて？　あなたと私が信じれば——ここは素敵な結婚式の会場よ。私はウェディングドレスを着ていて、あなたはタキシードを着ている。私と違って、あなたはぜんぜん様にはなっていないけれどね。あなたの手には大きなダイヤモンドのついた指輪が握られていて、私にそれをはめるの。信じれば、すべて本物になるんだから」

「わかったよ」

僕は、心からユーリヤの言葉を信じた。そして手に握った大きなダイヤモンドのついた指輪を、ユーリヤの左手の薬指にはめた。

「ああ、とてもきれいね。とても素敵で——とても幸せだわ。まるで夢みたい」

「夢じゃないよ。ぜんぶほんとのことだよ。僕とユーリヤが信じれば、ぜんぶほんとのことなんだろ？」

「そうね。きっと、あなたが私を月につれて行ってくれる。ああ、なんて素敵なんだろう。私たち、月で踊るのね」

「うん、一緒に月で踊ろう」

僕は、声を震わせながら言った。

そして、もう一度あの満月の夜の約束を交わしあった。

その言葉の意味を知っていながら、僕たちはとても幸せだった。

たぶん、世界で一番幸せな瞬間だった。

「いずれ、人類の誰もが宇宙に行ける時代が来るわ」

ユーリヤは未来を語りはじめた。

正しく宇宙が開発され、月が開拓される未来を。

ユーリヤが願い、望んだ未来の宇宙を。

「そうなれば、人類は多くの問題と困難を——引きすぎてしまった国境線を乗り越えることができる。きっとね。あなたは、その第一人者になるのよ？　私の思いを、バトンを受け取って——スプートニク、you copy?」

「i copy」

僕は、頷《うなず》いた。

強い決意と共に。

「ねぇ、スプートニク？　いつか、別の誰かと結婚してね。本物の結婚式を挙げて、この宇宙で一番幸せになってね。そうだ。月で暮らすのもいいかもしれないわね？　きっと、月面には大きな都市ができるわ。たくさんの人がその都市に移住するの。それでね、あなたは月で猫を飼うの。それって、とても素敵だと思わない？　きっと、そうなるわ。北方四島を賭けたっていいんだから」

これが、僕たちの最後の賭け。

僕は、その言葉に答えなかった。

ユーリヤ以外の誰かなんて考えられなかったから。

「ねぇ、本当に地球って青かったか教えてね？」

「うん」

「本当に月って丸かったのかも教えてね？」

「うん」

「神さまって本当に宇宙にいなかったのか――教えてね」

ユーリヤが願うように尋ねたその言葉に僕がなんて答えたのかは、無粋だし、まるで面白みのないものだから割愛しようと――思い出さずに、記憶の奥底に留《とど》めておこうと思う。

僕たちの紙の結婚式のすべては、僕とユーリヤと――

夜空に浮かぶ月だけが知っていればいい。

「スプートニク、私は月で待っているからね。早く私をつれて会いに来てね。私をひとりぼっちにしないでね？」

「うん。ひとりぼっちになんて絶対しないよ。僕は、必ずユーリヤを迎えに行く。そして、ユーリヤを月につれて行く。だから、月で再会しよう。二人で踊ろう」

僕はステンドグラスの月を見上げて、その先に浮かんでいるもっと大きな月――本物の月にたどりつく決心をした。手を伸ばすだけでなく、38万４４００kmの距離を越えてその大地に足をつける覚悟を決めた。

ユーリヤをつれて行って――

そこで二人で踊るんだ。

月で再会するために。


ねぇ、ユーリヤ。

この日、僕は人生の全てを手に入れたんだよ。

これが、僕の人生で一番幸せな瞬間だったんだ。

これから先、僕は何度も何度も挫折《ざせつ》をしたり、苦しんだり、悲しんだり、絶望したり、足を止めそうになったりしたけれど——それでも、僕は月を目指して走り続けたんだ。

すべてはユーリヤを月につれて行くために。

ユーリヤと月で再会をするために。

ただ、そのためだけに——

38万4400㎞の距離を走り続けたんだよ。

僕の人生はただそのためだけにあったんだ。

ユーリヤと再会するためだけに。


月に、たどり着くためだけに。

Outro　月へ

カウントダウンがはじまると――僕は、かたく閉じていた目を開いた。

僕の頭の中では、これまでの思い出とともに、『フライ・ミー・トゥー・ザ・ムーン』がいつまでもリフレインしている。

僕の胸の奥のレコードは、あの日から回り続けている。

『私を月につれて行って』と。


狭い船内を見回すと、僕の右隣にはロシア人が座っていて、僕の左隣にはアメリカ人が座っている。

「ヘイヘイ、打ち上げ前にビビっちまったのか？　お前が両手を組み合わせるなんて気味が悪いぜ相棒」

僕の相棒のアメリカ人が歌うように言って笑った。僕は「黙ってろ」って感じで相棒の肩をこづく。ロシア人のほうは黙ったままで、我関せずを貫いていた。奇《く》しくも冷戦構造を体現したような並び方だったけれど、僕たちの関係は、まぁ良好だった。

僕はウォッカもビールもいけるし、彼らも日本酒が大好きだ。

ユーリヤ、僕たちはこれから宇宙に向かって旅立つよ。

そして、月に行くんだよ。

ユーリヤが待っている月に。

ユーリヤをつれて。

これから、本当に地球は青いのか、月は丸いのか――神さまってやつが本当にいないのかを、僕は確認しに行くんだ。そして、ユーリヤに会いに行くんだ。

だけど、ユーリヤ――僕たち人類の暮らす地球では、今でも下らない争いが起こっているんだ。

僕たちの国はまだ最前線じゃないというだけで、変わらずにその争いの延長線上にいる。

世界は、穏やかとは程遠いんだ。

実のところ、北方四島だってまだ返ってきていない。

賭けは、ユーリヤが勝ったままだ。

ユーリヤが言ったみたいに、僕たちはずいぶん遠くまで行けるようになったんだよ。いろいろな問題を曖昧《あいまい》にして、棚に上げてしまったままだけれど。

赤道上に建設された軌道エレベーターの稼働実験は終わり、来年から本格的な運用がはじまる。

月の砂であるレゴリスの採掘、そしてヘリウム3のエネルギー化は順調だ。

軌道エレベーターの建設に伴い、ついに月面でのエネルギー化も視野に入ってきた。

まぁ、そのおかげで各国同士のイニシアチブの取り合い、下らないいざこざは絶えなかったりするんだけれど。

宇宙の覇権《はけん》を巡る宇宙開発は加速し、監視衛星の打ち上げは倍増、宇宙ステーションの数も増えている。国際宇宙法の改定や月面の領土問題、ヘリウム3に関する利権争い、化石燃料業界の猛烈な反発と、問題は山積みどころか宇宙ゴミみたいに日に日に増している。

それでも、今のところ宇宙は穏やかで平和だった。

くだらない地球の争いごとを、静かであるべき宇宙にまでは打ち上げていない。

ねぇ、ユーリヤ。

月は、もう目前だよ。

10・9・8・7・6――

ずいぶんと時間をかけて、ずいぶんと長い間待たせてしまったけれど、僕はもう少しでユーリヤが願った月にたどり着く。

あの日のユーリヤを――

滑り台の上から月を見上げたユーリヤを、星の街の教会でペーパー・ムーンを見上げていたユーリヤを、僕はこれから迎えに行くんだ。

5・4・3・2――

月に着いたら、まずはユーリヤと踊るんだ。

二人で一緒に。

僕はユーリヤのスプートニクで、いつだってユーリヤの背中を追い続けるんだ。

ユーリヤをひとりぼっちにはしておかないんだ。

だから、もう少しだけ待っていてほしい。

1——

僕たちが二人で目指した月は、たどり着こうとした月は、手を伸ばし続けた月は、もうすぐだから。

0。

ユーリヤを、月につれて行くから。

ハロー、ソユーズ。

you copy?
i copy.

interlude

My Favorite Things

1　たったひとつの冴《さ》えたやりかた

僕が月に上がってから、ずいぶんと時間が経《た》った。それはあっという間の出来事だった。

もちろん、人類の歴史からすればほんの一瞬の——瞬《まばた》き一つくらいの出来事かもしれないけれど、そのわずかな時間は僕の人生で最も満たされた時間だったんだ。人生で初の舞台に立って、必死に練習をしてきたダンスを披露しているみたいな。

月面での任務は半年間に及んだ。僕は日本人宇宙飛行士初の月面ミッションのクルーで、日本人ではじめて月面着陸を成功させたムーンウォーカーとなった。月の重力——地球の六分の一の重力を体感した数少ない人類の一人に、名を連ねることができた。

小さな一歩を月面に刻んだ宇宙飛行士の一人。

そして僕は、後に続く大きな一歩をもたらすために月面での任務を終えた。僕たちは、いずれ人類の誰もが宇宙に上がることができる未来を目指して——いつの日か人類の多くが宇宙に進出し、その人生を宇宙で完結させせる時代が来ると信じて、地球を飛び出した。

そして、月を目指した。

二人で。

地球に引かれてしまった数々の国境線を乗り越えて、人類が抱える多くの問題と困難を解決できると信じて、僕たちは宇宙を目指し——月にたどり着いたんだ。

それは、とても長い道のりだった。

月までの距離――38万4400㎞を走りぬくのは、容易なことではない。多くのものを自分から切り離し、それを推力に変えることで、僕はようやく月面にたどり着くことができた。そして心の中で何度も『i copy』と答え続けることで、僕は月面での初任務を無事終えることができた。

僕たちの任務は、月面で初となる長期滞在ミッション。その内容は、本格的に資源採掘を行うための前線基地――月面居住区の建設。そして月の砂であるレゴリスの採掘。月に降り立った宇宙飛行士たちは、半年間の間に月面居住区を建設し、そこを資源採掘の最前線として、採掘したレゴリスを詰めるだけ詰め込んで地球へ帰還する。これが、僕たちに与えられた半年間に及ぶ月面でのミッション。

そのミッションはおおむね成功した。もちろん全てが完璧というわけじゃない。そもそも、宇宙において完璧ということはあり得ない。宇宙とは常に不測の事態の連続で、常に予測不能のトラブルに見舞われているからだ。それが、宇宙での日常なんだ。

一つうまくいったと思ったら、何か二つは良からぬことが進行している。トラブルやアクシデントの種は、常にどこかで芽を出すチャンスをうかがっている。肝心なことは、全てを完璧にやろうとしないこと。爆弾は爆発しなければ被害が出ないことと同じで、たとえ導火線に火がついても冷静に消し止めればいい。

僕なんて、レゴリスの採掘中に宇宙服に穴が開いて死にかけたし、高熱を出して三日間まともに動けないことだってあった。天井に頭をぶつけて出血をしたクルーもいた。月面は地球に比べて六分の一しか重力がないため、普通にジャンプするとおおむね六倍飛ぶ。これは月面での常識。足の骨を折ったクルーだっている。

月面ローバーを壊した奴だっているし、酸素生成装置の使い方を誤って月面居住区内を水素まみれにしたバカもいる。一つ間違えば大爆発を起こしていたところだ。それに大勢の人に——特にマスメディアに——報告できないような失敗だってある。

とにかくクルーの全員が、ミッション終了までに何かしらかの問題を抱えて酷《ひど》い目に遭ったけれど、それでも僕たちは全員がそれを乗り越えて無事にミッションを終えた。

それが、重要な点だ。

そして、僕たちは今——帰りの宇宙船に乗って地球を目指している。全員が、無事に地球に帰りつこうとしている。それが重要な点なんだ。なによりもね。

だけど地球に近づくにつれて、僕の気分は沈んでいった。底抜けに。

「よぉ相棒、地球に帰ったら最初に何をする？」

宇宙船の中で、黒人のアメリカ人宇宙飛行士のバーディが僕に尋ねた。彼特有の跳ねるようなリズムの英語が宇宙空間で心地よく響く。僕の隣に腰を下ろすと、バーディは穏やかな笑みを浮かべて僕を見た。

ミッションのリーダーを務めるこのベテランの宇宙飛行士は、いつだって熊のぬいぐるみみたいな屈託のない笑みを浮かべている。どんなにひっ迫した事態だろうと。それがどれだけ難しいことかを、僕たち宇宙飛行士は知っている。クルーの誰よりも陽気なのに、誰よりも冷静沈着という頼れる宇宙飛行士。

僕は、何度もこのベテラン宇宙飛行士に助けられてきた。

「俺は、とにかくハンバーガーを食べまくるぜ。フライドポテトもたっぷりな。ケチャップを山ほどつけて食べるんだ。ああ、マクドナルドが恋しいぜ」

バーディは僕の答えを待たずにそう言って、遠くを見つめた。宇宙での食事に悩まされ続けたバーディは、ミッションが終わりに近づくと食事の話題しか口にしなくなっていた。宇宙での食事が合わず五キロも痩せてしまい、一時期は貧血状態になったほどだ。特に蚕《かいこ》が気に食わなかったらしい。

　宇宙では蚕はとても貴重なたんぱく質なんだけれど、お世辞にも見た目が良いとはいえないし、積極的に食べたいとも思えない。月面で蚕の飼育を行うということもミッションの一つだったため、僕たちは蚕から逃れることはできなかった。おえー。

「俺は、蚕は二度と食べない。それに、３Ｄフードプリンターが出力する偽物みたいな味もごめんだぜ。地球に降りたら、俺は宇宙食の開発に力を入れると決めた。宇宙に上がった宇宙飛行士が食事に悩まされることがない、そんな宇宙食を開発する」

「それには賛成するけど、３Ｄフードプリンターの食事を偽物だなんて言うなよ？　これからの宇宙食を――宇宙だけじゃなく地球の食文化を支える最新のテクノロジーなんだからさ」

　３Ｄフードプリンターは、宇宙空間で食事を印刷することができる最新技術。タンパク質や脂肪などの主要な栄養素をプリンターにセットすれば、あとはプリンターが自動で食事を印刷――つまり生産してくれる。３Ｄプリンターが出力したステーキ肉は食感こそステーキとは違ったものの、おおむね肉であることは間違いなかった。

　すでに宇宙ステーションでは導入済みの技術だが、月面でもその最新のテクノロジーは大いに役に立ってくれた。

「俺が食べたいのは大豆と藻《も》からつくった人工肉じゃない。分厚くて油のしたたる牛肉のパティなんだよ。i'm lovin' it」

一事が万事この調子なので、バーディと話しているとお腹《なか》が空《す》く。結果、他のクルーたちはバーディと会話をすることを避けていた。なのでバーディは必然的に僕のところにやってくる。僕たちはパートナーだからだ。

まぁ、バーディの言うことも一理ある。大豆や藻から生産された人工肉は、肉に似たなにかであって肉ではない。プリンターにセットされる豆のタンパク粉末や海藻ペースト、米ゲル、主要栄養素素材などは、しばらく口にしたくも見たくもない。それは間違いない。

「地球に降りたら好きなだけ食べられるんだから、食事の話題はやめてくれ。僕まで腹が減ってくる。それに、マクドナルドの話題は禁止だって決まっただろ？」

「じゃあ、お前は地球に降りたら何をするんだ？」

「リハビリだろ。そもそも、地球に降りた直後はまともに立っていられないんだぜ？　食事だってまともにできないんだ。ハンバーガーどころじゃないさ」

「そんなの、いちいち言われなくても分かってるぜ。これだから日本人はつまらないって言われるんだ。真面目すぎて飯がまずくなる。時刻表と話している気分になるぜ」

「アメリカ人はいちいち大袈裟《おおげさ》すぎるんだよ。つまらない冗談を聞かされるこっちの身にもなってくれよ。アメリカのコメディは質が低くて困る」

僕とバーディは、そう言い合ってにやりと笑い合った。こうして適当な罵《ののし》り合いをするのが僕たちの日課なのだ。

そして、僕たちは目の前に浮かぶ青い星を——地球を眺めた。

真っ暗な宇宙空間に浮かぶその大きな青い星は、本当に美しかった。

まるで、青い宝石のように。

宇宙から見た地球には、国境線は一つもない。

平和そのものだった。

宇宙がとても静かであることと同じように。

「帰ってきたな」

「ああ。帰ってきた」

僕は頷《うなず》いた。

「ようやく、懐かしの故郷に帰ってきたぜ。早くジェシカとマイクに会って抱きしめてやりたいな。そのためにも、リハビリをしっかりとこなさなきゃな」

バーディは懐かしそうに地球を眺め、滲《にじ》んだ瞳を緩めて嬉《うれ》しそうにそう言った。ベテラン宇宙飛行士は、愛《いと》しの家族と再会できることを心待ちにしていた。

そんなバーディと対照的に、僕はとても複雑な気持ちだった。地球への帰還を前にして、僕は迷子になっていた。この真っ暗な宇宙空間に放り出されてしまったみたいに。

「これから先、僕はどこに行くんだろう？　どこを目指せばいいんだろう？」

気がつくと、僕は地球を見つめながらそんな言葉を口にしていた。そして自分がそんな言葉を口にしたことに驚いた。バーディも驚いたような表情を浮かべた。その後で、とても優しく微笑《ほほえ》んだ。

そして、兄のような顔で僕を真っ直ぐに見つめた。

「お前がそんなことを言うなんて珍しいな。実を言うと、お前から不安や弱音を聞いたことがなかったから心配だったんだ」

「心配？」

僕が驚いて尋ねると、バーディは頷《うなず》いた。

「お前は常に気を張っていたし、いつだって必死すぎたからな。相棒、お前は確かに優秀な宇宙飛行士で、優秀なランナーだ。だけど、お前はいつだってオーバーペースで走っていた。こっちが不安になるくらいのペースでな。そのペースは、おおむね正しいペースだった。お前にとってはな。じゃなきゃ、お前のキャリアでこの席には座っていなかっただろう。俺は、それを誇りに思ってる。お前も、それを誇りに思うべきだ。お前は今、無事にゴールにたどり着いたんだ。だから戸惑っているんだよ。長い距離を走り過ぎて、止まり方を忘れてしまっているから」

「止まり方を忘れてしまっている？」

「そうだ。お前は今、ハイになっているんだ。ランナーズハイなんか目じゃない、スペースハイだ。だからお前はまだ地球に帰りたくないし、月に残ってミッションを続けたいと思っている。だろ？」

僕は、ずばり胸の内を言い当てられて驚いた。それは僕が月にいる間ずっと思い続けてきたことで、月を後にした後もずっと頭から離れなかったことだから。

僕は、月に残りたかった。正直なところ、地球に帰ってきたことを喜んではいなかった。できることなら、月に残ってミッションを続けたかった。僕たちと入れ替わりで月面に降りた宇宙飛行士たちと一緒に、月面居住区の建設と資源採掘を続けたかった。

僕たちが任務を終えたとしても、月面でのミッションはまだ始まったばかり。月面の開発が本格的に行われるのは、これからだ。僕たちは、月面開発の地ならしをしたにすぎない。

僕たちの後に続くミッションはすでに数年先まで発表されていて、この先も次から次に宇宙飛行士が月面に降り立つ。月面の開発は日を追うごとに加速していく。日進月歩の言葉通りに。

だからこそ、僕はあのまま月面に残って任務を続けたかった。一度地球に降りてしまえば、また月に上がるまでには――新しい任務につくまでには――長い時間を待たなければならない。宇宙や月に上がりたい宇宙飛行士は大勢いて、この瞬間もたくさんの宇宙飛行士が任務を与えられるのを長い列を作って待っている。

それに今後、再び僕が宇宙に行ける保証はどこにもない。月に降り立つチャンスは二度と巡ってこないかもしれない。優秀な宇宙飛行士はダース単位でいるし、バーディが言ったように今回僕が月面行きの宇宙飛行士に選ばれたことだって、僕のキャリアでは本来あり得ないこと――奇跡のようなものだったのだから。

僕は、その奇跡を意地と執念で掴《つか》んだにすぎない。

だからこそ、僕はあのまま月に残って任務を続けたいと思った。いや、正直に言ってしまうなら、僕は月面に降りたまま一生をそこで過ごしたかった。僕の人生を月で終えたかった。

僕の人生の全ては月にたどり着くためにあって、僕の人生の意味は月にしかなかったから。月にたどり着いた瞬間に、僕の人生の多くは終わりを迎えていた。だから、僕はあのまま月に残ってそこで人生を終えてしまいたいとさえ思った。それが叶《かな》わないと知っていてもなお、僕はそう思わずにはいられなかった。

僕は、たった一人の女の子のために月を目指して——そして、月にたどり着いた。その女の子をひとりぼっちにしないために、僕は彼女を月につれて行ったんだ。

ユーリヤを、ひとりぼっちにしないために。

その任務は完了することができた。

僕はたどり着くべき星にたどり着いた。

ユーリヤと月で踊った。

僕の人生は、その瞬間に終わりを迎えたのかもしれない。だから僕は今、地球を前にして——僕たち人類が誕生した青い星を目の前にして、自分の帰るべき場所はどこなのか分からなくなっていた。本当に迷子になってしまったみたいだった。ただがむしゃらに月を目指していた高校生の頃のように。

バーディの言った通り、僕はゴールにたどり着いてスペースハイになっているのかもしれないし、そうではないのかもしれない。

「おいおい、お前がNASAに何度もミッションの続行を願い出たことを、俺たちが知らないと思っているのか？」

僕が迷ったまま言葉を失っていると、バーディが大袈裟《おおげさ》な身ぶりをして言う。

「俺は、このミッションのリーダーだぜ？　お前の精神状態や健康には、この俺が一番気を使っているんだ。月を後にする時は——ほんとに冷や冷やしたぜ。お前が月に残るって言い出して宇宙船に乗りこまないんじゃないかって思ったくらいだからな。クルー全員でお前を取り押さえる作戦まで立ててたんだぜ？　作戦名は『たったひとつの冴《さ》えたやりかた』だ。良いネーミングだろ？」

　バーディは冗談めかして言ったけれど、それが全て真実だということは容易に理解できた。

　僕は、知らない間にクルー全員にいらない心配をかけていたみたいだった。もちろんＮＡＳＡにも。僕は、このチームに余計なストレスをもたらしていたことを思い知らされた。

　宇宙空間での最大の敵はストレスだ。

　僕は、自分の不甲斐《ふがい》なさに胸が痛んだ。

「余計な心配をかけてすまない」

「余計な心配なんかじゃないぜ」

　僕が謝罪を口にすると、バーディははっきりとそう断言した。

「俺たちクルーは家族だ。何よりも優先すべき仲間だ。お前がいたからこそ、俺たちは無事にミッションを終えることができた。だから、余計な心配なんかじゃない。それは、俺たちが無事にミッションを終えるために必要な心配だ。お前は、最高の宇宙飛行士の一人だ。だけどお前はまだ若い。これから先、いくらでも新しいミッションが待っている。だから、お前を無事に地球に帰すことが、俺にとっての最大のミッションなんだ。また、お前と月に上がるためのな」

　バーディはそう言って、僕の肩を優しく叩《たた》いた。僕の知る限り最高の宇宙飛行士が、僕のことを最高の宇宙飛行士だと――また一緒に月に上がろうと言ってくれて、僕はとても嬉《うれ》しかった。こんなに嬉しいことが、まだ僕の人生に残っていたんだと思ってしまうほどに。

　僕は泣きそうになっていたけれど――泣かなかった。

「ありがとう、バーディ。とても光栄に思うよ」

　僕は、それを言うだけで精一杯だった。

「俺も、お前と同じミッションに就けて光栄だったぜ。後は無事に地球に降りるだけだが、それはもう心配ないだろうな」

バーディは意味ありげに言って、安堵《あんど》の息を吐《つ》いた。

「これから先、全ての宇宙飛行士が安全に地球に降りられると思うと、本当に気が楽になるぜ。宇宙船のまま大気圏に突入してパラシュートで帰ってくるなんて、よくよく考えたらただの自殺志願者と何も変わらないからな」

バーディは青い地球から少しだけ視線をずらして、地球から延びる一本の柱と――その先に続く大きな輪を見つめる。その建造物は地球と比べるととても小さく見えるけれど、それでも人類にとってはとても大きな建造物だった。

そして人類の未来にとって、とても重要な建造物で――懸け橋。

僕たちが地球に帰りつく今日この日は、人類がはじめて宇宙に橋を架ける日でもある。

人類が史上はじめてロケットに頼らずに――ロケットの打ち上げをせずに宇宙に上がることができる記念すべき日。とても安価で安全に、そして誰もが宇宙に行ける未来への第一歩が今日踏み出される。

今日、この日――地球から宇宙にかけられた未来への懸け橋である軌道エレベーターは、正式に運転を開始する。僕たちを乗せて。

「それにしても光栄なもんだな？　軌道エレベーターの正式運転の記念すべき第一号に、俺たちの帰還日を選んでくれるなんて。まぁ、俺たちをモルモットにして安全を確かめようって魂胆もあるだろうけど、それでも名誉なことだぜ」

バーディはしみじみとそう言って、今後宇宙への玄関口となる宇宙ステーションを指さした。

するとヒューストンからの通信が入った。

『運転実験は何度もされている。貨物だけじゃなく、もちろん人を乗せての運転もクリアしているから、君たちは安心して地球に降りてきてくれ。それに今日行われるのは、世界に向けてアピール──つまりは盛大なセレモニーみたいなものだ。主役の登場を世界中が待ちわびているぞ』

地球とタイムラグなしで通信を行える距離にいる僕たちと、地上で宇宙船の管制をつとめる『ヒューストン』──『ジョンソン宇宙センター』とは、現在常に通信が繋《つな》がっている。そして僕たちの現在の会話は、全て記録されて保存されている。全世界に向けて公開される可能性もあるので、余計なことは言うなよと、暗にプレッシャーをかけてきたのだろう。

僕たちは顔を見合わせて肩をすくめた。

「了解したぜ、ヒューストン。盛大なパレードを楽しみにしてる」

ヒューストンとの通信を終えると、バーディは船内をゆっくりと見回しはじめた。まるで、その瞳にこの景色をしっかりと焼き付けるみたいに。この旅が終わろうとしていることを、その胸に刻むみたいに。

「そろそろ、軌道エレベーターに到着だ。準備をしよう」

軌道エレベーターはもう目前だった。

近づいてみると、僕はその巨大さに圧倒された。これだけ大きなものを宇宙に建設できるという人類のすごさを実感した。

地球の上に浮かぶ天使の輪のようにも見える軌道エレベーターの宇宙ステーションは、静止軌道上に打ち上げられた最大規模の宇宙ステーションとなる。

宇宙船の離発着、軌道エレベーターの操作や管制などを行い、宇宙進出の司令塔的な役割を果たすことになる。高軌道と低軌道にも宇宙ステーションを建設する計画も進んでいて、年間数百回を超える宇宙船の離発着と、数千回を超える軌道エレベーターの実働に対応できるようになるとＮＡＳＡは発表している。

その頃には、宇宙飛行士ではない普通の人たちが気軽に宇宙に行くことができるようになっているだろう。

僕を宇宙に打ち上げてくれた女の子が——ユーリヤがあの満月の夜に語ってくれた未来が目前に、僕たち人類のすぐ手の届くところまで来ているということに、僕は胸を震わせずにはいられなかった。


『でもこれから先の未来は、いちいち宇宙船を打ち上げて月に向けて飛ばす必要はなくなるの。十年もすれば軌道エレベーターの建設実験が行われる。さらにその数年後には、宇宙ステーションと軌道エレベーターのドッキングが行われて——地球と宇宙は一本の架け橋によって結ばれる』

『そうなれば、誰もが気軽に宇宙に行ける時代が来る。そんな素敵な時代が、もうすぐそこまで来ているの。私はね、その第一歩になりたいの。人類の新しい飛躍の——第一歩に』


ねぇ、ユーリヤ——

ユーリヤが言った通り、僕たちは誰もが気軽に宇宙に行くことができる時代を迎えようとしているんだよ。ユーリヤがあの日言った通り、ユーリヤはその第一歩になったんだ。

たとえ、ユーリヤ自身が宇宙に行けなかったとしても、宇宙飛行士にはなれなかったとしても、軌道エレベーターの建設に関わり、その建設を成功に導くという功績をもって、ユーリヤは人類の新しい時代の第一人者に——第一歩になった。

ユーリヤの輝かしい功績は、たしかに人類の歴史に刻まれた。

それでも僕は、その理不尽さや残酷さに胸を痛めずにいられなかった。この軌道エレベーターを見るのが心苦しくもあった。この感情をどう扱っていいのか分からなくて、この感情をしまう場所が見つからなくて、僕はやり場のない感覚に襲われた。地球が近づくにつれて。僕たちの帰還が目前に迫るにつれて。

僕は、どんどんと迷子になっていくような気がしていた。

そして、僕たちを乗せた宇宙船は軌道ステーションへのドッキングを開始した。眼下には、僕たちの帰るべき地球が広がっている。青い海はとても美しく、大きな大地には鮮やかな緑色が広がっている。

地球から延びた一本の柱は真っ白な懸け橋で——まるで、天国に続く階段のように見えた。

神さまなんて、この宇宙にはまるで見当たらないのに。

2　永遠のナンバー

僕たちを乗せた宇宙船が宇宙ステーションにドッキングして、僕たちはようやく宇宙船から解放された。丸三日間——38万4400kmの距離は、やはりかなりの疲労がたまる。精神的にも肉体的にも。アームストロング船長以下、アポロ計画のクルーたちに比べれば贅沢《ぜいたく》な話だけれど。

静止軌道上の宇宙ステーションに移動すると、そこには大勢の宇宙飛行士や技術者たちが僕たちを待ち受けていて、僕たちの帰還を歓迎してくれた。大きな拍手に包まれると、僕たちはミッションの終わりを実感することができた。

地上では、さらに大勢の人が僕たちの帰還を待ちわびていて、軌道エレベーターに乗って降りてくる世界初の宇宙飛行士を一目見ようと、世界中から集まってくれているという。テレビ中継や、ネット配信もされているらしい。各国の首脳や代表だけでなく、ハリウッド俳優や世界的ミュージシャンも集まっているという。とにかく、大勢がこぞって赤道の小さな島にやってきた。

僕たちの帰還を祝福するために。

「俺が先頭でかっこよく敬礼をしてエレベーターを降りるから、お前たちは俺の後に続いてゆっくり出て来い」

「順番なんてどうでもいいけど、地球の重力に負けて転んだりしないでよね。私たち、抱きしめられただけで骨が折れるくらい体が弱ってるんだから」

「えー、俺が先頭がいいのに。じゃあさ、『アルマゲドン』みたいにみんなでかっこよく並んで歩こうよ」

「『アルマゲドン』のスペースカウボーイたちは、半分以上が地球に帰還してないだろ。縁起でもないこと言うな。デブリになりたいのか？」

「『インデペンデンス・デイ』は？　ウィル・スミスはしっかり帰還したでしょ？」

「お前は戦闘機で突っ込む親父役だな。『大統領ー』って言いながら降りていけよ」

僕以外のクルーが大声で笑う。

「いつまでも映画の話で盛り上がってないで、さっさと準備しなさいよ。アメリカ人はすぐに映画の話をしたがるんだから」

「ハンバーガーの話は禁止にされたからな」

地球への帰還を前にした宇宙飛行士たちは、いつも通り下らない会話をしながらエレベーターに乗り込んだ。全員が、緊張を紛らわすように明るく振る舞った。

「大丈夫か？　ずいぶん浮かない顔をしてるぜ？」

バーディにそう尋ねられ、僕は「大丈夫だ」と答えた。正直なところ、何が大丈夫なのか全然わかっていなかった。自分がどこにいるのかも、これからどこに帰ろうとしているのかも、僕はよく分かっていなかった。

はじめて乗る軌道エレベーターの中で、僕は完全に迷子になっていた。

ユーリヤのことを思い出しながら、これからのことを考えていた。

僕は、これからどこに行くんだろう？

月から帰ってきた僕は、これから先どこに行けばいいんだろう？

そんなことを考えていたんだ。

帰還の喜びなんて、まるでなかった。不安のほうが大きくて、僕はその重力に押しつぶされそうになっていた。地球の重力に耐えられそうもなくて、僕は怖かった。宇宙空間ですら感じなかった恐怖を、僕はこの瞬間に感じていた。

すると、不意に懐かしいメロディが聴こえてきた。

Fly me to the moon,
And let me play among the stars
Let me see what spring is like on Jupiter and Mars
In other words. Hold my hand!
In other words. Darling kiss me!

思い出の『フライ・ミー・トゥー・ザ・ムーン』がエレベーター内に流れて、僕は少しだけ混乱した。この音楽が幻聴なんじゃないかと疑った。

「どうして『フライ・ミー・トゥー・ザ・ムーン』が？」

僕は、まるで予期していなかったその曲に——僕のビルボード・チャートの一位にランクインされているその名曲に、おもいきり心を揺さぶられた。大きな波にのみこまれてしまったみたいに。

それは、僕にとって永遠のナンバーだったから。

『この曲は、この軌道エレベーターの公式のテーマソングになっていて、エレベーターの離発着のメロディに使われる予定なんです』

無線で繋《つな》がっている軌道エレベーターのオペレーターが、僕の言葉に答えてくれた。

「『フライ・ミー・トゥー・ザ・ムーン』が、公式のテーマソングになった理由は分かるかな?」

僕は、どうしてもその理由が知りたかった。

その理由が、僕にとっては何よりも大事だったから。

『はい。「フライ・ミー・トゥー・ザ・ムーン」は、この軌道エレベーター建設を成功に導いた技術者が、いつも聴いていた曲なんです。彼女のマイ・フェイヴァリット・シングス。私たち軌道エレベーターの建設に携わった全ての者が、彼女のことを尊敬していました。心から。とても。だから彼女が好んだこの「フライ・ミー・トゥー・ザ・ムーン」を、この軌道エレベーターのテーマソングにしようと我々で推薦したんです。まだ本採用ではありませんが、私たちはこの曲こそがこの軌道エレベーターにふさわしいと思っています。人類を宇宙に打ち上げるにふさわしい一曲だと』

「教えてくれてありがとう。知ることができてよかった」

『こちらこそ、あなたにお伝えできて光栄です。おかえりなさい』

僕は、静かに目を瞑《つぶ》って『フライ・ミー・トゥー・ザ・ムーン』に耳をすませた。

その懐かしすぎる永遠のナンバーは、僕の胸の奥で回り続けるレコードの音と重なって響いた。

いつまでも僕の中でリフレインを続ける『フライ・ミー・トゥー・ザ・ムーン』と、一つにぴったりと重なったんだ。

二人でハーモニーを奏でるみたいに。

そして僕はふと、ユーリヤが言った言葉を思い出した。

僕たちが一緒にこの軌道エレベーターを眺めた――

最初で最後の日の言葉を。

『ねぇ、スプートニク、あれが私のつくった軌道エレベーターよ。とっても素敵でしょう？　まるで宇宙――いいえ、月にまで届きそうな階段みたいでしょう』

3　いってらっしゃいとおかえりなさい

「ハロー、スプートニク。よく来たわね。今日は私が軌道エレベーターについてみっちりと教えてあげるから、しっかり頭に叩《たた》き込むのよ」

赤道上の島で再会したユーリヤは、そう言って優しく微笑《ほほえ》んだ。長い間離れていたはずなのに、僕たちはいつも隣にいたみたいな表情で再会した。

僕は宇宙飛行士訓練生として、ユーリヤは軌道エレベーターの開発者としてこの場を訪れていたけれど、僕たちは幼い頃と同じように再会して微笑み合った。

あの満月の夜のような。

夏の種子島のような。

そんな、特別な再会のしかた。

僕たちは島の外で再会して、そのまま少し散歩をした。

あの星の街での再会のように。

この島にガガーリン像はなかったけれど、それよりも大きなモニュメントを建設中だった。完成すればガガーリンの偉業に勝るとも劣らない、人類を未来に導くモニュメントを。

ユーリヤの乗っている車椅子はロシアでの再会のときのような手動の車椅子ではなく、最新技術が詰め込まれた電動の車椅子に替わっていて、そのことがやはり僕をとことんまで傷つけて打ちのめした。

そんな僕を見たユーリヤが困ったように笑って言う。

「私のセカンドマイカーよ。ホーキング博士みたいでかっこいいでしょう？」

僕は「そうだね」と頷《うなず》いて、ユーリヤの車椅子をそっと押した。

「ねぇ、スプートニク、あれが私のつくった軌道エレベーターよ。とっても素敵でしょう？　まるで、宇宙――いいえ、月にまで届きそうな階段みたいでしょう」

ユーリヤは青い空のさらに高いところ――僕たちが目指した宇宙から垂れ下がる一本の糸のようなものを指さした。

糸の垂れた先、終点とも始点ともいえる地上部分では大規模な工事が行われていて、そこが軌道エレベーターの発着駅になるということだった。そんな途方もなく巨大な建造物を自分がつくったなんて言い切ってしまえるところが、とてもユーリヤらしかった。僕の大好きなユーリヤだった。

「今は、宇宙に打ち上げた静止軌道上の宇宙ステーションから、テザーと呼ばれるナノマテリアルでできたワイヤーを垂らしているだけだけれど、現状でもエレベーターの機能はしっかり果たすのよ。取り付けた昇降機は、無事に宇宙と地上とを往復したわ。あとは、実際に貨物を乗せての実験ね。安全性のデータが取れれば、次は人を乗せて運搬実験。地上部分の基部――エレベーターの離発着を行う駅の部分から、宇宙に向けて外装を伸ばしていけば、おおむね完成よ」

ユーリヤは、軌道エレベーターの完成までの道筋を簡潔に話してみせた。

僕たち宇宙飛行士訓練生は軌道エレベーターについて学ぶべく、この赤道上の島を訪れていた。軌道エレベーターの操縦や修理などは、専門のオペレーターや技術者を育成するという話ではあったけれど、静止軌道上の離発着場は宇宙飛行士の担当になる。そのため、軌道エレベーターへの理解と訓練が急務となっていた。

ユーリヤは軌道エレベーターの開発者の一人として、宇宙飛行士に軌道エレベーターの運用方法を教える講師としてこの島に来ていた。

僕が生徒で、ユーリヤが先生。この関係は、永遠に変わらないみたいだった。僕がユーリヤの背を追いかけて、いつまでも彼女を追い続けるみたいに。

僕がユーリヤのスプートニクでい続けることと同じように。

「それにしても、さすがに赤道上の島は暑いわね」

「インドネシアは一年中熱いしね。でも、海がきれいだから観光地としては最高だっただろうね」

僕たちは、島の外に広がる青い海を眺めた。

白い砂浜に囲まれた東南アジアの島々。観光地やリゾート地としてはこれ以上ないロケーションだったけれど、現在はそんな美しい島に重機が山のように押し寄せて、宇宙に向かって高すぎる塔を建設しようとしている。心地よい波の音なんてまるで聞こえず、激しい工事の音だけが響き渡っていた。

「このインドネシアの島は、観光地としてとても有名だったの。固有の生態系で溢《あふ》れた豊かな海で、サーファーたちにも人気の海だったんだけど、それを日米の説得で軌道エレベーターの建設地として借り上げたってわけ」

「反対も多かったって聞いたけど？」

「まぁ、そこらへんはこの島の賃料というか使用料が解決してくれたみたいね。数十年は経済的に困ることはないでしょうから。今後は、このインドネシアが宇宙開発の最前線になるのよ？　どこの国だってもろ手を挙げて喜ぶわよ」

「なるほど。最終的には経済の話になるんだね」

「いいえ。インドネシア政府が軌道エレベーターの建設地としてこの島を貸し出した最終的な理由は――経済ではなく、アメリカの軍事力を見込んだからよ」

ユーリヤは声を低くして言う。そこには、少なからず怒りや失望の色が混じっていた。

「軍事力？」

僕は驚いて尋ねた。そういえば、島の港には大きな軍艦が何隻《せき》も停泊していて、その中には空母もあった。空母には、もちろん戦闘機が搭載されている。僕も訓練で乗ったようなやつだ。アメリカ軍の兵士たちが護衛として島の見回りもしていたし、日本の自衛隊の姿もあった。

「ええ。インドネシアは国内に紛争の火種を抱えていて、今も独立運動が組織されているの。近隣諸国との領土の問題だってあるし――何より、南シナ海に進出してくる中国との問題がある。これらの問題を解決するのに、アメリカの軍事力はうってつけだったってわけ。軌道エレベーターの建設となれば、テロのターゲットになることだって十分に考えられる。ＮＡＳＡが主導してこのプロジェクトを進めている以上、アメリカ合衆国には自国の国民を守る義務がある。つまり、米軍の派遣が容易ってわけ。この近くの別の島は、今後アメリカ軍の基地になる予定よ」

僕は複雑な国際問題の授業を突然に受けて、頭が痛くなっていた。とてつもなくやれやれって気分だ。

「インドネシアは島の使用料の他に、アメリカの軍事力を頼ることができる。国内外の問題に大きな抑止力を得られる。アメリカは軌道エレベーターを手に入れられるうえに、太平洋に進出しようと野心を燃やす中国に、これ以上ないにらみを利かせることができる。そういう意味で、インドネシアはうってつけの場所だったのよ。赤道ギニアなんかも建設地の候補に入っていたんだけれど、高度な政治的理由でこの島に決定したのよ。ほんと、やれやれだわ」

ユーリヤは、うんざりするように言って表情を硬くした。とても下らない理由で軌道エレベーターの建設地が決まってしまったことに対して、彼女は心底うんざりしていた。

その高度な政治的理由という――インドネシアが軌道エレベーターの建設地に決まった経緯は、ユーリヤが軌道エレベーターの開発に携わり、誰もが宇宙に行ける時代をつくろうとした思いとは真逆の理由だった。

それは、全く相反するもの。

ユーリヤは国境線のない世界を求めて、神さまのいない世界を求めて、平和で静かな宇宙を目指した。

人類がエネルギーなんていう下らない問題のために争うことがないように、月に向かうための架け橋を描いた。

地球で暮らす人類すべてが、好きなだけ使える量のエネルギーが――ヘリウム3が、月には存在するからだ。それなのに、この軌道エレベーターは高度な政治的理由という、下らない国際政治でつくられようとしていた。それも、軍事力を背景として。その事実が、とてもやるせなかった。怒りや憤りを感じてしまうくらいに。

「でも、大丈夫」

ユーリヤは、僕たち二人がそれぞれに抱いたやれやれって気持ちを吹き飛ばすように、力強くそう言った。

「人類は、きっと多くの困難や問題を克服して乗り越える。だって、この軌道エレベーターの先には――スプートニクたち宇宙飛行士がいるもの」

振り返ったユーリヤの瞳が、きらきらと輝いていた。

彼女だけの宇宙を内包した大きな灰色の瞳は、真っ直ぐ未来に向けられていた。

「僕たち、宇宙飛行士が？」

僕は、ユーリヤの輝く瞳が見つめている未来を知りたくて尋ねた。

「ええ。私がつくったこの軌道エレベーターが、いずれ多くの人類を宇宙につれて行くわ。宇宙に行けば、多くの人はきっと地球で起きている下らない争いなんか忘れてしまって、人類の未来と希望に胸を膨らませる。だって、宇宙には未来が――私たちが目指した月があるんだもの。人類はいずれ、宇宙のみで人生を完結させるようになる。月で暮らすようになるのよ。そして、もっと遠くを目指すようになる。地球で下らない争いをしている時間なんてないくらいにね。そんな時代をつくるのは、スプートニクたち宇宙飛行士の役目よ」

「僕たちが?」

「ええ、そうよ。あなたたちが、新しい時代をつくるの。スプートニクは——その一歩なんだから。人類にとって大きな一歩を、あなたが踏むの」

ユーリヤは僕を励ますように、僕の背中を優しく押すように言った。

僕たち宇宙飛行士が——いや、僕自身が、多くの人類を宇宙に導くための第一歩だと。ユーリヤはそうなることを望んでいたし、そう確信しているみたいだった。

僕が、人類にとって大きな一歩を踏むと。

いつだってユーリヤは未来を確信している。

彼女は、自分のつくったこの軌道エレベーターが多くの人類を宇宙に導き、そしていずれ月につれて行くと心から信じていた。自分自身は軌道エレベーターに乗ることも、月に行くこともできないと知っていてなお——真っ直ぐにそう言い切れるその強さを、人類とその未来を心から信じられる純粋さを、僕はとても愛《いと》おしく思った。世界で一番美しいと思ったんだ。

この日、僕はユーリヤを月につれて行くという約束だけじゃなく——多くの人類を宇宙に導き、そして月につれて行くという使命をも託された。

ユーリヤがつくった軌道エレベーターに乗って、多くの人類が宇宙にたどり着く。

僕は、それを支え続ける。

そして、僕自身が人類を宇宙に導く。

そんな大きすぎる使命を、僕は与えられた。

新しい任務を。

僕は、宇宙に向かって延びる一本の線を強く見つめた。

それは、あの満月の夜にユーリヤが夜空に描いた一本の線だ。何かを分かつためではなく、何かを繋《つな》ぐために優しく引かれた線。あの夜に引かれた線が、今僕たちの目の前に形をもって存在している。

僕は、その線を繋げなければいけない。

月に向かって。

「わかった。僕がつれて行くよ。たくさんの人を宇宙に——そして月に。ユーリヤが打ち上げたたくさんの人たちを、僕がつれて行くんだ」

「ええ、そうよ。私たち二人がつれて行くの。私が、たくさんの人類を打ち上げる。でも、ただ宇宙や月に向かって打ち上げるんじゃない。私たちは、人類を未来に向かって打ち上げるんだから。私が宇宙に打ち上げた人たちを、スプートニクが月に導くの。そして未来に」

僕たち二人が、宇宙に橋を架ける。

未来に向けた長い橋を。

そのことに、僕の胸は強く鼓動した。

僕はこの瞬間に、新しい無重力を——ゼログラビティを感じたんだ。

「ねぇ、スプートニク——これから先どんな困難や苦労が待ち受けていても、絶対に忘れないでね？　私は、いつだってあなたを宇宙と月に向かって打ち上げるし、あなたを地球に迎え入れる。だから、あなたは安心して宇宙に上がって、地球に帰ってくるの。『いってらっしゃい』と『おかえりなさい』は、いつだって私が言ってあげるんだから。分かったわね？　ユー・コピー？」

ユーリヤのその言葉と問いに、僕はもちろんこう答えた。

全力で。

全身全霊で。

僕の全てを込めてぶつけるように。


「アイ・コピー」

4　ただいま

そうか。

僕は、ユーリヤに「おかえりなさい」を言ってもらうために帰ってきたんだ。そして僕は、ユーリヤに「ただいま」を言うために帰ってきたんだ。

この軌道エレベーターに乗るたび――ユーリヤが人生を賭けてつくり上げた人類を未来に打ち上げる懸け橋を渡るたびに、僕はユーリヤを通過する。

ユーリヤを通って僕は宇宙に上がり、ユーリヤを通って僕は地球に帰ってくる。

「いってきます」と「ただいま」を繰り返すことができる。

そう思ったら、ぼくは少しだけ自分がどこにいるのか分かったような気がした。僕は、帰る場所を見つけたような気がしたんだ。僕はもう迷子なんかじゃない。そのことが、とても嬉《うれ》しかった。帰る場所がある。こんなに嬉しいことはないんだ。

僕は、また宇宙に上がるだろう。

ユーリヤを通って。

ユーリヤに「いってらっしゃい」と言ってもらうために。

そのために、僕は何度でも宇宙に上がり、そして地球に帰ってくる。そしてこれから先、僕は大勢の人を月に導かなければいけない。ユーリヤが目指し、思い描いた未来を実現するために。

僕は――僕たちは、人類を未来に打ち上げ続ける。

二人で一緒に。

だから、僕は地球に帰らなくちゃいけない。

また宇宙に上がるために。

僕は、ようやく地球の重力を感じることができた。それは、とても重かった。とてつもなく重くて、僕はそれを受け止めきれるか分からなかった。けれど、僕たち二人ならその重さを受け止めることができると分かっていた。

そしていつか、この重さから人類を解き放つことができると。

僕は、そんなことを思った。

もう少しで、僕は地球の大地に立つ。

人類に未来を伝えるために――人類を未来に導くために。

ユーリヤに「おかえりなさい」と言ってもらうために。

そのために、僕は地球に帰るんだ。
『フライ・ミー・トゥー・ザ・ムーン』は、まだ僕の胸に響いている。
その音楽とともに、僕は、とても懐かしい声を聞いたんだ。
懐かしいけれど一度として忘れたことがない歌を。
とても優しい声を。

「おかえりなさい。スプートニク」
「ただいま。ユーリヤ」

Track4

月のお姫さま

When You Wish Upon a Star

Intro　ソーネチカ

ハロー、ソユーズ。

宇宙は、今日も静かで平和だよ。

神さまは今のところ見当たらない。

you copy？
i copy.

ソーネチカは特別な女の子だった。

僕にとって特別というわけではなく――世界中の人たちにとって特別な女の子だった。もちろん、僕にとっても特別な女の子だったんだけれど。

ソーネチカは月で生まれたはじめての人類だった。その後、ルナリアンと呼ばれることになるたった一人の月面人だった。それだけで、彼女がどれほど特別なのかは理解できたと思う。

ソーネチカはそのことをとても誇りに思っていると同時に、その事実にものすごく恐怖していた。

彼女はその小さくつつましやかな胸の奥に、つねに大きすぎる不安を抱えていたんだ。

ソーネチカは特別であると同時に――ものすごく複雑な女の子だった。

生まれながらにして。

望むと望まざるとにかかわらず。

そんなことってあんまりじゃないかって多くの人は思うかもしれない。僕だってソーネチカを見るたびに、言葉を交わして彼女に触れるたびにそう思い、自分の無力さにさいなまれていた。どうしようもないほどに。

ソーネチカは、望んで月に生まれてきたわけじゃない。全ての子供がそうであるように——彼女だって、たまたま月で生まれてしまっただけ。もしかしたら東京で生まれていたかもしれないし、モスクワで生まれていたかもしれない。種子島で生まれていた可能性だって十分ある。だけど、そうはならなかった。

月面に建設された居住用モジュールで彼女は生まれた。小さな医療室に急ごしらえで用意された分娩台《ぶんべんだい》で誕生したその瞬間に——ソーネチカの運命は決定づけられてしまった。

特別であり——複雑であるということを。

決定的に。

月で生まれたソーネチカは、いつも立ち向かっていた。せいいっぱい背伸びをして、せいいっぱいの強がりを口にして——そしてせいいっぱいの涙を流して、自分の運命に立ち向かっていた。そうやって自分の複雑で過酷な運命と対峙《たいじ》している時、ソーネチカは絶対に願ったりはしなかった。子供たちの多くが星に願いをかけていると知っていてなお、彼女だけは頑《かたく》なに手を組み合わせることを拒み続けた。

月面から宇宙を見上げれば、願いをかけられる星は幾千万幾億と浮かんでいるのに——ソーネチカは、いつも自分の力で人生を切り開こうとしたんだ。

ねぇ、ソーネチカ――

僕は今、君が望んだ青い地球の上に立っている。地球の重力を全身で感じながら、ソーネチカが恋い焦がれた複雑な星の上で、夜空に浮かんだ月を見上げているんだ。

僕は夜空に向かって真っすぐに伸びる一本の塔を指先でなぞりながら、その先にある満ちた星――満月に向かって手を伸ばした。

もうそこにいない彼女に向かって。ソーネチカに向けて、僕は手を伸ばしたんだ。

こんなふうに夜空を見上げて満ちた月を眺めていると、僕はソーネチカのことを思い出してしまう。僕たちの特別な出会いと――少しだけもの悲しい別れを思い出してしまうんだ。

手を伸ばした先に浮かんだ月が満ちるまでの間、もうそこにはいないソーネチカに寄り添うように、僕はソーネチカとの思い出を振り返ることにした。

月に思いを馳《は》せながら。

1　特別で複雑な女の子

ソーネチカの出自について、少しだけ話しておこうと思う。

ソーネチカは、不幸の星の下《もと》に生まれてきたような女の子だった。父親と母親の両方が宇宙飛行士で、二人とも月面居住区を建設するためのクルーだった。二人は結婚をしておらず、恋人同士ということを隠して宇宙飛行士としての任務を全うしていた。普通ならばあり得ない状況だ。

その頃、月面は開発の真っただ中で、宇宙飛行士の他にも多数のスタッフを受け入れる準備が進んでいた。『静かの海クレーター』に建設された居住モジュールの拡張が急務とされて、とにかくめちゃくちゃに忙しかった。宇宙飛行士同士のラブロマンスに気がつけないほどに。そして二人の宇宙飛行士がつくったのは――住居ではなく子供。二人はおそらく人類史上初めて月でセックスをした人類で、そしてはじめて地球外での生殖活動を成功させた人類となった。

母親の宇宙飛行士は、そのお腹《なか》に子供を宿した。それが自然の営みであるかのように。たとえ母なる大地を離れていたとしても。ちなみに父親は日本人で、母親はロシア人だった。

ここで一つの問題が起きる。

それは宇宙で子供ができたことじゃない。どんな状況や環境だろうと子供が誕生することを問題とする社会は、全くもって不健全だと思っている。僕個人としては。問題は、二人の宇宙飛行士が子供ができたことを必死に隠して、宇宙飛行士としての職務を全うしようとしたことだ。それ自体は、立派で責任感のある行為だったのかもしれないけれど、生まれてくる新しい命――後に「ソーネチカ」と名づけられることになる女の子の運命は、そこで悲しくも決定づけられてしまった。

月の小さな重力に――地球のたった六分の一しかない重力に縛られてしまう人生を。

それは悲劇的な事実だったけれど、悲劇はそれだけでは済まなかった。

父親の宇宙飛行士は、船外活動中にデブリと衝突して死亡することとなる。子供の顔を見ることも叶《かな》わずに。遺体は回収することもできず、新しいデブリの一つとなって今も冷たい宇宙空間を漂っている。宇宙服を棺桶《かんおけ》として。

その事実を知った母親の宇宙飛行士は、あまりのショックで精神に変調を来《きた》してしまう。宇宙空間は精神的に不安定になりやすい場所だ。その上お腹《なか》に新しい命を宿し、それを父親以外のクルーに隠し続けているという極限状態にいたのだから、何かのはずみで一気に精神のバランスが崩れてもおかしくはない。恋人であり、父親になる未来の夫を失ったことで、彼女の精神を支えていた不安定な塔は崩れてしまい、彼女の心はバラバラになってしまった。これから母親になる宇宙飛行士は、宇宙空間に適応できないくらいに参ってしまった。さらに悲劇的なことに、母親がそんな状態になってしまった時には妊娠六か月——約二十週目を過ぎていた。

僕たちが全てを知った頃には、対策を立てるにも手を打つにも何もかもが手遅れの状態だったんだ。彼女の体調が万全だったならば、大きくなったお腹だろうと問題なく地球に戻って子供を産んだだろう。だけど精神に変調を来し、母子ともに不安定な状態ではそうもいかなかった。

彼女は地球まで三日かかる宇宙船に耐えられる状態じゃなかったし、地球へ降りることでお腹の胎児に与えてしまう影響も考えなければならなかった。

結果、NASAは月で子供を産むのが最善だと判断した。

これは僕の勝手な想像だけれど——母親に月で子供を産ませようとした判断の背景には、様々な事情が入り混じっていたんだと思っている。まぁ、つまらない陰謀論の類だと笑い飛ばしてほしい。NASAはいつだって陰謀論に塗《まみ》れているんだ。

母親の宇宙飛行士が子供を出産する時、そばにいた数少ないクルーの一人。それが、僕だ。

僕は日本人初の月面歩行者で、月の砂であるレゴリスを燃やしてヘリウム3という新しいエネルギーをつくる計画に参加していた。月の金貨を発掘する偉大な計画に。その功績が認められて、僕は二度目の月面行きを任命された。

人類ではじめて、月に二度降り立つ宇宙飛行士になった。正直なところ、任命された時の僕はいささか複雑な気持ちというか——かなりやれやれって気持ちになっていた。

僕は世界中の人たちがどれだけ使い続けてもなくなることのない量のエネルギーを——石油や天然ガスに替わる希望のエネルギーを地球に送り届けるために月を目指したはずだった。それなのに二度目の月面着陸は妊婦の面倒を見ることと、無事に生まれた子供の子守だなんて、そんなのってあんまりじゃないか？　やれやれだ。

それでも、僕は月に行けるチャンスを無駄にしたくはなかった。宇宙への切符を手にできる宇宙飛行士はいつだって限られていて、順番待ちをしている宇宙飛行士はダース単位で控えていたから。

月に行けるのなら、その理由は何でもよかった。たとえ、それが子供のお守だろうと。

月は、僕にとって特別な場所だったから。

約束の場所だから。

僕は再び月に降り立ち、宇宙飛行士としての任務を全うしながら、その特別で複雑な運命を義務付けられた子度が生まれてくるのを待った。

しかし、悲劇はさらに続くことになる。宇宙空間で子供を産むというストレスにさらされ続けた母親の宇宙飛行士は、臨月を迎える頃には出産に耐えられる体ではなくなっていた。衰弱しきった彼女は、生まれたばかりの二十日鼠《はつかねずみ》のように弱々しくなっていて、そんな弱り切った体で子供を産めば間違いなく母体は無事では済まない状態だった。

それでもソーネチカの母親になる女性は、子供を産むことに何の迷いもなかった。

彼女は、僕の手を握りながら何度も繰り返した。生まれてくる子供に「ごめんね」と言ってほしいと――そして「愛している」と伝えてほしいと。泣きながら何度も頼まれたけれど、その度に僕はこう繰り返した。

「それは、自分の口で言う言葉だ。子供の頭を撫《な》でて、抱きしめてあげながら何度も謝ればいい。愛しているよって、自分の口で伝えてあげるんだ。きっと素敵な子供が生まれてくる」

それが叶《かな》わないことは僕も彼女も、他のクルーたちも分かっていた。それでも、僕はその嘘《うそ》をつき続けるしかなかった。僕の精神まで参ってしまいそうだった。

母親の宇宙飛行士は、それでも母親としての役目を見事に全うし、元気な女の子を産み落とした。

そして子供を産んだ後に死亡した。生まれてきた子供の産声《うぶごえ》を聞くことも、生まれてきたその子を抱きしめることもできなかったけれど――彼女は生まれてきた子供に、「ソーネチカ」という素敵な名前を残して星になった。

そうして特別で複雑な運命を決定づけられた女の子が――ソーネチカが、この世に生を受けた。

その産声はとても力強かったけれど、どこか悲しかった。

多くのことを理解して生まれてきたかのように。

これから待ち受けている過酷で残酷な運命を予感しているみたいに。

僕は、少しだけ泣いた。

2　月面居住区のお姫さま

月で生まれた女の子――ソーネチカ。

ソーネチカと僕の特別な出会い――出産の立ち会いという――の後も、僕たちの特別な関係は続いていた。それはなかなか良好な関係だったように思う。彼女が泣けばあやし、彼女が泣けばオムツをかえてあげ、彼女が泣けばミルクを飲ませてあげる。

僕はソーネチカが泣くたびに世界中の母親とベビーシッターに心から尊敬の念を抱くとともに、自分の存在意義と宇宙飛行士としての職務に疑問を抱いた。何度もＮＡＳＡにレポートを提出しようとしたけれど、僕がレポートを書こうとしている間にもソーネチカは必死に泣き続けて、ぐんぐんと成長を続けていった。僕のレポート提出を妨げようとするように。宇宙空間でも赤ん坊は元気に成長するのだ。

この頃の月面居住区には医療スタッフだって多数いたし、出産を経験している女性のクルーもたくさんいた。もちろん僕だけがソーネチカの面倒を見ていたわけではないけれど、それでも僕が一番ソーネチカの面倒を見て、彼女と一緒の時間を過ごした。僕が抱きかかえるとソーネチカはよく笑い、僕があやすとソーネチカはすぐに泣きやんだ。僕がいないとソーネチカはすぐにぐずり、僕が顔を出すとソーネチカは手を伸ばして僕を求めた。僕は、自分のおっぱいから母乳が出ないことを心から悔やんだくらいだ。

はじめて言葉を喋《しゃべ》ったのも僕の腕の中にいる時だったし、はじめて呼んだ名前ももちろん僕の名前だ。そのせいで僕のニックネームは「ラトル（がらがら）」になり、クルーたちの間では「ソーネチカの本当の父親は僕である」なんて笑えないジョークが大流行した。僕は聞こえないふりをしながら、クルーたちにソーネチカのおしっこを浴びせかけてやるくらいの抵抗しかできなかった。

そんな感じで、僕とソーネチカの関係は良好だった。それこそ地球と月の関係のように、適切な距離を保った微笑《ほほえ》ましい関係を維持していた。

ソーネチカが五歳の誕生日を迎えた頃、僕の宇宙飛行士としてのキャリアは絶頂期で——月の発展も絶頂期だった。まるでソーネチカの誕生を祝福するように、大勢の宇宙飛行士が月に上がった。赤道に建設された軌道エレベーターに乗って。

その事実が、僕の胸を大きく震わせた。

軌道エレベーターに乗って月に降り立った宇宙飛行士一人一人を抱きしめたいくらいだった。もちろん、そんなことはしなかったけれど。

月面居住区には百名以上の宇宙飛行士とその他多くのスタッフが常駐し、大勢が月で働いた。月面には巨大な発電所が建設され、月の大地にはいくつものパイプラインが走った。月でエネルギー化されたヘリウム3はパイプラインを通じて宇宙船に詰め込まれ、軌道エレベーターに乗って地球に届けられる。地球を一切汚すことのない安全で安価なエネルギーによって、地球の経済活動はその形を大きく変えはじめていた。

そのせいで新しい利権や権力争いが生まれ、いくつかの国が戦争をしたり崩壊したりするという歴史的な事件や出来事も起こった。北方四島は未《いま》だに返ってきてはいなかった。それでもその争いやいさかいが宇宙にまで上がってくることはなく、宇宙は相変わらず静かで平和だった。

もちろん神さまも見つかっていない。

今のところは。

そんな中、成長したソーネチカは少しずつ自分の存在について思い悩みはじめていた。大きく成長していく中で、自分一人だけが月で生まれたという事実とどう向き合ったらいいのか、どう折り合いをつけたらいいのか分からなくなりはじめていた。わずか五歳にして。

ソーネチカは自分がとても特別で、この月で生まれたということをとても誇りに思っている日もあれば――自分だけが人と違う出自であるということを、何かの罪か罰のように思ってしまう日もあった。そんな日のソーネチカはとてもナイーブで感じやすくなり、自分が生まれたこの月を、犯罪者が送られる流刑地《るけいち》のように思い込んでしまったりもした。

ソーネチカは夜空に浮かぶ月のようにいくつもの表情を持ち、日によってコロコロとその姿を変えた。三日月の日もあれば半月の日もあり、満月の日もあれば新月の日だってあった。

その日もソーネチカはとびきりナイーブで感じやすくなっていて、まるで怯《おび》えた猫のように敏感になっていたんだ。

それは僕とソーネチカが一週間以上も顔を合わせていなかった時に起こった小さな事件だった。レアメタルの採掘場でいくつものトラブルが重なり、ようやく月面居住区に帰還すると、仲間のクルーたちが胸を撫《な》でおろしたような表情で僕を迎え入れた。

「ようやく帰ってきたな、相棒。待ちわびたぜ」

僕の相棒であるバーディが、僕を迎えると同時に情けない声をあげた。

彼は僕の先輩宇宙飛行士であり――偉大なるアメリカ人宇宙飛行士だったけれど、この時の表情はとても頼りなかった。その迷子の犬みたいな表情を見て、僕はすぐにソーネチカがらみであることに気がついた。

「なんだよ？　僕は帰ってきたばかりでへとへとに疲れてるんだ。熱いシャワーくらい浴びさせてくれよ。せめてコーヒーくらい飲ませてくれ」

「ソーニャが――お姫さまが大変なんだ」

バーディは白状するように言った。月面居住区の多くのクルーやスタッフがソーネチカのことを「お姫さま」と呼んでいた。僕はそんなふうに呼んだりはしなかったけれど。

「お前が一週間も帰ってこないから相当おかんむりで、騒いだり喚《わめ》いたり泣きじゃくったり。まるで俺の故郷のハリケーンだぜ」

「エリーは？　彼女ならうまくなだめられるだろ？」

エリナー・レインズは月面居住区に新規配属された医療スタッフで、僕の次にソーネチカの面倒を見ている。宇宙飛行士ではないけれど、宇宙に上がるために特別な訓練を受けて月に上がってきた。彼女のように特殊技能を持った職員が月面には大勢いる。

「昨日までは、なんとかなだめていたんだけどな。さすがに爆発したよ。お前がテレビ電話の一つも入れないからだぜ？」

バーディが恨みがましく言う。

「おい。こっちだってそれどころじゃなかったって分かってるだろ？　大きな事故で怪我人《けがにん》だって出たんだぜ？　この後だって報告書を何枚も書かなくちゃいけないんだ」

「分かってるよ、相棒。そんなことは分かってるさ。俺が言いたいのは、今現在この月面居住区には導火線に火のついた爆弾があって、それを解除できるのはお前だけってことだ。それに、お姫さまがあんな悲しそうな顔をしていたら仕事が手につかないんだ。これはクルーの総意だぜ？」

バーディは言い訳がましく言って僕の背を叩《たた》いた。

僕は「やれやれ」とため息をもらしながら、危険な爆弾処理の任務に向かった。僕自身は、危険のようなものを全く感じていなかったけれど。

ソーネチカの部屋は月面居住区の医療ルームに併設されていて、それはとてもチャーミングな一室だった。ソーネチカの小さなそのお城は、青空を思わせる綺麗《きれい》な水色の壁紙が一面に貼られ、その空の下には動物のぬいぐるみやブロックなどのおもちゃが綺麗に整頓されて置かれている。本を読むのが大好きなソーネチカのためにたくさんの本が地球から取り寄せられ、ちょっとした図書館のような趣さえあった。五歳にしてロシア語と英語、そして日本語を操るソーネチカだったので、その本棚には三か国語の本がぎっしりと詰め込まれている。はずだった――

「これはすごいなあ？」

そんな素敵な部屋に一週間ぶりに足を踏み入れると、彼女の城は見事に壊滅していた。バーディが言った通り、まさにハリケーンが通った後みたいに。ぬいぐるみやブロックなどのおもちゃが散乱し、本棚の本がそこら中に投げ捨てられている。まるで浜辺に打ち上げられた魚の死骸《しがい》のようで、それは見ているだけで物悲しくなる光景だった。

そんな壊滅したお城の主であるソーネチカは、ベッドの上で毛布にくるまっていた。何枚もの毛布を体中に巻き付けて「かまくら」のようになった彼女は、部屋の中に入ってきた僕を見つけると目も合わさずにつんとそっぽを向いた。ソーネチカはヤマアラシのように刺々《とげとげ》しくなっていた。

「やぁ、ソーネチカ。みんなをずいぶんと困らせているみたいじゃないか？」

僕は、小さなかまくらの隣に腰を下ろした。

ソーネチカは何も言わずかまくらの中でぎゅっと体を強張《こわば》らせて固くなり、怒りに震えている。そして無言を貫き通していた。

僕には、ソーネチカが必死に自分の感情を押し殺していることが分かっていた。彼女はものすごく怒りたかったし、ものすごく喜びたかったし、ものすごく泣きたかったんだ。僕のことを責めたかったし、僕にいろいろなことを問いただしたかったし——そして、僕から謝罪を引き出したいと思っていた。それも心からの。

それでもプライドの高いソーネチカは、自分が先に音《ね》を上げて僕に泣きつくことを我慢ならないと思っていた。だから彼女は、僕のほうが先に音を上げるのを必死に堪《こら》えながら待っていた。僕がソーネチカに泣きつき、あれこれと言い訳をして、心からの謝罪をするのを一生懸命に我慢しながら待っていたんだ。

僕は、そんなソーネチカが大好きだった。

わずか五歳にして、これだけプライドの高い女の子がいるだろうか？

ソーネチカは自分が生まれながらに特別であることを——自分がこの月のお姫さまで、いずれこの月の女王になることを理解していたんだと思う。だから彼女は、いつだってそれに見合う行動を心がけていた。だけどわずか五歳の自制心では、彼女の複雑な幼心や感情を押し殺すことはできなかった。

僕が彼女の隣に座ってただ静かに待っていると、ソーネチカはついに爆発した。

「もー」

そして僕の胸に勢いよく飛び込んで、おもいきり癇癪《かんしゃく》を起こした。爆弾はようやく爆発した。無事に。危険なことなんて何もないんだ。

「もー、もー、もー。どうして帰ってこなかったの？　何も言わなかったし、何の連絡もなかったじゃない？　絶対に連絡するって約束をしたのに。ウソつき。ウソつき。ウソつきっ。もー、もー、もー。だいっきらい。だいっきらい。だいっきらい」

僕のことをポカポカと叩《たた》き続ける彼女の両目には、今にもこぼれそうな大粒の涙が溜《た》まっていた。

僕たちの間には、小さな約束——ある種の条約のようなものが結ばれていた。

それは、僕が仕事などでソーネチカに会えない時には必ず連絡を取り合うというとても心温まるもので、ソーネチカはその約束が簡単に破られたことにたいして猛烈な怒りを表明していた。

ソーネチカは大声で癇癪を起こしながらも、その涙を流そうとはしなかった。

ソーネチカは知っていたんだと思う。女の子の涙が特別であるということを——そしてなにより、自分の涙が特別であるということを。それでもこの日は、その大粒の涙を流さずにはいられなかった。彼女は自分で思っているよりも、そして心がけているよりも何倍も泣き虫だったんだ。

ソーネチカの瞳は、とても大きかった。その灰色の瞳はいつも満月のように光り輝いていた。一度も日の光を直接浴びたことのない白い肌は神秘的なまでに透き通っていて、まるで硝子細工《ガラスざいく》でできているみたいに見えた。そして自慢の長い髪の毛は、白金《プラチナ》のように美しかった。

そんな未来の美しさを約束された女の子が、僕の胸で激しく泣きじゃくった。僕にたいして怒りをぶつけて、僕からの謝罪を引き出そうとがむしゃらに泣きつくした。

「バカッ、バカッ、バカッ。ウソつき、ウソつき、ウソつき。きらいっ、きらいっ、もうっ——だいっきらいなんだから」

最終的に非常に限定された語彙《ごい》しか使わなくなったソーネチカの顔を、僕はそっと覗《のぞ》きこんだ。それから初雪をかぶったような小さな頭を撫《な》でて、一言だけ口にした。

「ごめん」

それだけで十分だった。ソーネチカは涙をこぼしながら僕を見て、自分の顔がほころんでしまうのを必死に我慢した。たった今勝ち取った勝利に酔いしれようとしたんだ。

「ほんとうに悪いと思っている？」

ソーネチカはそう簡単に許してはあげないと、つんと澄ましたまま尋ねる。

「思ってるよ。とても強く思ってる」

「反省してる？」

「反省している。とても深くね」

「もう何も言わずに勝手にどこかに行ったりしない？」

「行かないよ。たとえ行ったとしても必ず連絡を入れる」

「一人で地球に帰ったりして、私をひとりぼっちにしたりしない？」

今にも壊れてしまいそうな表情でそう言ったソーネチカを見て、僕は深く傷ついた。

ソーネチカはひどく怯《おび》えていた。

ひとりぼっちになってしまうことを。

ソーネチカの心は、今にも砕け散ってしまいそうになっていた。

僕は、彼女が何を恐れていたのかようやく理解した。僕は二度と、ソーネチカにひとりぼっちなんて言葉を口にしてほしくないと思った。その言葉は——僕にとってとても特別な言葉の一つであり、とても胸を締め付けられる言葉だったから。

僕は幼い頃、一人の女の子に約束をした。

彼女を絶対にひとりぼっちにしないと。

その約束は、今でも果たされ続けていると思っている。僕がこの月にいる限り。

僕は、ソーネチカを胸に抱いて言った。

「勝手に地球に帰ったりしないよ。ソーネチカをひとりぼっちにしたりしない。絶対に」

「ほんとうに？　でも、みんな地球に帰っちゃうんでしょう？」

「そりゃ帰る人もいるけど、僕はここにいるよ」

「ほんと？」

「僕だって、まぁたまには地球に帰ったりはするけど、それでも必ずここに戻ってくる。今までだってそうしてきただろう？　だから心配しなくていいんだ」

ソーネチカが生まれてから、僕は何度も月と地球とを往復していた。その度にソーネチカは不安そうな顔で僕を見送った。

僕が月に必ず戻ってくるなんて話はまるで根拠のないものだったけれど、僕にはそう言うしかなかった。ソーネチカといると、僕はいつも自分を殴りたくなる。

「じゃあ、許してあげてもいいけど」

ソーネチカは僕を許してくれた。自分の抱えている不安や恐れが何一つ解決していないにもかかわらず、ソーネチカはいつも僕を――そして僕たちを許してくれた。僕たち身勝手な大人たちを、ソーネチカはいつだって許してくれたんだ。

「本当に許してくれる？」

「ほんとうよ。私はあなたと違ってウソはつかないんだから」

「じゃあ、僕のことを嫌いって――それも大っ嫌いって言ったことも取り消してくれる？」

僕がそうお願いすると、つんと澄ましていられなくなったソーネチカの表情は満開にほころんだ。

「とり消してほしい？」

「とっても取り消してほしいよ。お願いだ」

「しかたないからとり消してあげる」

そう言うと、ソーネチカの顔は真っ赤に色づいてにっこりと笑った。そうして正式に和解をすませると、彼女はもう我慢しなくていいんだとさっそく口を開いた。

「ねぇねぇ、今回はどこに行っていたの？　採掘場で事故があったってみんなが話していたけど、それは本当？　あなたは大丈夫だったの？　他にも何か冒険はあった？　お土産はある？　いつもみたいにたくさんお話しして」

ソーネチカの好奇心はもう留《とど》まることを知らず、開いた口からは次から次に言葉が溢《あふ》れ出した。一週間塞《せ》き止《と》められていたものが決壊して流れ出し、僕を飲み込んでしまうみたいに。ほんの数分前まで怒り、悲しみ、大声で泣きじゃくって癇癪《かんしゃく》を起していたことなど忘れてしまったかのように。

子供というものは、自分の抱いている感情を維持できないものなのだ。それに何にだってなれるし、何だってできてしまう。どこにだって行くことができる。何にも限定されることのない唯一の存在なのだ。だからこそ、僕たち大人たちは子供たちを大切に育てなければならない。何にも限定されず、何にも縛られないように。自由なままでいさせてあげなくちゃいけない。

それが、僕がソーネチカと接して感じた最も大切なことだった。

だからといって、子供を甘やかしていい理由にはならない。僕はお土産話をせがむソーネチカの頭をくしゃくしゃと撫《な》でた後、彼女の頭を散らかった部屋に向けさせた。

「一週間分のお話とお土産は、猫が暴れまわったようなこの部屋をすっかり綺麗《きれい》に片付けた後だ。それにわがままを言って困らせたクルーとスタッフのみんなにも、ちゃんとごめんなさいをしてくること」

それを聞いたソーネチカは先ほどとは違う意味で顔を真っ赤にして——思いきり頰を膨らませた。

「だいっきらい」

3　月と地球

『地球のみなさん、お元気ですか？　ソーネチカです。今日は、最近少しだけ上達した日本語でお話をしようと思います。聞き取りづらくても怒ったり動画を消したりしないでね？　いじわるなコメントもやめてね？　そんなことをされちゃうと——私、とってもやれやれって気分になっちゃうから』

ソーネチカの抱える不安は膨らみ続けていたけれど、それでも彼女はすくすくと成長を続け、月での生活を順調に営んでいた。

ソーネチカの月での存在感は、日に日に増していた。月がゆっくりと満ちていくみたいに。

『今日は地球のみなさんに、月での食べ物のことをお話しします』

ソーネチカは目の前のカメラに向かって手を突き出す。小さな手には、土のついたじゃがいもが握られていた。

『これは月で収穫したじゃがいもです。私の暮らす月では、毎日たくさんの野菜や穀物がつくられていて、じゃがいももその一つ。月では毎日クレーター一杯分くらいの野菜が収穫されるの。本当よ？　それに、とっても新鮮でおいしいんだから』

撮影スタッフに手渡された茹《ゆ》でたじゃがいもを大きく一かじりして、微笑《ほほえ》んで見せる。

『でも、私が毎日じゃがいもばかり食べているなんて心配はしないでね？　月では家畜もたくさん飼われていて――牛も豚も鶏もたくさんいるの。少しかわいそうだけど、私はたくさんの動物たちから栄養をもらっています。感謝です』

ソーネチカは少し泣きそうな顔になって言った。

『だけど、蚕《かいこ》はきらい。なんかブヨブヨしてて気持ち悪いし、エイリアンの子供みたいなんだもん。いくらたんぱく質が豊富だからって、虫を食べるなんて絶対にいや。だって、地球の人たちは蚕を食べたりしないんでしょう？　宇宙にいる人だけが食べるなんて、そんなの罰ゲームみたいじゃない？　だから蚕は食べたくないの』

ソーネチカは、宇宙では一般的な食料の一つである蚕への文句をひとしきり吐き出した。僕も最初は蚕を食べるのが嫌だった。今では、なかなか悪くないと思っているけれど。なかなかね。

『他にも３Ｄフードプリンターによる食事も豊富です。最近はプリンターでお寿司を出力して食べました。とってもおいしくて感動しちゃった。ああ、いつか本物のお寿司も食べてみたいなあ』

ソーネチカの言う通り、３Ｄフードプリンターは宇宙での食事を飛躍的に進歩させた。

ナノサイズのゼラチンのブロックを組み合わせて形作られる寿司は、確かに見た目こそ寿司なのだけれど、味は本物の寿司には到底及ばない。いつかソーネチカに本物の寿司を食べさせてあげたいと僕は思っていた。

『カップヌードルも最高においしくて大好きなんだけど、あまり食べさせてもらえません。インスタントの食事のとり過ぎは体によくないみたい。宇宙飛行士たちはいっつもカップヌードルを食べているのに。私も早くＦＲＥＥＤＯＭになりたいです。だから、私が食べるものに困ってひもじい思いをしているなんて勘違いをして、チョコレートのギフトボックスを月に送ってきたりしないでね？　私、きっとしあわせで太っちゃうと思うから』

ソーネチカはとびきりおしゃまで可愛らしい笑顔を振りまいた。そして僕のほうをちらりと見て、悪戯《いたずら》っぽい表情を浮かべてみせる。

『このチャンネルをご覧になっている地球のみなさんも、月にお立ち寄りの際にはぜひ月のじゃがいもをめしあがってくださいね？　それじゃあ、今週の動画配信はこれで終わりです。チョコレートが大好きなソーネチカでした。バイバイ』

ソーネチカは小さく手を振った後、カメラに向かってとびきりの投げキッスをした。そうして、今週の動画配信が終わった。

「ねぇねぇどうだった？　ちゃんとできてた？　かわいく撮れたかな？」

カメラの前から一足飛びで僕のもとにやってきたソーネチカが、顔を真っ赤にしながら言う。丁寧に結われた長い白金色《プラチナ》の髪の毛と白いワンピース。おめかしをしたソーネチカは、とても可愛らしかった。とびきりなんて言葉じゃ足りないくらい。

「よくできてたよ。それにすごく可愛く映ってたよ。でも、蚕《かいこ》とチョコレートのアドリブは余計だったかな？　また食べきれない量のチョコやスナック菓子が送られてきて、僕たちが食べる羽目になるんだからさ」

「えー？　お菓子はいくらあったっていいのに。見ているだけで幸せな気分になるんだから。あと、私が蚕をだいっきらいってことを地球の人にも知ってもらいたかったんだもん」

「蚕はけっこうおいしいんだけどなあ。バターで炒めると最高だよ」

「おえー。エイリアンに卵を産み付けられる気分だわ」

ソーネチカはおもいきり顔を歪《ゆが》ませて吐く真似をした。最近は変な顔をするのがマイブームになっているらしい。

「それに、台本通りにやっているだけじゃ見ている人だって面白くないいし、私だってつまらない気分になっちゃうでしょ？　自分の頭で考えてやりなさいって、いつも言ってるじゃない？」

「そうだね。ソーネチカの言う通りだ。好きにやるといいよ」

僕は降参のポーズをとった。

「ふふん」

すると、ソーネチカは鼻をならして胸を張る。小さな勝利を得た時、彼女は決まってそうするのだ。

「でも、やりたくないことまでやる必要はないんだぜ？　気に食わなければ正直に言えばいいんだ」

僕は自慢げになる彼女に忠告するように言った。ソーネチカは、大人たちの期待に応えすぎるところがあった。それに、いつだって期待以上の成果を出してくれる。大人たちはそんなソーネチカに甘えすぎていると僕は思っていた。

「あら、私はこの配信をとても気に入っているんだから」

ソーネチカは腰に手を当てて胸を張ってみせる。必死に自分を大きく見せるように。そんな健気《けなげ》な姿が、いつも僕の胸を強く打った。

「だって地球には私のことを知りたい人や、私のことを応援してくれている人がたくさんいて、みんな私の元気な姿や、私がおしゃべりをしているところを見たいって思ってくれているんでしょう？　それって、とっても素敵なことじゃない？　あんなに遠く離れている人たちが――私の配信や、私の言葉を待ってくれているなんて」

ソーネチカはうっとりと言って、はるか遠くにある青い星――月から約38万4400km離れた地球に思いを馳《は》せた。

この頃からソーネチカの気持ちは、僕たち人類の母星である地球に向いていた。月面から見える美しい青い星に、ソーネチカはいつも手を伸ばしていた。そして、いつかそこにたどり着こうとしていた。

地球には、ソーネチカのことを応援している人がたくさんいた。

当たり前だ。

ソーネチカは、月で生まれた最初の人類なのだから。

ソーネチカが生まれたその瞬間から——いや、生まれる前から、地球で暮らす多くの人がソーネチカに興味と関心を持っていた。生まれてくる赤ん坊の無事や健康を、その行く末を気にしていた。とても熱心に。

もちろん、宇宙飛行士が月でセックスをして子供をつくったことに関しては、とてつもないバッシングを受けた。宇宙飛行士の妊娠が発覚し、月で子供を産まなければならないと記者会見を開いた時には、NASA——アメリカ航空宇宙局——が吹っ飛ぶんじゃないかってくらいの反発や抗議があった。赤ん坊の父親である日本人宇宙飛行士を月に送り込んだJAXA——宇宙航空研究開発機構——も、隕石《いんせき》が衝突でもしたみたいに慌ただしくその対応に追われていた。僕自身もふくめて。

しかしNASAやJAXAといった組織がどれだけ激しい批判の嵐にさらされたとしても、生まれてくる子供には何の罪もない。そのことは、批判を——とても正当な批判を——している人たちも理解していた。多くの人たちは組織を強く批判する一方で、生まれてくるソーネチカには最大の好意と愛情を注いでくれた。

ソーネチカは生まれてくる前からその誕生を待ち望まれ、多くの人たちの関心と興味を一心に受けていた。そして実際にソーネチカが生まれたと発表された時——彼女の出産はリアルタイムで世界中に中継されていて、全世界の人が強く両手を組み合わせて見守っていた。

地球で暮らす多くの人が彼女に向けて、「おめでとう」の言葉を贈った。そのせいでNASAやJAXAのPCや電話はまたしても激しい嵐にさらされ、世界中のサーバーというサーバーがダウンして、グーグルが悲鳴を上げたほどだ。世界中で同時に電話もインターネットも使用できなくなったのは、はじめてのことだったという。

これを、翌日のタイム誌が「ソーネチカ・ショック」と名づけて報じた。

ソーネチカは、世界でも最も祝福を受けて生まれてきた女の子だった。良いか悪いかは別にして。

ソーネチカが生まれた後も、人々の関心は向けられていた。宇宙開発や月の資源採掘なんかにはまるで興味のない人たちが、ＮＡＳＡやＪＡＸＡのホームページに頻繁にアクセスをして、ソーネチカの成長レポートや、彼女の写真や動画を眺めた。

ソーネチカは生まれたその瞬間から、その成長の多くを地球の人たちに向けて発信されていた。今行った動画配信もその活動の一環だ。ユーチューブにはソーネチカの専用チャンネルが開設され、登録者数は十五億人を超えている。その会員数はユーチューブのチャンネル登録数ランキングでぶっちぎりの一位で、二位のアメリカのポップスターの十倍の登録者数を誇った。

ソーネチカの言葉は、まるで魔法だった。地球で暮らす誰もが、ソーネチカの言葉に耳を傾けた。宇宙開発や月の資源採掘にまるで興味のない多くの人たちまでもが、ソーネチカの言葉を一度耳にすれば宇宙や月の虜《とりこ》になった。宇宙飛行士を目指そうという子供は、五億人くらい増えたと思う。大人たちだって一斉に宇宙を目指しはじめた。老人たちだってソーネチカの言葉を聞いて宇宙を目指したんじゃないかって思う。

みんなが、ソーネチカに夢中になった。そして多くの人たちが「宇宙に上がりたい」「月に上がりたい」と口にするようになった。まるで合言葉のように、いつの間にか「宇宙に上がる」「月に上がる」というフレーズは、人類の憧れを示すようになっていた。

ソーネチカに会うための大切なフレーズに。

僕たち宇宙飛行士がどれだけ必死に訴えても伝わらなかった言葉や説明が、ソーネチカの言葉ならばすぐに伝わった。

いつの間にか、ソーネチカは月の広告塔になっていた。メッセンジャーで、スポークスマンに。「月のお姫さま」や「かぐや姫」なんてキャッチコピーや愛称が無数について、彼女の言葉は何度も繰り返し報じられた。

その度に、地球で暮らす大勢の人がソーネチカに夢中になり熱中した。地球の気温が数十度上がったんじゃないかってくらい。そして週末には、トラック百台分くらいの贈り物を月に向かって放り投げてきた。ソーネチカの大好物であるチョコレートもその一つで、僕はいつの間にかチョコレートが大嫌いになっていた。虫歯も増えた。

実を言うと、贈り物のほとんどは下らないガラクタだったので、月に送られる前に焼却処分されていた。それはNASAの機密事項で、世界最大の秘密となっている。どうすればランドセルや千羽鶴を送って寄こそうなんて考えにいたるんだろうか？　僕は今でもその秘密を誰かに話すことはない。たぶん墓場まで持っていくだろう。

とにかくソーネチカは地球の人たちに大人気で、大勢の人がソーネチカの言葉を待っていたんだ。NASAもそんな状況や熱狂をうまく利用して、自分たちの情報を発信していた。ソーネチカを通じて。

僕は、そんなソーネチカをめぐる状況を快く思っていなかった。ソーネチカの私生活をわざわざ大勢の人にさらす必要なんてないと思っていたし、月の広告塔なんて役割を担わせるべきではないと思っていた。

それは、僕たち宇宙飛行士がするべきことなのだ。五歳の女の子なんかに――身長わずか130センチの小さな女の子にやらせるべきことじゃない。だけどとても情けなくて不甲斐《ふがい》ない話だけれど、地球で暮らすほぼ全ての人が僕たち宇宙飛行士の言葉ではなく、ソーネチカの言葉を聞きたがった。

ソーネチカの言葉を待っていたんだ。

僕たち宇宙飛行士は、コールドゲームってくらいに完敗だった。

ソーネチカ自身もその役割を自分の使命のように感じていたし、自分が特別であることを十分すぎるほどに理解していたので――自ら進んで月の広告塔の役割を引き受けてくれた。こうしてソーネチカは、この月と遠く離れた地球でその存在感をどんどん高めていき、また彼女のほうでも地球への憧れを強めていった。

月と地球――互いの引力に引かれていくように。

4　月の親善大使

物心がつきはじめたソーネチカは、僕の仕事を見学することを好んだ。

よく僕の後ろをついて回り、まるで僕の衛星のように背中を追ってきた。それはとても懐かしい感覚で、僕は振り返ってソーネチカを見つめるたびに、強く胸を締め付けられた。

彼女が僕について回り仕事の見学をしたがるのは、人恋しかったからだと思う。月にはソーネチカと同世代の子供は一人もいなかったし、周りは全員大人だったからなおさらに。最年少で月に上がった僕の記録もほどなくして塗り替えられ、年々月に上がってくる宇宙飛行士やクルーたちの年齢は著《いちじる》しく下がってはいたけれど、月に行けるのは現状では成人以上。だからソーネチカは同世代の子供を知らないし、同世代の友達もいない。

月で働くクルーやスタッフたちは、ソーネチカについていくつかの取り決めをしていた。その一つが、ソーネチカが仕事を見学したいと言えば、彼女の希望通りに見学をさせてあげるというもの。いくつかの危険な区域や施設を除いて、彼女は宇宙飛行士の立ち会いがあればどこでも見学することができた。

ソーネチカの存在自体が、この月ではフリーパスのようなものだった。

「ねぇ、この後は何か予定あるの？　私もつれて行ってもらえるお仕事？」

「レインズさんとおもちゃで遊んでいたほうが楽しいと思うけどなあ」

「もー、おもちゃで遊ぶなんてうんざりしちゃうこと言わないで。レインズさんって、私のこと子供扱いばかりするのよ？　おもちゃとお菓子さえ用意しておけば、私の気がひけるって思っているみたいなの。ほんと、うんざりしちゃうでしょう？」

僕はそれを聞いてくすくす笑った。

「うるさくしないならついて来てもいいよ。でもプラントの視察だから面白くもないと思うけど」

「あら、私はぜんぜんうるさくなんてしないんだから。私がその気になったら、借りてきた猫みたいにおとなしくなっちゃうんだからね？」

「ずいぶん悪戯《いたずら》っぽい猫に見えるけどなあ？」

「にゃー」

僕たちは顔を見合わせて笑った。

月面では、自給自足に向けての計画が始まっていた。農業、酪農、畜産などの各プラントや、食品開発や研究のための施設が建設され、僕は各施設の監督役を担っていた。それと並行して本来の資源採掘の任務もこなさなければならなかったので、月での生活はとても忙しくとても充実していた。

僕が各施設を視察している間、ソーネチカは本当に借りてきた猫のようにおとなしくなった。彼女はすでに他人に対する自分の見せ方というものを知っており、自分の特別さや自分の魅力を他人に見せる方法を熟知していた。誰にも習うことなく、それを実践することができた。

僕が施設内を歩いている間、ソーネチカは僕の少し後ろを静かに歩き、絶対に僕に甘えたりするようなことはしなかった。手を握ろうとか、服を引っ張ろうとか、疲れたと愚痴をこぼすとか、子供が思わずしてしまうようなそんなことを、彼女は絶対にしないと心掛けていたんだと思う。

僕が誰かと会話をしている間も、大人たちの会話に割り込むようなことも絶対にせず、僕の後ろで穏やかな微笑《ほほえ》みを浮かべて、ただ小さく相槌《あいづち》を打っているだけ。そんな姿が、とてもチャーミングだった。

ソーネチカはどこに視察に出向いても手厚く歓迎されたので、自分の周りに人が集まっている時に限り、そのおしゃべりな口を開いて大人たちを大いに喜ばせた。冗談や小話を披露して大人たちを笑わせるのが、ソーネチカの特技の一つ。ソーネチカは、いつだって月の親善大使のように堂々とした振る舞いを見せて、「やーやー」と小さな手を上げ――「みなさん、今日もごくろうさま」「どうぞ良しなにしてください」と労《ねぎら》いの言葉をかけて回り、労働者たちの視線や声援に応えてみせた。

僕は、そんな生まれながらのお姫さまをやれやれと眺めながら——これは将来とんでもない女性になるぞと内心肝を冷やしていた。とんでもなく魅力的な女性になるという確信があった。

視察を終えて月面居住区に戻ると、ソーネチカは決まって千を超える質問の雨を僕に浴びせかけた。彼女は僕の後ろをついて歩きながら、頭の中のメモ帳に自分の興味のあることや分からないことを書き留めておいて、二人きりになるとそれを披露するのだった。それは雨というよりはまるで流星雨《りゅうせいう》のようで、一つ一つの質問が未来に向けて光り輝く放物線を描いていた。

「月での作物って今はじゃがいもとかの根菜が中心だけど、近い将来は他の野菜に替わっていくと思うなあ」

質問をする時のソーネチカは、素直に「教えて」とは言わなかった。質問というよりは問答のような方法をつかって、僕から答えを引き出そうとした。お互いになぞなぞの問題とヒントを出し合うように。

ソーネチカは素直に質問をしたとしても、僕が答えを簡単に口にしないということを経験則で学んでいた。まずは自分の頭で考えてみよう。それは、僕がソーネチカに出した最初のアドバイス。だから彼女はいつも知恵を振り絞って、自分の疑問や興味の答えを得ようと必死になった。

「どうしてそう思ったの？」

僕が尋ねると、ソーネチカは難しい顔をして考えを巡らせる。

「だって、月の土は作物をつくるのには適していないでしょ？　微生物がいないし。それじゃあ肥料にはならないいんだもん。今は地球から元気な土や肥料を持ってきて、それで野菜や作物を育てているじゃない？　でも、それじゃあ自給自足はできないしコストがたくさんかかると思う」

「コスト」という覚えたての言葉を披露したソーネチカは、それだけで満足げな顔をしてみせる。

「なるほどね。じゃあソーネチカは月が自給自足するにはどうすればいいと思う？」

「そうだなあ？」

　ソーネチカは頭の中のメモ帳を広げながら、僕から答えを引き出せそうな知識や言葉を見つけ出そうと試みたけれど、なかなかうまい手を見つけられないみたいだった。そんな時、彼女は決まって泣きそうな顔で僕を見る。捨てられた子猫みたいな瞳で。

「土以外の方法で作物を育てるといいんじゃないかな？」

　僕がヒントを出すと、彼女はハッとして表情を明るくする。

「お水ね。お水をつかって野菜を育てるのよ。それが一番いいと私は思うなあ」

「水？　つまり水耕栽培で野菜を育てるのか。でも、水だってコストがかかるんじゃないかな？」

「月の氷を溶かせばいいじゃない？　それに月の砂から空気を取り出せばいいと思うなあ。これで水と空気の心配はないわ。野菜がいくらでもつくれる」

　月面では大量に氷が発見されており、その氷を水処理施設で生活用水や工業用水に変えていた。さらに月面の火山地域の地下には複数の空洞が見つかり、月面都市の開発にも力が入れられていた。これらの発見には日本の月周回衛星『かぐや』と、インドの月探査機『チャンドラヤーン1』が大きく貢献してくれた。

　ソーネチカが言うように、月の砂であるレゴリスには豊富な水素が含まれている。レゴリスをヘリウム3に変換する際に水素を取り出し、同時に水を酸素と水素に分解することも可能だった。それは月面居住区の生活に欠かせない酸素と、水素燃料として使用される。

月面での自給自足への道のりは着実に進んでいたんだ。

「水処理施設を稼働させるコストはどうする？」

「大丈夫よ。だって水処理施設を動かすコストは電力でしょう？　ヘリウム3が無限につくれるこの月なら、電力は使いたい放題なんだから」

「よく気がついたね。ソーネチカ」

「これくらい当然よ。もっと詳しくお話できるけど聞きたい？」

「ぜひ聞かせてほしいな。これでこの月はもっともっと発展できるぞ」

「ふふん」

またしても、ソーネチカは僕から答えを引き出そうと問答を始めた。

ソーネチカが言った通りこの頃の月では水耕栽培に力を入れ始めていて、大規模な農業プラントが建設されていた。数百種類に及ぶ作物が栽培され、また研究され始めていた。月から地球に輸出される作物も増え、月で育った野菜や果物は付加価値がついて飛ぶように売れていた。ソーネチカの宣伝力も大きかったけれど。

成長を続けるソーネチカは、何でも知りたがった。周りの環境や出来事から、常に何かを学び取っていた。そして理解しようと努め続けた。自分が生まれた月をより良い場所にしようと、いつだって知恵を振り絞っていた。

そんなソーネチカの姿を見て、僕たちは彼女の良き教師になろうと必死に努めた。彼女を同い年の友達がいる学校やクラブに通わせてあげられない代わりに、僕たち月にいるクルーやスタッフが、ソーネチカの良き友人であり両親になろうと努力したんだ。月で働いている人材は全員が専門分野のスペシャリストだったので、ソーネチカになにかを教えるにはうってつけだった。

たくさんの大人たちが喜んで自分の知識をソーネチカに与えた。僕たちが優秀な教師であるのと同じくらい、ソーネチカは優秀な生徒だった。教えられたことはあっという間に覚えてしまい、一のことから十のことを学んでしまう意欲と好奇心が、先天的な勘の良さが備わっていた。得手不得手にとらわれることなく、自分の知らないこと、分からないことには真摯《しんし》に向き合える謙虚さも持っていた。ソーネチカは空いた時間を見つけるとすぐに予習と復習をはじめて、一冊でも多くの本を読むことに費やした。知るということ、学ぶということ、考えるということにたいして余念がなかった。

月の大地が少しずつ開拓されて発展していくように、ソーネチカの知恵の大地も順調に開拓されていった。収穫の時を待つように。

ある時期まで僕たちは誰もそれを疑わず、信じ込んでいた。

月が少しずつ翳《かげ》りはじめていたことに、僕たちはその瞬間が訪れるまで気がつくことができずにいた。

そしてそのことに気がついた時には――

ソーネチカは、僕たちの見上げた夜空から消えてしまっていたんだ。

5　ディストピア

ソーネチカと僕は、文化的な会話が大好きだった。

僕たちは月に数回、僕の部屋で文化的な会話に勤《いそ》しむ会を催していた。その慎ましやかな会は、周りのクルーから「月のアカデミー賞」や「月のブッカー賞」と呼ばれていた。

ソーネチカは本を読むのがとても好きだったので、新しく読んだ本があると必ず僕にその感想を聞かせてくれた。僕はいつも音楽をかけながらソーネチカの本の感想を聞いた。

ソーネチカによる「品評会」は僕と彼女の二人で厳かに行われ、ソーネチカは他の人を呼ぶのを嫌がった。一度だけエリーを誘ったら、その日ソーネチカは突然怒り出してしまい、顔を真っ赤にして部屋に帰ってしまった。

「バカっ。もう、もう、もうっ。知らないっ。私、つまんないから帰る」

それから三日間、ソーネチカは僕と口を利いてくれなかった。僕はその間、ただひたすらに謝り続けて、ようやくソーネチカと仲直りすることができた。

「あらあら、可愛いガールフレンドを嫉妬させちゃダメじゃない？」

エリーは困ったように笑って言った。

「ソーニャを離しちゃダメよ？　彼女はとても不安定で不完全な女の子なんだから。しっかりとあなたが見守ってあげて」

エリーはそう言って僕の背中を叩《たた》いた。

そのような経緯があり、「品評会」は僕とソーネチカの二人で行われるようになった。

僕はいつもソーネチカに温かいコーヒーをつくってあげて、二人でそれを飲みながら本や音楽の話をした。カップヌードルも食べた。他にも二人で映画やアニメを見たり、カードゲームをしたりして遊んだ。

ソーネチカはいつも、僕のつくったコーヒーの最初の一口をブラックで飲んだ。僕の真似をして。しかしすぐに砂糖とミルクを大量に入れて、自分好みの味につくり変えてしまう。そんな子供っぽさが、僕は大好きだった。

「まぁ、今日のコーヒーはなかなか悪くなかったと思う。香りが良いっていうか、挽《ひ》きたての味がしたと思うな」

ソーネチカは何にたいしても自分の意見を言いたがったので、コーヒーに対しても貴重な私見を述べてくれた。僕は、いつだってそれをありがたく受け取った。

「本当に？　今日はインスタントのコーヒーだったんだけど、ソーネチカのお気に召して良かったよ。やっぱりマキシムは最高のコーヒーだなあ」

僕がくすくすと笑いながら言うと、ソーネチカは顔を真っ赤にして「ずるい。ずるい。いじわる」と僕をポカポカ叩いた。『マキシム』が最高のコーヒーであることは疑いようのない事実であるのに。宇宙飛行士の間では『マキシム』と『ネスカフェ　ゴールドブレンド』で小さな派閥争いが起きている。僕はその無意味な戦争をいつも我関せずで眺めていた。

甘すぎるコーヒーを飲みはじめると、ソーネチカは早く自分の話をしたくてうずうずしはじめる。スイッチが入ったみたいに。

「それで、今回は何の本を読んだの？」

「聞きたい？」

「ぜひ聞かせてほしいなあ」

「その前に、このうんざりしちゃう曲を止めてほしいんだけれど？」

「この曲を？」

僕は驚きのあまり、冷たい宇宙空間に放り出されたような気持ちになった。ひとりぼっちになってしまったような気分に。

ソーネチカがうんざりするといった曲は、僕が世界で一番気に入っている曲で——僕の心のビルボードチャートの一位に、永遠にランクインしている名曲だった。

それは僕の思い出の曲で——永遠のナンバー。

僕の人生で最高の一曲と言ってもよかった。


『フライ・ミー・トゥー・ザ・ムーン』


「月にいるのに『私を月につれて行って』なんてナンセンスよ。それにどうして、地球で暮らす人が月に行きたいなんて思うのか、私ぜんぜん分かんない。だって、ここには何もないじゃない？砂と穴ぼこしかないのよ？　そんなところに普通の人が行きたがるなんて、まったくもって理解不能だわ」

ソーネチカはやれやれと肩をすくめて続ける。

「地球には何でもそろっているじゃない？　たくさんの草木も、深い海も、広い空も、大きな町や都市も、マクドナルドだって。プレイステーションだって。素敵なものはぜんぶ地球にある。きっとないものねだりをしているのね？　地球の人たちは幸せ過ぎるのよ」

ソーネチカはそう言いながら音楽を停止させて、別の曲を選び始めた。

彼女がいそいそと音楽プレイヤーの楽曲を変更している間、僕は黙ったままソーネチカが言った言葉の意味を考えてみた。確かに地球には何でも揃《そろ》っていたし、全てのものが十分に用意されていた。だけど揃っているはずのその全てが、地球で暮らす全ての人に正しくいきわたることはこれまで一度もなかった。

僕たち人類は、いつの間にか多くのことに勝手な線を引いてしまい――勝手に区切ってしまったいろいろなことのせいで、いつまでも一つになれないでいた。僕たち人類は、いろいろなことに境界線を引きすぎてしまったのだ。みんなで持ち寄り、分け合い、助け合えば――僕たちは地球にあるものだけで全てを営めるはずだった。人類は地球にあるものだけで完結することができた。

だけど、そうはならなかった。それができないからこそ、僕たちは遠い宇宙を目指し――はるか彼方《かなた》の月へとやってきた。

ソーネチカは、そんな人類のエゴの犠牲者だった。

そんなことを考えだしてしまうと、僕は人類の大きすぎるエゴに押しつぶされそうになった。この月を地球にぶつけてやりたいと思うくらいに。

同時に、僕はソーネチカを人類の希望のように思っていた。

いや、そう願っていたのかもしれない。

日本人とロシア人のハーフで、月で生まれた女の子。

人類で最初のルナリアン。

国や人種や宗教などに縛られることのない純粋無垢《むく》な彼女の存在に、僕は――僕だけじゃなく多くの人々は、希望や救いのようなものを見出《みいだ》そうとしていたのかもしれない。それこそが、大きすぎるエゴだと知りながら。

僕が僕自身のエゴと人類のエゴに悩まされていると、部屋の中にソーネチカがセレクトした音楽が流れはじめた。


『ウェン・ユー・ウィッシュ・アポン・ア・スター』

日本では『星に願いを』のタイトルで知られる曲。


「こっちの曲のほうが素敵でしょう？　地球の人たちは月に行こうなんて考えるんじゃなくて、地球から星に願っているほうが絶対にいいんだから」

この時から、ソーネチカは僕たち人類のエゴに気がついていたのかもしれない。だからこそ、遠く離れた月を目指すのではなく、今いる地球で願いを叶《かな》えるべきなのだと――僕たちに暗に示唆《しさ》していたのかもしれない。

ソーネチカは成長していくとともに、少しずつ月を離れようとしていた。その心と魂と呼ばれるようなものは、月を離れて憧れた星に向かって行こうとしていた。ソーネチカは、地球を目指していたのだ。

ソーネチカが好んで読んだ本は、地球を舞台にした冒険小説ばかり。『ロビンソン・クルーソー』、『トム・ソーヤーの冒険』、『ハックルベリー・フィンの冒険』、『ガリヴァー旅行記』、『宝島』。特にジュール・ヴェルヌがお気に入りで『月世界旅行』以外の冒険小説──『八十日間世界一周』、『海底二万里』、『地底旅行』などを熱心に愛読した。

本を読むことに慣れてくると、風刺や皮肉に溢《あふ》れた物語を好むようになり、最終的にはディストピア小説に行きついた。『華氏451度』、『すばらしい新世界』、『高い城の男』、『プレイヤー・ピアノ』、『ハーモニー』などなど。

この日も、ソーネチカは読んだばかりの『1984年』の感想を興奮気味に語った。

「今回はね、『1984年』を読んでみたの。私くらいの歳でこれを読破した女の子は、地球にはいないいんじゃないかしら？　少し難しかったけどぜんぶ読めちゃったんだから」

「それはすごい。僕が『1984年』を読んだのは大学生の頃だったと思うよ」

「でしょう？　私はとっても読書家なのよ。ふふん」

「それで、面白かった？」

「うーん、素直におもしろいって言っていい物語じゃないと思うなあ。すごく悲しいし、すごくひどい物語だった。でも読んでよかったって思う。あんな世界は絶対に嫌だって強く思えたから」

ソーネチカは、まるで本当に『1984年』の世界を見てきたかのように言ってみせた。

「あーあ、私だったらぜったいに愛情省になんか屈したりしないのになあ。ぜったいに仲間を密告したりしないいし、最後までぜったいにあきらめない。ビッグ・ブラザーだってボコボコにできるのに」

ソーネチカは見たことも行ったこともない『1984年』のロンドンを瞼《まぶた》の裏に描きながら、小さな手をぐるぐると振り回してみせる。

「本当に？　ビッグ・ブラザーには誰も太刀打ちできないんだぜ？　みんなが監視されて、みんなが怯《おび》えているんだ。誰が仲間で、誰が敵なのか分からなくて、どうしたらいいのか分からないんだ」

僕は少しだけ意地悪をするように言った。

「大丈夫よ。私には勇気があるもの。それにロンドンで暮らしている市民にだって、きっと勇気があるわ。小さな勇気でもみんなの勇気を持ちよれば、ビッグ・ブラザーだって目じゃないんだから」

その簡潔で簡単すぎるビッグ・ブラザーの打倒方法に、僕はどうしてかおもいきり涙を流したくなった。大声で泣いてしまいたい気分に。僕は大人になるにつれて、こんな純粋な感想や感情を抱けなくなっていた。

ソーネチカの言葉は、いつだって希望と勇気に満ち溢《あふ》れていた。

自分の力で未来を切り開けると信じ――そして、確信していた。

「あーあ、オーウェルが私のお友達だったらなあ。こんな結末にしなくてもいいんだよって教えてあげられたのに」

ソーネチカは唇を尖《とが》らせて残念そうに言う。

「ねぇソーネチカ、そんな必要はないんだよ」

「どうして？」

「きっとオーウェルはこの本を読んだ多くの人に、ソーネチカが言ったような感想を抱いてほしくてその結末を描いたんだ。勇気をもって立ち上がってほしかったんだ。『１９８４年』のような世界が来ないように」

　僕は、オーウェルを代弁してそう言った。オーウェルの意図や解釈とは違っていても構わないと思った。

「だったら素直にそう書けばいいのにね？」

「小説家なんて職業に就く人は、みんなひねくれ者ばかりだからね。素直すぎる物語を嫌うんだよ。それに、彼らはいつだって自分は特別だって思っているんだ」

「ふーん、だから面白いお話がたくさんあるのね。特別な物語が。『１９８４年』はすごくよかったな。なんていうかすごく胸にきた。私のマイ・フェイバリットに入れてあげようと思う」

「オーウェルもすごく喜んでいるよ」

　ソーネチカは頬を赤くして喜んだ。

「さぁて、次は何を読もうかしら？　そろそろドストエフスキーに挑戦しようと思うんだけど、どう思う？」

「つい最近、冒頭数十ページでコテンパンにされていたと思うけど？」

「あの頃よりも、だいぶ成長したもの。私の成長は流れ星よりも早いんだから。それに、そろそろ私の故郷の一つでもあるロシア人の本を読んであげないと、ロシアの人たちがかわいそうでしょう？」

「じゃあ、日本の小説を読んであげたらいいんじゃないかな？　日本だってソーネチカの故郷の一つだし――僕の故郷でもあるんだからさ」

「日本の小説って子供っぽいのよね。それにオタクっぽくてうんざりしちゃうな」

「なるほど。それなら、もうソーネチカに日本のアニメや漫画を見せるのはやめたほうがよさそうだな。アニメや漫画を月に送ってもらうのはやめよう」

「うーん、日本の小説を読んでみるのも悪くないかも。日本語ってとっても素敵だし。漢字もキュートだしね」

その後、ソーネチカは再びドストエフスキーの『カラマーゾフの兄弟』に果敢《かかん》に挑んでいったけれど、やはり数十ページでコテンパンにされてしまった。

ドストエフスキーの小説は、大人が読んでも難しい。読破するのが最も難しい作家の一人だといってもいい。

ロシア語の小説には、ページをめくる手を止めさせる明確な難点がある。それは人名の問題だ。アレクセイはアリョーシャに、ソフィアはソーニャに、ドミトリーに至ってはミーチャやミーチカと呼ばれる。初めて『カラマーゾフの兄弟』を読んだ時、僕は同一人物であるにもかかわらずドミトリーとミーチャという二人の人物が存在しているんだと思い込んでいた。

さらには夫婦であっても姓が異なる――ロシアでは男性と女性で姓を変えるのだ――夫はカレーニンなのに、妻はカレーニナになる。マルメラードフの娘がマルメラードワに。慣れてしまえばなんということはないのだけれど、こうした名前に関するつまずきが読者を混乱させてページをめくる手を止めさせる。

ソーネチカもその例にもれなかった。二度目の返り討ちはソーネチカにとってかなりショックだったらしく、彼女は適当な言い訳をして村上春樹の小説を読むことに専念しだした。

ソーネチカはその他多くの本を読み、多くの文化を自分の中に取り込んでいった。彼女は、どんな物語からでも希望を見出《みいだ》すことができた。それがたとえ夢も希望もない絶望の世界だろうと、ソーネチカはいつだって立ち向かっていく勇気を堂々と表明した。

きっと彼女の胸の中に抱いていた地球は、無限の可能性で溢《あふ》れていたんだと思う。何でもそろっている、全てがあるはずの地球が――ソーネチカには楽園のように思えたのだろう。

月から見た地球は本当に青く美しかった。

ソーネチカの輝く灰色の瞳には――月の大地が荒廃した砂漠のように見えていたのかもしれない。なにも存在しない暗く冷たい星、砂と穴ぼこだらけのディストピアに。

僕が恋焦がれ、僕たちが必死になって目指したこの月が――

約束のこの場所が。

6　エスコート

ソーネチカは、いよいよ十歳の誕生日を迎えた。

その頃には、彼女は一人前の宇宙飛行士へと成長していた。そしてこれからソーネチカは宇宙服を身にまとって僕たち宇宙飛行士と一緒に、月の大地に繰り出すことになる。

ソーネチカは物心がつく前から、僕たち宇宙飛行士の誰よりも美しく月面を歩くことができた。まるで可愛らしい妖精が華麗な踊りを披露しているみたいに。地球の六分の一しかない月の重力の上を、我が物顔でステップを踏んでみせた。

当たり前だ。

ここは、彼女の星なのだ。

ソーネチカは生まれたその瞬間から、月の重力の中で育ってきた。月面居住区の天井に頭をぶつけているところなんて見たことがないし、飛び跳ねすぎて目測を誤っているところだって見たことがない。それらは、月に上がった宇宙飛行士が必ずやってしまう当たり前の失敗だった。無重力の中で気分が悪くなるようなこともなく、ソーネチカは生まれた瞬間から、この月と宇宙に適応していた。

「それじゃあ今から月面に出るけど、僕たちの言うことをしっかりと聞いて、勝手な行動は慎むように。分かってる？」

「分かってるってば。今日のために何度も練習したんだもの。絶対に失敗したり、指示を無視したりなんてしないんだから」

「船外活動の基本は覚えているね？」

「ええ。船外活動はバディを組んで絶対に二人一組で行うこと。ＥＶ１がリーダー。ＥＶ２は絶対にＥＶ１の指示に従う。あなたがＥＶ１で、私がＥＶ２。作業は常に二人で声を掛け合って、安全に、効率よくこなしていく」

「その通り」

月面に出るためのエアロックの前に立ったソーネチカは、人類で初となる子供用の宇宙服を着こんでいる。彼女のために仕立てられた特注のドレス——宇宙服は、彼女の体によく馴染《なじ》んでいた。

月面に出るための訓練を数年前からはじめていたソーネチカは、十歳の誕生日を迎えてようやく月面に出ることを許された。

それは、ソーネチカにとって初めての外出だった。月面居住区と限られた施設の中しか行ったことのないソーネチカにとって、月の大地は未知で未踏の領域。それはお姫さまが城下町をお忍びで歩くことに似ているけれど、これから彼女の目の前に広がる世界は暗闇に閉ざされた危険な世界。

ソーネチカにとっては、まさに大冒険だ。

ジュール・ヴェルヌの小説の世界と同じく。

僕たち宇宙飛行士にとっても月面は危険な空間であり、一歩間違えれば死ぬことすらある。開発が進んだ今でもなお、月面は危険な世界だ。そこには常に死の恐怖が潜んでいる。

月面居住区のエアロックの空気が全て抜けると、扉のランプが緑色に光って安全を知らせる。全ての準備が整った。

「さぁ、月面に出るよ」

僕が言うと、ソーネチカは宇宙服のヘルメットの奥で小さく頷《うなず》いた。

その瞳はきらきらと輝いていて、早く外に出たいとうずうずしていた。

僕はエアロックをゆっくりと開く。

その先は——月の大地。

「手を握っているから、月の大地に足を下ろしてごらん？」

僕はソーネチカの手をぎゅっと握って言った。ソーネチカは僕の手をぎゅっと握り返して、「うん。分かった」と返した。宇宙服の無線越しに聴こえる声は、少しだけ震えていた。

ソーネチカはゆっくりと月の大地に一歩を踏み出し、そして両足を下ろすと立ち止まった。

「ここが、本当の月なのね。本当の月の大地。私の生まれた星――」

ソーネチカは震える声で、とても感動したようにそう言った。

僕も月面に足を下ろし、ソーネチカの隣に並んだ。

強く手をつなぎ合わせたまま。

僕もはじめて月の大地に立った時はとても感動したけれど、ソーネチカとは少し違う感情だったと思う。

僕の場合はとても複雑な感情や思いがこみ上げてしまい、素直に感動をしたというよりは――月に上がるまでの長い過去や思い出に飲み込まれて、ようやくたどり着いた、たどり着けたという気持ちが強かったと思う。

正直なところ、僕の人生は月にたどり着いた時に終わったんじゃないかって、そんなことを思ってしまったくらいだった。約束を果たした瞬間に、僕は自分が消えてしまうんじゃないかって、そんなことを思っていたし――そんなことを信じて、そんなことを願っていたように思う。

この月で、消えてしまいたいと。

だけど、もちろんそんなことにはならなかったし、僕の人生はその後もしっかりと続き――今こうして、ソーネチカと一緒に月の大地に立っている。

人類最初のルナリアンと手を繋《つな》ぎながら月の大地を見つめている。

人生とは不思議なものだ。

「少し歩いて回ろうか?」

「ええ、しっかりとエスコートをしてね」

「もちろん」

それからしばらく、僕たちは月の大地を散歩した。

僕はソーネチカをしっかりとエスコートしたけれど、この瞬間、僕の心と魂は別の女性をエスコートしていた。こんなふうに、二人で一緒に月の大地を歩くことを僕はずっと思い描いてきた。

それだけが僕の人生の目的であり目標であり――終着点だった。

だけど、そうはならなかった。

ならなかったんだ。


「ああ、とても素敵なお散歩だったなあ。これからはもっと遠くまでお散歩できるし、冒険できるのね？　毎日がとても楽しみだわ。それに宇宙遊泳だって待ってる。早く宇宙空間でのびのび泳いでみたいなあ」

とても上手にエスコートされ、とても優雅に月の上を歩いて月面居住区に戻ってきたソーネチカは、興奮気味にそう語った。額の汗がきらきらと輝いていて、僕はその見事なおでこを優しく拭いてあげた。

「そうだね。今日はとても上手にできたから、宇宙空間にもすぐに出られるようになるよ。明日は月面ローバーにも乗せてあげられると思うよ」

「本当に。人生初のドライブだわ。私にも運転させてくれる？」

「今は難しいけど、ちゃんと訓練を受けたら運転させてあげるよ」

「また訓練かあ。でも、いいわ。訓練なんてすぐに終わらせちゃうんだから。あなたなんかよりも上手になっちゃうんだからね？」

「お手並み拝見だね」

「ふふん」

翌日、僕たちはローバーでドライブに出かけた。助手席に座るソーネチカは興奮しつつもとてもおとなしく、そしてとても真剣だった。ソーネチカは一度も僕たちの指示を無視したり、勝手な行動をとったりすることはなかった。少しずつ僕たちの仕事にも参加するようになり、宇宙飛行士の任務を覚えていった。些細《ささい》な失敗をしたり、上手くできずにつまずくことはあったけれど、それでも一度として危険なことは起きなかった。

たぶん、ソーネチカは生まれながらに感じていたんだと思う。月の世界が、どれほど危険であるのかということを。

ソーネチカがはじめて宇宙空間に出て船外活動を行う前日——僕とソーネチカはローバーで少し遠くに出かけて行った。

「わぁ、すごい。地球がこんなに大きくてきれい。今まで見た中で一番すごい」

そこは月で一番地球が綺麗《きれい》に見える場所で、僕の特別な場所だった。

僕たちの特等席で——慎ましやかなダンスホール。

この場所から見える地球は本当に美しかった。青い宝石が暗闇の中で輝いているみたいに。

僕たちは二人並んで地球を眺めた。ぎゅっと手を繋《つな》ぎながら。

「あそこがオーストラリア大陸で、その斜め下がアジア大陸ね？　じゃあ、あなたの故郷の日本はあそこね――」

ソーネチカは地球を指さしながらはしゃいだ。とても興奮していて、とても楽しそうだった。

「ああ、あんなにきれいな星で暮らしているなんて、地球の人たちは幸せだわ。とっても幸せよ。あんなきれいな星の中で、たくさんの人たちが争い合っているなんて信じられない。あんな素敵な星で暮らしていたら、自分たちの暮らしている星を大切にしようって絶対に思うはずなのになあ」

ソーネチカは地球の眺めに釘付《くぎづ》けになりながら素直な感想を口にした。

確かにこうして月から地球を見ると、ソーネチカの言う通り地球の中で人々が争い合っているなんて信じられなかった。それを口にしたソーネチカも、地球の中にある複雑な事情や人類の長きにわたる争いの歴史を、知識としては理解していた。しっかりと。

だけど、ソーネチカにとってそれらは本質的には理解できないものだった。ソーネチカは本当の争いというものを見たことがなく、それがどういったものか分からずにいたからだ。

宇宙に上がる多くの人は、とても理性的でとても知的だ。意見が対立したり、たわいない喧嘩《けんか》をするようなことはあっても、それが本格的な争いになったことはない。

この月と宇宙は、今のところとても平和でとても静かだった。

もちろん神さまも見つかってはいない。

今のところは。

僕は、そのことにとても安堵《あんど》していた。

「明日からの船外活動も楽しみだわ。私はもっと遠くに行けるんだから。とっても遠くに行けるのよ」

ソーネチカは地球をうっとりと眺めながら、力強くそう言った。まるで自分にそう言い聞かせるように、とても力強くそう言ったんだ。

どこまでも遠く行けるって。

地球に手を伸ばしながら。

その言葉を聞いた時、僕は少しだけ恐れを抱いた。この先に待ち受けている多くのものを想像して、胸が張り裂けそうになった。目の前に見える大きな青い星の輝きが眩《まぶ》しすぎて、僕は目を背けたくなった。

地球を――全ての元凶ともいえるその星を、ソーネチカから隠してしまいたいと思ってしまうくらいに。

7 人魚姫

宇宙空間に出れば、ソーネチカは完璧な船外活動を行ってみせた。僕たち宇宙飛行士が数十時間、数百時間とかけて身につけた技術や能力を、ソーネチカは生まれながらに備えているとしか考えられないくらいに。

宇宙空間は、ソーネチカにとっての海――彼女は海の中を泳ぐ人魚のように、無重力の中を泳いでみせた。自由自在に宇宙遊泳を行い、誰よりも宇宙空間というものを正しく認識してみせた。

「みてみて。私、こんなことだってできちゃうんだから」

船外活動ユニットを自在に操りながら、ソーネチカは無重力空間での任務をこなしていく。姿勢を制御するための推進剤をほとんど使うことなく、わずかな身のこなしと反動だけで宇宙空間を移動する様は、彼女の背中に羽が生えているとしか思えなかった。

「どう？　私のほうがあなたたちよりも上手に宇宙空間を飛べるでしょう」

ソーネチカは宇宙船の周りをくるくると回りながら、勝ち誇ったように言う。

「俺たちにだってプライドがある。まだまだソーニャには負けないからな」

「お手並み拝見ね？」

ソーネチカに張り合って船外活動ユニットを動かすバーディは、ソーネチカよりもだいぶ不細工な宇宙遊泳だった。

彼の名誉のために言っておくと、バーディはとても優秀な宇宙飛行士だ。アメリカ空軍出身の優秀なパイロットで、航空宇宙工学の博士号も持っている。エンジニアとしても凄腕《すごうで》だし、リーダーとしても優れている。訓練生時代の成績は僕なんかよりもずっと上で、僕はいつもバーディの背中を見てきた。僕が月面行きの任務を与えられた時、彼と同じクルーになれたことを——同じ宇宙船に乗って月に行けることを、僕がどれだけ誇りに思ったことか。それは当時最年少で月面探査のクルーに選ばれたことなんかよりも、よっぽど名誉なことだった。

バーディは僕よりも歳が上だったけれど、そんなことはまるで気にも留めずに気さくに接してくれた。一緒に訓練を受け、一緒にキャンプを行い、一緒に飯を食って、一緒に眠った。その付き合いはすでに十年を超えていて、僕たちは今もなお一緒に月にいる。最高の相棒だった。

「くそっ、お前も見てないでソーニャを捕まえるのを手伝ってくれよ」

宇宙遊泳でソーネチカに雲泥の差を見せつけられたバーディが、泣きそうな声で僕に言う。

「僕は遠慮しておくよ。勝てない勝負はしないんだ」

「ふふん。あなたたちって本当にどんくさいだから。まるでカメみたい」

「やれやれ。またしばらくはソーネチカがうるさそうだなあ」

「全くだぜ、相棒。ついこの間も、月面ベースボールでソーニャにボコボコにされたばかりだしな」

「だって、あなたたちって本当にヘタクソなんだもの。ボールもまともにキャッチできないなんて」

月面ベースボールは宇宙飛行士の間で流行《はや》っている遊びで、月でやる野球。ルールはだいぶ簡略化されているけれど熱狂的なプレイヤーが多く、バーディはその一人だった。

月の重力は地球の六分の一であるため、ボールも六倍のスピードで飛んでいく。そのため競技は天井のある空間で行われ、天井には反射板という特殊な板を張る。守備をする際のジャンプも大雑把《おおざっ》把《ぱ》に言うと六倍の高さになるので、かなりダイナミックなプレイが生まれる。ソーネチカは守備がとてもうまく、ボールのキャッチが誰よりも上手だった。エースで四番をつとめ、この月ではメジャーリーガーだってソーネチカには敵《かな》わないんじゃないかってくらいのスーパープレイを何度も披露してみせた。ソーネチカのプレイ動画を見たメジャーリーガーの選手が、いつか月で対戦しようとラブコールを送るくらい。

はじめて宇宙空間に出て数回の船外活動を終えた頃には、ソーネチカは船外活動のプロになっていた。一人前の宇宙飛行士に。その適応力はすさまじいもので、これが月面や宇宙空間で生まれた人間特有の性質なのか、それともソーネチカが特別なのかは、今のところ判別がつかなかった。

それを確認するためには二人目のルナリアンが生まれる必要があったけれど、ソーネチカの誕生以来、月に上がる全ての人間が避妊というものを深く意識していたので、二人目のルナリアンが生まれる気配はなかった。何よりもＮＡＳＡがそれを許さなかった。

ソーネチカは生まれながらに宇宙に適応しているというだけでなく、宇宙空間というものをとても正確に認識していた。彼女は、とても遠くの宇宙まで正確に見通すことができた。イルカが鳴き声を反響させて海の様子を探るみたいに。ソーネチカは宇宙をキョロキョロと見渡すだけで、多くの情報を受け取って察知した。

それはまるで、宇宙の声が聞こえているみたいだった。

まさに完璧な空間把握能力。

「ここから離れたほうがいいかもしれない。なにかがこの宇宙船に近づいている気がする」

ソーネチカが体を凍えたように震わせて言った三十分後――僕たちの宇宙船が駐留していた宙域にデブリの雨が降ったことがあった。

それは、まるで一種の超能力だった。

僕たち人類は宇宙空間に出ることで、飛躍的にその潜在能力や感覚を向上させられると信じていた。宇宙空間に適応することで、人類は新しい能力や感覚に目覚めるだろうと何度も議論されてきた。

その通り、ソーネチカはまさに新しい人類と――人の革新と呼ばれる類《たぐい》まれな存在だった。

「ふふん。私の前世はカナリアだったのかも。危険なものがあると、私にはすぐに分かっちゃうんだから」

ソーネチカは炭鉱のカナリアに自分をなぞらえて、よくそんな冗談を口にした。そんな時のソーネチカはとても自慢げで誇らしげだったけれど、その表情にはどこか影が差していた。恐れのようなものが忍び寄っていた。

ソーネチカは少しずつ不安になりはじめている。

自分が周りの大人たちとは違うということに。

少しずつ成長を重ねていくにつれて、僕たち地球で生まれた人類とは何かが決定的に違っているということに――ソーネチカは気がつきはじめていた。

これまでは、特別だとはいってもただ月で生まれた女の子だった。複雑な運命を義務付けられた不幸なお姫さまというだけ。だけど十歳の誕生日を迎えて宇宙空間に飛び出したソーネチカは、間違いなく人類史上たった一人しか存在しない月面人で――ルナリアンだった。人の革新になるかもしれない存在。

ソーネチカは自分の存在の大きさに怯《おび》えはじめていた。ソーネチカの不安が伝わるたびに、僕はどうすることもできない不甲斐《ふがい》ない自分を情けなく思った。

そして、ある日のこと。

「ねぇ、私って宇宙人なのかな？」

「どうしてそんなことを言うんだ？」

ソーネチカは、僕と二人きりの時だけ、そんな不安を率直に口にした。もちろんソーネチカ流の伝えかたで。

「だって、みんなが私のことをエスパーみたいだって言うんだよ？　まるで体のあちこちに目がついていて、何でも見えているみたいだって。人の心だって読めるんじゃないかって言われたし、私だったら宇宙空間に放り出されても、きっと一人で帰ってこられるだろうって。人の心は読めないけど、私なら宇宙空間に一人で放り出されたって、きっとなんとかなっちゃうと思う。でも、そんな言いかたって、何だかとってもうんざりしちゃうでしょう？」

　そう漏らした時、ソーネチカの大きな瞳には大粒の涙が溜《た》まっていた。彼女はそれを流さないように必死に耐えていた。耐える必要のない涙を、ソーネチカはいつも耐えようとした。

　僕はそんな彼女を見るたび、バラバラに引き裂かれそうな気持になった。大声で叫びたくなるほどに。

「誰だ、そんな馬鹿げたことを言ったやつらは？　僕がぶん殴ってやる」

「だめ。いいの。そんなこと気にしてないし。私のせいで喧嘩《けんか》なんてしないでよね？　そんなことになったら、そっちのほうがやれやれって気分になっちゃうから。よけいにうんざりしちゃうわ」

　ソーネチカは声を震わせながら精一杯強がってみせた。わずか十歳たらずの女の子が、こんなにも強がって意地を張ってみせる姿は、僕の心をものすごく強く揺さぶった。まるで激しい嵐が僕の中を通り抜けていくみたいだった。

　僕はソーネチカに、なに不自由なくこの月で暮らしてほしいと思っていた。僕だけじゃなく多くの宇宙飛行士が彼女のことを思って、彼女のために暮らしや生活の環境を整えていったけれど、それもそろそろ限界に達していたのかもしれない。そんなことを思わされた。僕はどうしようもない無力感に苛《さいな》まれていた。

「おいで」

　僕の胸の中に飛び込んできたソーネチカは、僕の腕の中で小さな卵みたいに丸くなった。今にもひび割れてしまいそうな、小さくて、柔らかくて、もろくて、あたたかい卵に。

　僕がソーネチカのためにしてあげられることといえば、こうして抱きしめることくらいしかなかった。この小さな卵が割れてしまわないように、ただ優しく抱きしめるだけ。

ソーネチカは声をころしてさめざめと泣いた。僕の胸に小さな顔を強く押しつけて、泣き顔を見せないように涙を流した。

「私も、みんなと同じがよかったのに」

「ソーネチカはみんなと同じだよ。僕とも同じだ」

「でも私は月で生まれて、あなたは地球で生まれた」

「関係ないさ」

「本当に？　だって月と地球は38万4400キロも離れているのよ」

「日本とアメリカだって1万キロも離れているよ。でも、僕とバーディは同じだ。38万4400キロくらい関係ないさ。そんなものはなんてことのない距離なんだ」

「ほんとに？」

「もちろん。僕たちはこうして一緒にいるし、こうやって分かり合ってるじゃないか？　たまに分かり合えないこともあるけど、それでもしっかりと向き合って乗り越えてきただろ？　これからだってそうしていくんだ」

「でも、地球の人同士でもなかなか分かり合えないのに、地球と月は分かり合えるの？　昔、日本とアメリカは戦争をしていたんでしょう？　今は本当に分かり合えてる？」

ソーネチカの質問は、とても難しい質問だった。地球上の誰一人として、その質問の正しい答えを導き出せた者はいない。誰一人として正しい解答と回答を与えられずにいる、難題中の難題。その答えの一つが——わずかな可能性のようなものが、この月にはあると僕たち宇宙飛行士は信じていたけれど、今のところそれはうまくいってはいない。

地球では、今も争いが続いている。

僕は、僕をこの月に打ち上げてくれた女の子のためにもそれを実現したいと強く願い――それを実行してきた。この宇宙が平和で静かであり続け、そして地球の全ての人が資源やエネルギーに悩まされることがないようにと。だからこそ、僕はこう答えずにはいられなかった。

「分かり合えるよ。絶対に。僕たちは、いつも多くの問題を乗り越えて前に進んできた。確かに、日本とアメリカとは過去に戦争をした。お互いにひどい数の犠牲者を出した。だけど、今はこうして一緒に月の開発を行っている。月面の資源採掘計画は日本とアメリカの共同で行われ、この月面居住区も日本とアメリカが主導して建設したんだ。僕たちは過去を一つ乗り越えて、小さな一歩を踏み出したんだよ。それは、人類にとってもとても大きな一歩だ。僕たちはいつか多くの問題を乗り越え――いろいろな物事に引いてしまった国境線だって乗り越えるんだ」

「でも、私の二つの故郷の日本とロシアは今も喧嘩《けんか》中なんでしょう？」

「喧嘩中？」

「だって、日本の領土のはずの北方四島は今も返ってきてないし、ロシアは返す気もなさそうだし。それにロシアは戦争ばかりしてるじゃない？」

ソーネチカの言葉に、僕はわずかな動揺を覚えた。

北方四島の話が、ソーネチカから出るとは思っていなかったから。

「たしかにそうかもしれない。だけど、僕たちはロシアとも一緒に宇宙開発をしている。これでも、少しずつ歩み寄っているんだよ。なかなかいっぺんには解決できないんだ。これは国家機密級に内緒の話だけれど、現在、日本とロシアで北方四島を共同開発しようって計画があるんだ。それも宇宙開発のための計画なんだ。僕たちは宇宙開発を通じて、過去の出来事を克服できるかもしれないんだ」

僕は残念な気持ちを隠さずに言い、そして未来に向けての希望を語った。

日本とロシアによる北方四島の共同開発は、国内外から多くの反対——特にアメリカからの——があるものの、真剣に検討されている計画だった。島の帰属を日本にせずに、帰属や主権が曖昧《あいまい》なままで行われる共同開発が日本国民——特に島民の方々——に受け入れられるかどうかは分からないけれど、それでもこのまま手つかずのまま北方四島を放置しておくよりは、両国にとって有益な計画ではあった。

宇宙開発を前に進めるうえで、なによりも有益だった。

僕は、その計画が成功することを願っていた。

日本という、とても高いところから落とした雫《しずく》が飛び跳ねてできたような島国の中で、もっとも遠くに飛び跳ねたその島々は、僕にとってとても特別な島だった。

かつて、僕たちは北方四島を賭けた。

僕は、僕の人生を賭けて——女の子は彼女の人生を賭けた。

その結果、僕はこの月にたどり着いた。

あの賭けがなかったら、僕たちが互いの人生を賭けなかったら、間違いなく僕は今ここにいなかっただろう。だからこそ賭けの対象にしてしまった日本でもロシアでもない曖昧《あいまい》なその島が、正しい形に戻ることを——僕たちが目指した宇宙と月に貢献する島になってくれることを、僕は強く願っていた。

ソーネチカは、僕の言葉を聞いて小さく頷《うなず》いた。全てに納得したわけでも、理解してくれたわけでもないけれど、それでも理解しようと歩み寄ってくれた。

「ふーん。分かったわ。じゃあ、私がニンジンを食べないことも分かり合える？」

少しだけ元気を取り戻したソーネチカは、いつもみたいに冗談を言って、もう心配ないと暗に僕に示してくれた。自分の心がどれだけ落ち込んで、心がささくれ立っていても、ソーネチカは他人を思いやる気持ちを忘れない。ソーネチカのその優しさを、僕はときおり心苦しく思ってしまう。もっとわがままになってほしいと思ってしまうほどに。

「じゃあ、こうしよう。今日は嫌いなニンジンを食べなくていいよ。そのかわり、明日はちゃんと食べる。ほら、僕たちは分かり合えた」

「ぜんぜん分かり合えてないっ。私は、私が一生ニンジンを食べなくていいってことを、あなたに分かってほしいのに」

「じゃあ、明日からも話し合いを続けよう。とりあえず今日は食べなくていいんだ。大きな一歩じゃないか？」

「明日も絶対食べないっ」

僕は微笑《ほほえ》みを浮かべながらソーネチカの涙をぬぐってあげた。

「ねえ、私――地球に行ってみたい」

ソーネチカは、いよいよその言葉を口にした。それはソーネチカにとって一大決心だったはずだ。これまで幾度となくそう思い、心に決めたとしても、ソーネチカはその言葉を軽はずみに口にしたりはしなかった。覚悟と決意をもってしかその言葉を口にしてはいけないということを、ソーネチカは痛いほど理解していたから。

彼女の灰色の瞳には、決意の灯が宿っていた。

僕はもうこれ以上そのことをはぐらかしたり、引き伸ばしたりすることはできないだろうと確信した。これ以上ソーネチカを地球から遠ざけてしまえば、彼女は自分の心に消すことのできない線を引いてしまう。そんな予感がした。

それは月と地球とを隔てる境界線であり——国境線。

一度その線が引かれてしまえば、ソーネチカは二度とこちら側には戻ってこられなくなってしまうかもしれない。線の上には高い壁がそびえ立ち、僕たちとソーネチカとを永遠に隔ててしまうかもしれない。僕には、そのことが痛いほど理解できた。

「ああ。できる限り力になるよ。ソーネチカが地球に降りられるように」

「私、絶対に地球に行くわ。みんなに私のことをたくさん知ってもらって、見てもらって、話を聞いてもらって、私だって地球のみんなと何も変わらないんだって、しっかりと分かってもらうんだから。地球の人たちは、私のことを仲間に入れてくれるかなあ？　歓迎してもらえると思う？」

ソーネチカは希望と不安の入り交じった切ない声で尋ねた。

僕はソーネチカの頭をくしゃくしゃと撫《な》でた。

「もちろん大歓迎さ。ソーネチカを出迎えるために世界中から十億人くらいの人が集まって、みんながソーネチカにようこそって拍手をするんだ。きっと毎日が歓迎パーティで休む暇もないぜ？」

それを聞いたソーネチカは、顔を真っ赤にしてくすくすと笑った。

「とっても素敵ね。でも、私が地球に降りた時はようこそじゃなくて——おかえりなさいって言ってほしいなあ。私だって地球の人と同じなんだから」

彼女は「地球と同じ」という言葉に、ことさら熱を込めて言った。

そこには縋《すが》りつくような何かがあった。

拠《よ》りどころのような何かが。

「分かったよ。ソーネチカが地球に降りてくる時の準備は、僕が全てを取り仕切るよ。ソーネチカが気に入るようなとっておきの演出を考えなくちゃなあ」

「ああ、楽しみだなあ」

ソーネチカはうっとりと言って続ける。

「私、地球に降りたらやりたいことがいっぱいあるんだ。ショッピングモールで買い物もしたいし、大きな映画館で映画も見たい。遊園地にも水族館にも行ってみたい。飛行機にだって乗ってみたいし、なにより海に潜ってみたいわ。あとねえ、マクドナルドも食べてみたい。それに大統領にも会ってあげたいなあ。総理大臣にも。いつも私にメッセージとプレゼントをくれるから」

ソーネチカは楽しそうに指を折りながら、地球に降りた時のことを想像して話した。マクドナルドと大統領を同列に語ってしまう無邪気さや無垢《むく》さを目の前にして、僕はとても深く傷ついていた。

ソーネチカの話を聞いている間、僕は必死に歯を食いしばって我慢していた。

そうしなければ、今この場で泣き出してしまいそうだったから。

ソーネチカが地球に降りることはないと、僕は知っていた。

それは、できないことなのだ。

そのことを、この時の僕は十分すぎるほどに知っていたんだ。

ＮＡＳＡのスタッフや世界中の医療機関や研究機関が議論を重ねて、そんな結論を下していた。

もちろん、その議論には僕も何度も参加した。その議論の末――ソーネチカは地球に降りることができないだろうという結論が下されていた。

だからソーネチカの語る未来が明るければ明るいほど、希望に満ち溢《あふ》れていれば満ち溢れているほど、僕は深く傷ついた。僕の語る嘘《うそ》が大きければ大きすぎるほど、僕は自分を許せなくなった。

僕は激しすぎる嵐にさらされ続けて、心と体がバラバラになってしまいそうだった。

月の嵐はとても激しい。

そして、とても冷たかった。

Track5

Someday My Prince Will Come

1 終着駅

ソーネチカが地球に降りると宣言してからの日々は——苦痛と困難の毎日だった。

そもそもソーネチカの体は、地球の重力に耐えられるようにはできていない。彼女は月の小さな重力の中で生まれたため、地球で生まれた人間よりも骨や筋肉が弱い。心臓を含めた循環器系も著《いちじる》しく弱いので、生まれながらに地球の重力に耐えられる体ではなかった。さらに長年の月面生活で骨や筋肉、そして循環器系はより弱くなっていた。

その小さな体は、日に日に弱く脆《もろ》くなっている。柔らかい卵の罅《ひび》が広がっていくように。

これは宇宙で暮らす全ての者に共通する一つの病。

僕たち宇宙飛行士も長い間宇宙にいると骨や筋肉が著しく弱くなり、循環器系に異常をきたす。宇宙飛行士が毎日ハードな筋力トレーニングを義務付けられているのはそのためである。それでも地球に戻った時に感じる重力はすさまじいもので、それは言葉では説明しがたいものだった。

自分の体重が突然に六倍になったと言えば分かりやすいだろうか?

地球に降りてからしばらくはまともに歩くこともままならず、家族と抱き合うこともできない。もちろん恋人や我が子を抱きかかえることもできず、自分が無力な老人にでもなったような気にさえなる。それかしぼんだスポンジか。

ソーネチカの場合は、僕たちとはまるで話が変わってくる。そもそも彼女の体は、地球の重力を知らない。僕たちが地球に降りた時、僕たちの体は地球の重力を思い出す。徐々に体が元の重力やその負荷に慣れていき、地球の重力に適応し直していく。体の記憶を頼りに肉体をもとの状態に戻していく。しぼんだスポンジが水を吸って膨らみ、元の形に戻っていくように。

ソーネチカの体には、その記憶がない。彼女が地球に降りた時、そのか弱い体は生まれてはじめて地球の重力を感じる。未知の重力を浴びたその体は、地球の重力とその負荷に耐えられずに壊れてしまうだろう。

だからソーネチカが地球に降りる場合は、完璧な肉体改造が必要だった。僕たち宇宙飛行士が日頃している何倍ものトレーニングが必要となる。ハードな筋力トレーニングだけでなく、投薬や食事療法によるアプローチも試す必要があり、まだ実証されていないありとあらゆる方法や理論をもって、ソーネチカの体を地球の重力に耐えられる体へと改造しなければならなかった。

トレーニングを行った初日、ソーネチカは三度吐いて最後には失神した。その後丸三日間、まともに立ち上がることもできなかった。

「まぁ、はじめはこんなものよね。だって、私は今まで華麗なアイススケートの選手だったのよ？　それが突然アメフトの選手になろうとして屈強なラインズマンにぶつかっていったんだもん。失神ぐらいするわよ」

ソーネチカは、せいいっぱいの強がりを吐いてみせた。

それからは毎日が挫折《ざせつ》の連続だった。ソーネチカは壁にぶつかるたびに落ち込み、へこたれ、涙を流し、自分に絶望し、泣き叫び、諦めかけ――そして立ち上がった。立ち上がった後、彼女は消えてしまいそうな小さな気力を必死に振りしぼって、立ちはだかる壁に立ち向かっていった。

ソーネチカが立ち向かっていく必死な姿を見ている時、僕が歯を食いしばりながら考えていたこことといえば――早くこの悪夢のような時間が終わってほしいということだった。僕はソーネチカに諦めさせようと、地球に降りることは無理だと説得しようと何度も考えた。

だけど、僕は最後までソーネチカに諦めようとは言えなかった。

どうしてそんなことが言えただろう？

ソーネチカが必死になって壁に立ち向かっている間、僕にできたことといえば――彼女を励まし、なだめ、慰め、涙をぬぐってやり、何の役にも立たないゴミクズみたいなアドバイスをすることだけ。あれほど希望に満ち溢《あふ》れたソーネチカの瞳が失望と絶望に染まっていくのを、僕はただ近くで、その隣で見ていることしかできなかった。

僕は、その度に一人で涙を流した。ソーネチカの前では絶対に涙を流さなかった。二人で泣いてしまったら、たぶん僕たちはダメになってしまうと思ったから。僕たち二人はバラバラになってしまう、そんな予感がしたから。

だから、僕は一人で泣いた。

そんな僕を見て、エリーが慰めるように言ってくれた。

「ねぇ、ソーネチカの近くにいるのがつらいのなら、少しの間、地球に降りてみたらどうかしら？だって、もう一年以上も連続で月面にいるのよ？　医療スタッフとしては見過ごせないわ。今度は、あなたのほうが地球に帰れなくなる」

「そんなことできるわけないだろう？　僕がいなくなったら、ソーネチカはどうなるんだ？」

「なら、私が説得をしてみましょうか？」

「説得する？」

「ええ。地球に降りるのを諦めるように。一時的によ？　これまでソーネチカが頑張ってくれたおかげで、今後、宇宙での生活は劇的に飛躍する。月面は資源やエネルギーだけでなく、医療の観点でもブレイクスルーを起こすことができる。これは一研究者として私も間違いないと断言できる。でも、今すぐに地球に降りられるような体をつくることは無理なのよ。いつかそうなるかもしれない。断言はできないけれど、多くの研究者が、その実現に向けて日々研究に励んでいる。地球にだって、ソーネチカを地球に降ろしてあげたいと思っている人々がたくさんいる。今、ソーネチカが必要以上に無理をすることはないわ」

「だけど――」

僕が言葉に詰まると、エリーは僕の手を強く握った。彼女は、僕を真っ直ぐに見つめる。その青色の瞳は滲《にじ》んでいた。

僕たちの付き合いもずいぶんと長くなっていた。僕とエリナー・レインズは、彼女が医療スタッフとして月に上がってくる前からの付き合いだ。僕がはじめて月に上がり、そして任務を終えて地球に還った後、僕のリハビリを担当してくれたのがエリーだった。

「はじめまして、偉大なる日本人ムーンウォーカー。あなたのリハビリを担当するエリナー・レインズよ。みんなはエリーって呼ぶわ。私は月面での医療研究と、あなたたち宇宙飛行士の健康管理を担当するスタッフを希望しているの。あなたからもいろいろと学びたいと思っているわ。よろしくね」

日差しのように明るい金色の髪、西海岸の海のように濃い青色の瞳を持ったアメリカ人女性。僕よりも少しだけ背が高い彼女は、強い芯のある声でそう自己紹介をした。それは、とても心地よい声と言葉だった。揺るがない意志のようなものが感じられた。

月面の医療スタッフとして働くという未来は、彼女の中ですでに自分の人生のスケジュールに刻まれていると言わんばかりの自信に満ち溢《あふ》れていた。その競争率はものすごく高いにもかかわらず。天文学的な数字と言っても過言じゃない。

だから僕は、出会った瞬間から彼女に敬意のようなものを抱いていた。

そんな太陽のように眩《まぶ》しかったエリーが、今は泣きそうな顔で僕を見つめている。不安で押しつぶされてしまいそうな、恐怖に身をすくめてしまいそうな、そんな表情を浮かべている。

最近、僕の周りにいる全ての人が不安や恐れを抱いているように思えた。もちろん、僕も含めて。月全体が不安や恐れに包まれているような気さえした。月面の開発は順調すぎるほどだというのに。

「あなただけが責任を感じる必要は、こんなにも苦しむ必要はないのよ？　あなたにはあなたの人生がある。ソーニャに縛られるだけが――あなたの人生じゃないはずよ」

その言葉に、僕は傷ついた。

「縛られている？　僕がソーネチカに？　僕のことを思って言っているんだとしても、そんなことは二度と言わないでくれ。僕は望んで月にいるんだ。何かに縛られているからじゃない。絶対にそんなことはない」

気がつくと、僕は声を荒らげて捲《まく》し立《た》てていた。エリーは困ったように肩をすくめた。

「ソーネチカが地球に降りることを諦める時は、彼女がそう決断した時だ。勝手にそんな話を持ち出したら、僕は絶対に許さない。これ以上ソーネチカを地球から遠ざけてしまったら、彼女はきっとダメになってしまう。僕たち人類を見放してしまう。どうしてそれが分からないんだ?」

僕のあまりの剣幕に、エリーはとても悲しそうな顔をして頷《うなず》いた。

「わかったわ。これ以上は何も言わない。きっとあなたが縛られているのはソーニャではなくて、この月なのね? 私にはどうすることもできないのね? あなたは、ずっと月だけを見つめていた。その理由を、私に話してはくれなかった。きっと、私じゃあなたの欠けた何かを埋めることができないのね。私にはどうすることもできない」

そう言い残して、エリーは僕の前から姿を消した。

そして、この月を去って行った。

かつて僕の恋人だった女性は——月を離れて地球に降りることで、新しい人生に踏み出していった。僕は深い繋《つな》がりを一つ断ち切ってしまうことで、この月に留《とど》まる理由を強くした。

エリナー・レインズが言った通り、僕はこの月に縛られていたのかもしれない。

そんなことは分かり切っていた。

分かり切っていたんだ。

「ねぇ、レインズさんがいなくなっちゃったけど、あなたはいなくなったりしない? 地球に降りてもすぐに戻ってきてくれる?」

エリーの帰還を知ったソーネチカは、そんな不安を口にした。

無理もないことだった。多くの人が、この月を去って行った。そして、新しい人が次から次へと月を訪れた。一度地球に帰ってしまった人の多くが、二度と月に戻って来なかった。「またね」と約束をしても、その約束が果たされることはなかった。地球で暮らす人にとってこの月は単なる通過点であり、永住の地ではなかったから。

仕事を済ませてしまえば、二度とこの月には戻ってこない。

それが当たり前の場所。

そのことを、もうソーネチカは十分すぎるほどに理解していた。その事実に深く傷つきながら、その事実と向き合わなければいけなかった。

「みんなにとって、この月は単なる通過駅なのね。ほんの少しの間だけ留《とど》まって、珍しい景色を見て終わり。景色に満足したら、また列車に乗って帰って行く。誰にとっても終着駅じゃなく――ただの通過駅なんだわ。私は一人で駅のホームに佇《たたず》んで、みんなが車窓から手を振るのを眺めているだけ。たまに手を振り返してあげたり、にっこりと微笑《ほほえ》んであげるだけ。私は、みんなの思い出になっていくだけなんだわ。だって、私はどこにも行けないんだもの。私の終着駅はこの月で――私にはどんなレールも敷かれていないのよ。それどころか、私には乗りこむ列車すらないんだわ」

そう口にした時のソーネチカの絶望は、僕なんかには計り知れなかった。どれだけの絶望や失望がそこに込められていたのか、僕には分からない。僕なんかには、理解できるわけもない。

だって僕たちは、この月を目指してここまで来た。

この月が、僕たちの乗った列車の終着駅だったから。

だけど、そんなことはソーネチカにはまるで関係ない。

ソーネチカは、月で生まれたことを呪いはじめていた。

この月は彼女の星であり――彼女の城。

人類にとってこの月は希望の星であり、これから発展を遂げていく人類最後の開拓地。それと同じようにソーネチカは僕たち人類の希望であり、僕たちの未来のはずだった。けれどこの時のソーネチカにとって、この月は自分を閉じこめる巨大な檻《おり》であり――誰も留まることのない寂れた通過駅でしかなかった。ただ列車が過ぎ去るのを見送るだけの、彼女だけの終着駅。

月は、ソーネチカだけしか存在しない冷たい星になろうとしていた。

そんな彼女を置いて、どうして僕は地球に帰れただろう？

今ソーネチカを離してしまったら、彼女は永遠に孤独に――永遠にひとりぼっちになってしまう。

それだけは絶対にしてはいけない。

僕はもう二度と大切な女の子をひとりぼっちにしたりしない。

そう心に誓っていた。

そう自分に言い聞かせていたんだ。

2　アームストロング市

ソーネチカが十二歳になった時、彼女を取り巻く環境はより複雑になっていた。ソーネチカの特別さはより際立ち、彼女は月のシンボルというだけでなく――月面開発の、そして宇宙開発のシンボルにさえなっていた。

ソーネチカが地球に降りる目途《めど》はまるで立っていないにもかかわらず、彼女が壁に立ち向かっていくことで得られた研究データや医療記録は、多くの分野で目覚ましい成果や功績を残していた。ソーネチカのおかげで宇宙で暮らす人々の健康状態は著《いちじる》しく飛躍した。宇宙空間で弱った肉体を改善するための方法が多く発見され、その結果、宇宙での医療は格段に進歩した。

皮肉なことに、ソーネチカが壁にぶつかり、跳ね返され、割れた卵のように傷ついている間にも──月面の開発はどんどんと加速し、そのことがソーネチカをより傷つけていた。ソーネチカの心を深く翳《かげ》らせていたんだ。

月面には、すでに三つの居住区が建設されていた。

僕たち宇宙飛行士が一からつくり上げ、長い間親しんできた『静かの海』に建設した月面居住区は、その姿を月面初の居住都市──

『アームストロング市』に姿を変えていた。

静かの海の地下には、全長50キロに及ぶ巨大な穿孔《せんこう》──トンネル──が延びていて、月面居住区はこのトンネルに向けて増設を続けてきた。この大空洞とも呼べる地下トンネルは月の溶岩チューブであると考えられ、今は冷えて固まっていることから、居住区の建設に最適であると判断された。そしてこれまで使用していた月面の施設はドーム状に改修され、地下は居住区画となった。東京ドームの地下にとても巨大な地下鉄の駅が続いていると説明すれば分かりやすいだろうか?

月面の地下に居住区を建設することの利点は多い。

月は大気がないため昼夜の寒暖差が大きく、昼は110℃、夜はマイナス170℃にもなる。その点、トンネル内は比較的温度が安定しているため、人が生活するための環境を整えやすい。また、空洞の壁や底はガラス質で覆われていて密閉性が高く、居住空間を建設しやすかった。

そうして、かつて宇宙船の着陸モジュールをいくつも繋《つな》ぎ合わせただけだった月面居住区は、長い時間をかけて増改築を繰り返し――『アームストロング市』へと至った。

『アームストロング市』の名誉市長にはもちろんソーネチカが任命され、彼女はその就任式で見事すぎるスピーチを披露してみせた。

「地球で暮らす皆さん、ごきげんよう。かつて鷲《わし》が舞い降りたこの月は、今日という特別で素敵な日を迎え――皆さんのおかげで、ここまで発展することができました」

ソーネチカは新しく仕立てられた赤いドレスに身を包み、たくさんのマイクが花束のように向けられた壇上で、堂々と第一声を上げてみせた。その表情はとても精悍《せいかん》であり、複雑に結われた白金《プラチナ》色の髪の毛と同じく見事すぎるほどに決まっている。

この瞬間が歴史の一ページに載るであろうことを、ソーネチカはしっかりと理解していた。

「かつて、この月に降り立った宇宙飛行士の第一歩。一人の人間にとって小さな第一歩でしかなかった足跡は、後に続く大勢の人たちの情熱と努力によって――人類の大きな足跡となりました。その歩みは、人類の偉大なる功績へと形を変えたのです。地球で暮らす大勢のみなさん、ようこそ――『アームストロング市』へ。私は、この月を訪れる全ての人を歓迎します。この『アームストロング市』こそが、皆さんが毎晩夜空を見上げて願いをかけた星です。人類が目指してたどり着いた月です」

全てを受け入れると言ったその言葉を体現するかのように、大きく手を広げて前に突き出したソーネチカの姿は、まるで地球そのものを抱きしめているように見えた。

十億人以上がライブ中継を視聴したソーネチカのスピーチは、人類ではじめて月面に降り立ったニール・アームストロング船長の言葉を踏襲したもので、彼女が一週間をかけて練り上げた渾身《こんしん》のスピーチだった。

この素晴らしすぎるスピーチを受けとった地球の人たちは、激しく興奮し、熱狂し、月に焦がれた。地球の人々はまたしてもソーネチカに夢中でメロメロになり、大勢がソーネチカに恋をして、夜空に浮かぶ月に手を伸ばした。

そのスピーチは、間違いなく人類の歴史に残る偉業だった。

偉大な歴史の一ページ。

スピーチを終えた後のソーネチカはとても得意げで、とても無邪気に喜んだ。それは久しぶりに見る純真無垢《むく》な笑顔だった。

「とてもよかったよ。最高のスピーチだった」

「ふふん。私にかかれば、これくらいお手のものなんだから。地球で暮らす人たちが、私に何を求めているのかとか、私に何を願っているのかなんて、私には全部わかっちゃうんだから。私は、その願いを聞き届けてあげるだけでいいの。そうすれば、みんなちゃんと喜んでくれるんだから」

ソーネチカは、それを自分の大切な使命のように語った。ソーネチカはいつだって僕たちの願いを聞き届け、その願いを叶《かな》え続けてくれた。彼女は無責任で自己中心的な大人たちの言葉に絶対に首を横に振らず、どんなことでも承諾して見事にこなしてくれた。それでいてソーネチカは大人たちに言われるままの操り人形なんかにはなったりせず、ソーネチカ流のやり方で見事にこなした。ステージに上がって完璧なパフォーマンスを見せるダンサーのように――ソーネチカはいつだって観客の期待に応え続けたんだ。

それは、とても素晴らしいことだった。

だけど、僕はそんなソーネチカを見るたびに心苦しさを覚えた。

僕は心のどこかで願っていたのかもしれない。ソーネチカが大人たちの言葉に首を横に振り、自分に与えられた全てのことを拒否するのを。その時が来たら、僕はソーネチカの味方になろうと決意していた。僕は、その時をただじっと待っていた。夜空に浮かぶ月が満ちるのを待つように。だけど、そんな瞬間が訪れることはなかった。

そしてソーネチカが人類の願いを叶え続けるかのように、月面の開発と発展は加速し続けた。ヘリウム3の採掘ステーションは拡大を続け、ヘリウム3を燃料とする月面の核融合炉は三基に増設された。月の大地はコンクリートで舗装され、無数のパイプラインが縦横に走った。レアメタルの採掘場もあちこちで建設され――月は第二のゴールドラッシュに沸いていた。

地球の静止軌道上に建設された宇宙ステーションから離発着する月との往復シャトルは一日三便になり、毎日何かしらかのシャトルや宇宙船が月の宇宙港に停泊した。

そんなふうに発展を遂げる月の光景を眺めながら、ソーネチカは日々ボロボロになっていく自分の体を月に重ね合わせて、やれやれと肩をすくめた。

「月が発展するごとに、私の体が少しずつダメになっていくみたいね？　なんだか月と私はリンクしているみたいだわ」

自嘲気味に語られたその言葉に、僕は返す言葉もなかった。

ソーネチカは、月の小さな重力に縛りつけられていた。そこから抜け出そうともがけばもがくほど、月の重力は茨《いばら》の棘《とげ》のように彼女のか弱い体に絡まり、その細い手足を絡め取っていった。そしてソーネチカをさらに深く傷つけて、身動きが取れないようにきつく彼女を縛りつけた。

ソーネチカは、自分の無力さを嘆いていた。こんな小さな重力すら振りほどけない自分のか弱すぎる体を恨みはじめていた。

「月なんか開発し尽くしちゃえばいいんだわ。そうすれば私なんか用済みになって、きっと誰も私のことなんか気にもしなくなるし、見向きもしなくなるんだから。そうなったら、私はこの月で静かに眠れるんだから。月から何もかもなくなっちゃえばいいのよ」

ハリネズミのように刺々《とげとげ》しくなって感じやすくなったソーネチカが、涙を流しながらそう言う。

彼女の部屋はますます荒れていった。大きすぎる嵐が今、この瞬間に巻き起こっているみたいに。

僕はソーネチカの涙をぬぐい、彼女をなだめて慰めてあげることしかできなかった。一番残酷な方法でしか、ソーネチカを支えてあげられなかった。

ソーネチカの月は完璧なまでに翳《かげ》り――その姿を完全に隠してしまおうとしていた。

彼女は、暗闇の中にたった一人で立ち尽くそうとしていた。

それでも、ソーネチカは僕たち人類の願いを叶《かな》え続けた。

まるで夜空に浮かぶ星のように。

3　月の花嫁

月面の開発は、人類に多大な貢献をもたらし続けた。

それは人類にもたらされた新たな産業革命。

軽工業を中心とした第一次産業革命。電気や石油によって重工業へと移行した第二次産業革命。

原子力エネルギーによる第三次産業革命。

それに次ぐ——第四の産業革命。

それは、人類最後の産業革命とも呼ばれた。

地球のエネルギー問題の大半は解決の目途《めど》が立ち、新たな鉱物資源も次から次へと地球へ送られるようになった。枯渇《こかつ》するのではと恐れられていた資源の多くが、月面の開発によってその枯渇をまぬがれた。地球の多くの国でヘリウム3を燃料とする核融合炉が建設され、それまでの発電技術や発電施設は過去の遺物へと成り下がろうとしていた。電力は空気の次に安価なものになり、多くの国がエネルギー政策を石油や天然ガスに頼らないモデルへと移行して、人類のライフスタイルは大きく変化しようとしていた。日本では道路を走る車の九割が電気自動車へと変わり、オール電化の住宅が当たり前になっていた。

そのことでいくつかの国が戦争を起こし、いくつかの国が地図の上から消え、国名が書き換わったりした。新しい地図を描く必要が何度もあったけれど、それでも人類は月面の開発を望み、月に希望を見出《みいだ》し続けた。

ソーネチカをシンボルとした月の影響力はますます強くなり、もはや地球の経済活動は月面の開発がなければ立ち行かなくなりはじめていた。多くの国の経済が、多くの企業が、月に依存しきっていた。そのことに対して、新しく月に上がってきた宇宙飛行士は嘆きの言葉を漏らした。

「世界というものは今、神によって試されています。我々が宇宙開発を行い、月を発展させたことによって、多くの争いが生まれている。新しい戦争と、新しい悲しみが産み落とされてしまったんです。我々はそれを乗り越えなければいけません。一致団結して」

仰々しく演説した彼は、僕の新しい相棒。先に地球に降りたバーディの代わりに、この月面にやってきたロシア人宇宙飛行士だった。

「また神の話か？　いい加減聞き飽きたよ、アレクセイ」

アレクセイは宇宙飛行士でありながら神の存在を信じて疑わない敬虔《けいけん》な信者で、聖職者として叙《じょ》階《かい》をも授かっていた。右腕に常にロザリオを巻いていて、ときおり愛《いと》おしそうに十字架を撫《な》でている。聖書を丸暗記するほど読み込んでいて、他に多くの本を読んでいる読書家でもあった。

僕にとっては、ある意味で特別な宇宙飛行士だった。

アレクセイは長い間、僕のことを地上から支えてくれたキャプコムであり――僕のバックアップクルーでもある。僕とアレクセイは彼が訓練生の時代から交流があった。それ以前からも。偉そうなことは言いたくないけれど、僕が育てて一人前にした宇宙飛行士と言っても過言じゃない。

ちなみに宇宙飛行士は宇宙に上がる任務を受けると、必ず自分の後任となるバックアップクルーを任命しなければならない。これは自分が何らかの理由でミッションを行えなくなった時――例えばミッションの続行が不可能な怪我《けが》や病気をした時、また何かしらの理由で命を落とした時――滞りなくミッションを続けるための措置だ。

つまり僕が宇宙に行けなくなったら、アレクセイが宇宙に行く。

そうやって宇宙飛行士同士はお互いに命を預け合う。

僕も、かつてはバックアップクルーだった。偉大なる先輩宇宙飛行士に命を預けられた。そしてその後、僕はアレクセイに命を預けた。つまるところ、僕たち宇宙飛行士は新米宇宙飛行士を一人前にしてようやく一人前になれるのだ。だからわざわざ誇るようなことではないんだけれど、それでもその事実は僕たち宇宙飛行士の誇りだった。

そういう意味でもアレクセイは特別な宇宙飛行士だったけれど、僕にとっては個人的な意味でも特別だった。そこにはある種の懐かしさと、ある種の思い出が込められていた。

月で再会をしたアレクセイはにっこりと笑って続ける。

「その通りです。だって、私はこの宇宙に神がいることを証明するために、月に上がったのですから」

この言葉が、なによりも僕を懐かしい気持ちにさせた。僕はアレクセイの甲高《かんだか》い声を聞くたびに、アレクセイとはじめて出会った時のことをありありと思い出すことができた。

羊の毛みたいにふわふわとした金髪の青年――まだ宇宙に出たことのない宇宙飛行士訓練生は、僕の記憶の中のままだったから。

アレクセイと僕は、よく神について議論をした。僕たちの会話はいつも平行線だったけれど、それはとても心地よく、愉快な平行線だった。

「お前の国の英雄ガガーリンは宇宙に神は見当たらないって言ったぞ？」

「ロシア人の間違いは、ロシア人が正さなければなりません。私は彼の言葉を否定するために宇宙飛行士になったのですから」

「宇宙に神さまがいるっていうのか？」

「ええ。もちろん存在していますよ」

神を語る時、アレクセイはいつもにっこりと笑う。彼は無邪気な少年のような宇宙飛行士だった。そして全てのものを愛していた。

「私たちが今こうしてこの月と宇宙で生活を営み、こうして隣人を愛することができるのは、神がこの宇宙に存在している何よりの証拠じゃありませんか？　いったい神が存在しているということの何を疑うというのですか？」

「だったら、この月に溢《あふ》れるエゴやインチキを全て消し去ってくれって、お前の信じる神さまに頼んでみてくれ。大勢の悲しみや苦痛を今すぐ和らげてやってくれ」

「神を試すことは許されません」

アレクセイはゆっくりと首を横に振った。僕の間違いを正すように。

「私たちはただ神に祈り、そして神を信じることしかできないのです。あなたがこの月のエゴやインチキを消し去り――多くの人たちの悲しみや苦痛を和らげてあげたいと願うなら、それは人の手によって行わなければなりません。私たちの手で行うしかないのです」

僕には全くもって理解不能だった。

それでも、そんな会話が楽しかった。

アレクセイは絵や音楽などの芸術にも精通していたので、地球の芸術に興味津々なソーネチカとすぐに打ち解けた。ソーネチカに油絵の描き方を教えてあげ、楽器の弾き方を教えてあげた。ソーネチカはすぐにアレクセイの良き生徒になり、絵画に没頭してピアノやギターを弾くことに夢中になった。それはソーネチカにとって良い息抜きとなった。

「アレクセイって本当に教えるのが上手なの。それにとっても心地よくのせてくれるの。気がついたら踊り出してる感じ？　なんだかアレクセイの手のひらの上で踊らされているみたいで少し癪《しゃく》に障《さわ》っちゃうくらい」

その日描いた絵や、習った楽器を僕に見せたり披露したりしながら、ソーネチカはそんなふうに語った。どうやらアレクセイは僕とは違ってエスコートの仕方がとても上手らしい。僕は、少しだけ気を落とした。

「ソーニャはとても良い生徒ですからね。こちらもつい熱が入ってしまうのです」

アレクセイはにっこりと笑って、僕とソーネチカを見守るように眺めていた。

「アレクセイのおかげで、私の生活はルネッサンスだわ。ようやく我が世にもルネッサンスが訪れたのよ」

ソーネチカは湧き出る芸術魂を燃え上がらせて、絵や音楽に没頭していった。奇《く》しくもソーネチカのその芸術魂と時を同じくして、月も芸術に沸いていた。

月が地球にもたらした恩恵や影響は、エネルギーや資源といった経済的なものだけではなかった。数学、物理学、エネルギー力学、航空宇宙学、量子力学、建築学、経済学、社会学、宗教学、そして文学に至るまで、ありとあらゆる学問が発展していった。学者や研究者の多くは月に研究所を持ち、月面でしかできない研究に没頭した。画家、漫画家、ミュージシャン、アニメーター、映像監督などの芸術家やアーティストたちの多くも月に上がり、そのインスピレーションやクリエイティビティをいかんなく発揮して、新たなエンターテインメントを量産し続けた。

月は、まさにルネッサンスだった。

学問に沸き、芸術に沸いていた。

そんな月が人類に与えた最大の恩恵は、間違いなく医学であり医療の進歩だと思う。

これまで難病だと言われていた病——克服や根治が困難だった病気や障害の多くが、月面や宇宙空間での研究によって治療法が発見されたり、ワクチンの開発に成功したりした。宇宙での医療技術の発展によって助かった患者の数は、日を追って増えていった。

その医療技術の発展に貢献したのは、やはりソーネチカだった。生まれたその瞬間から宇宙に適応していた彼女の体とその医療記録が——彼女が地球に降りるために努力した数々の挑戦が、多くの成果を生み出すことになった。ソーネチカに施された最先端の医療技術や、彼女の体を地球に降りられるようにするための様々なアプローチが、宇宙で生活をする人々だけでなく、地球で暮らす多くの人たちをも助ける結果となった。

ソーネチカが地球に降りる目途《めど》は、全く立っていないにもかかわらず。

彼女が地球に降りると宣言をしてから、すでに四年が経《た》とうとしていた。

そんな中、『アームストロング市』に設立された医療研究センターには、多くの医者や学者だけでなく——地球で暮らす難病の子供たちまでもがやってくることになった。そして宇宙での闘病生活を送ることに。これまで月の医療研究センターで受け入れていた患者の枠を、児童にまで適応しようという新しい施策が始まろうとしていた。

ソーネチカが十四歳を迎えたこの時期、地球で暮らす人が月を訪れることはもうそれほど珍しいことではなくなっていた。

月には二十万人を超える労働者がいる。宇宙飛行士だけでも二百名以上が月に在籍している。五年以内に、月面の人口は百万人を超えると言われていた。

月面の旅行も、それほど特別というわけでもなくなっていた。少し高額な料金を払えば――地球一周以上の金額なので、多くの人にとっては手の届かないチケットではあったけれど――誰でも月に上がることができたし、観光名所を回るためのツアーも組まれていた。予約は十年先まで埋まっていたらしい。

そして、ソーネチカを誕生させることになった月や宇宙空間でのセックスも、もうそれほど珍しいものでもなくなっていて――月での生活にはコンドームが必需品に。誰しもが一回はそれを試してはみるけれど、まぁなかなか大変だったりするし、かなりのテクニックが必要になってくる。あまりお勧めはしないでおく。マジな話。宇宙飛行士は無重力や低重力でもセックスがうまいなんてゴシップが地球では頻繁に語られたりもしたけれど、僕はあまり同意できない。これもマジな話。

月で妊娠してしまう女性ももちろん一定数いたけれど、彼女たちはみな無事に地球に降りて子供を産んだ。人類は反省を生かすことができているらしい。今のところは。

だからソーネチカが十四歳を迎えたこの時も――彼女は、人類で唯一のルナリアンだった。その代わり――そして前述の通り、地球からは難病の子供たちがたくさんやってきた。まるで子供たちを列車に詰め込んで遠足にでも向かわせるみたいに。

僕はそのことに複雑な感情を抱き、宇宙飛行士の多くが懸念を表明していたけれど――人類の進歩を止めることはできなかった。

月面の開発が止められないように。

列車は、もう出発していた。

僕たちの乗った列車に――

途中下車は許されなかったんだ。


「はじめまして、お姫さま。僕たちは地球から上がってきました。病気を治すためにやってきました。月も、宇宙もはじめてで、不安なことばかりですが、いろいろ教えてください、仲良くしてくれると嬉《うれ》しいです。僕たちは、一日も早く月での生活に慣れて、お姫さまのお手伝いや、月の発展に貢献したいです」


地球から月に上がってきた子供たちのために開かれた慎ましやかなパーティで、子供たちの代表がそう挨拶《あいさつ》の言葉を述べた。顔を真っ赤にして、体を震わせながらそう口にした男の子は、とても愛くるしかった。男の子は、ペーターという名前だった。

彼ら、彼女らは、ソーネチカのために歌を練習してきていて、その歌を恥ずかしがりながら披露した。様々な国、様々な人種、様々な肌の色、様々な年齢、様々な事情で集まった子供たちが心を一つにして歌ってくれた歌は――

『星に願いを』だった。

はじめて宇宙に出て、そして月に上がってきた子供たちを見つめるソーネチカの瞳の輝きを、僕は一生忘れないだろうと思った。

それは、絶対に忘れることができない類の輝きだった。生まれてはじめて自分だけの宝物を見つけたような、そんな美しすぎる輝き。眩《まぶ》しすぎて、僕はどうにかなってしまいそうだった。

「とっても上手。とっても素敵な歌だわ。私が今まで聞いてきたどの歌よりも上手だし、とっても美しいわ」

『星に願いを』を聴き終えると、ソーネチカは大粒の涙をこぼして泣いた。

僕も心の中で泣いた。

僕の涙は、ソーネチカの涙とはまるで意味が違っていた。僕は、この先に待っている悲劇を思って泣いていた。それをソーネチカに告げることはできなかった。

「ああ、なんて素敵な子供たちなんだろう。見て、あの子。とっても恥ずかしそうにもじもじしてる。あっちの子なんて、顔がトマトみたいに真っ赤よ。あの子は、自分の歌声に自信があるって顔ね。みんな、なんて可愛いのかしら。子供たちって、こんなにも素敵だったのね？」

「そうだね。子供は本当にかわいいものだよ。ソーネチカが小さい頃も、とっても素敵だったんだよ」

「本当に？」

「本当さ。猫みたいに可愛かったんだ」

「にゃー」

ソーネチカは猫の真似をしてふざけながら、くすくすと笑った。

それはソーネチカが幼い頃にやってみせたおふざけで、本当に久しぶりに見るその愛くるしさや可愛らしさに、僕はなおさらに心を痛めた。いつだってそんな笑顔やおふざけを見せてほしいと心から思ってしまった。

この頃のソーネチカは極端に笑顔が少なくなっていて、その表情にはいつも暗い影が落ちていた。孤独を好むようになり、積極的に人と顔を合わせようとはしなくなっていた。絵や音楽も一人で籠《こ》もってやるようになり、アレクセイの教えも必要とはしていなかった。

だからこそ子供たちを前にして瞳を輝かせて笑うソーネチカを見て、僕はとても嬉《うれ》しくなった。一時的だとしても、ソーネチカが心を穏やかにしてくれて安堵《あんど》した。

「ああ、本当に素敵な子供たち。私がしっかりと守ってあげなくちゃ」

ソーネチカははじめて出会い、はじめて触れ合う子供たちに胸を膨らませた。可愛らしい子供たちの姿に感激し、せいいっぱいの愛情をもって接していた。時にお姉さんぶり、時に先輩風を吹かせて、自分の言うことをちゃんと聞くように強く言い聞かせた。

難病の子供たちはソーネチカの言葉を素直に聞き、ソーネチカを本当の姉のように慕った。子供たちは、一瞬でソーネチカのことを大好きになった。ソーネチカも、子供たちを本当の弟や妹のように思って愛情を注いだ。

「いいこと？　月や宇宙には危険なことがたくさんあるのよ。気を付けなければいけないことがたくさんあるし、入ってはいけない場所もたくさんあるの。宇宙では危機管理を怠ったものから脱落していく。そのことを絶対忘れてはダメよ？」

「はーい」

「それから、月では健康が第一なのよ？　だからよく食べて、よく体を動かして、よく寝るの。そうすれば、あなたたちもきっと月でも元気に生活できるわ。わかったわね？」

「はーい」

ソーネチカの助言を子供たちはいつも素直に聞き、いつだって彼女にしっかりと付き従った。子供たちはいつもソーネチカの後を追い、彼女が振り返るのを楽しみに待った。

子供たちは――ソーネチカの背中を追う衛星だった。

僕は、そんな光景を懐かしく思いながら見守っていた。

ソーネチカは子供たちに会うために、毎日のように医療研究センターに足を運んだ。それはまるで、慰問に訪れるお姫さまそのものだった。子供たちはソーネチカが現れると声を上げて喜び、大きな歓声で迎え入れた。

「ソーニャだ」

「お姫さまだー」

「今日も来てくれた」

「みんな、僕たちのお姫さまがきたよー」

ソーネチカは自分の周りに集まってきた子供たちを愛《いと》おしそうに眺めて、一人一人の頭を優しく撫《な》でてあげた。それだけで子供たちはとても幸せそうだった。

「私は毎日ここに顔を出しているんだから、そんなに大声を上げて歓迎してくれなくていいのよ。

少しあなたたちの顔を見にきただけなんだから、気にせずに続けなさい」

「やだやだ。ソーニャと一緒にいたい」

「今日も何かお話をして」

「私は歌を歌ってほしいなあ」

「絵本を読んでほしい」

「僕は一緒に野球がやりたいよ」

「私もー」

ソーネチカはいつも子供たちにとびきりの笑顔を見せて、子供たちの頭を優しく撫《な》でてやり、本を読み聞かせ、歌を歌ってあげ、一緒に走り回った。子供たちが望むことは何でもしてあげた。時には厳しく怒ったり、叱りつけたりもした。甘やかすだけじゃなく、月と宇宙の厳しさを丁寧に教えてあげた。

ソーネチカは子供たちの姉であり、母であり、先生であり——お姫さまだった。

「あの子たちったら、私がいないと本当にどうしようもないのよ？　いっつも私の後ろにくっついてくるんだから。それに、私のことを絶対に離さないの。私が帰ろうとすると今にも泣きそうな顔になって、私はついつい長居をしちゃうの。きっと私を困らせて引き留めようって魂胆なのね。あの子たちが月に上がってきたせいで、最近ぜんぜん本も読めないし、前よりも勉強の時間がなくて困っているんだから。ほんと、どうしようもない子供たちだわ」

ソーネチカはまんざらでもないって顔で、よくこんなことを口にした。

僕たちはソーネチカの部屋で一緒に僕の入れたコーヒーを飲んでいた。慎ましやかな品評会はまだ続いていた。催される回数はぐっと減ってしまったけれど。

「でもね、あの子たち、やっぱり地球に帰りたいみたいなの。医療スタッフの人に話を聞いたら、あの子たち夜中に両親に会いたくなって泣き出しちゃうんだって。一人が泣き出すとそれに続いてみんなが泣き出しちゃうから、とても大変なんですって」

ソーネチカは困ったように首を傾《かし》げる。

「私は、お父さんとお母さんに会ったことがないからよく分からないけれど、そんなに会いたくなるものなのかしら？」

「僕が数日会いに行かないと、ソーネチカはいつもわんわん泣いていたんだけどなあ？　僕が一週間顔も見せず、連絡もしなかった時なんか、それはもうひどいものだったよ。まるで導火線に火のついた爆弾だって、バーディが泣きそうになっていたくらいだし。本当に発情期の猫みたいだったんだぜ」

僕が笑いながら言うと、ソーネチカは顔を真っ赤にして怒り狂った。まさに発情期の猫だった。

一時間くらい口を利いてくれなかった後、ソーネチカはぽつりと呟《つぶや》いた。

「お父さんとお母さんって、どんな人だったんだろう？」

ソーネチカはその言葉を口にした後――一瞬「しまった」って顔をしたけれど、すぐに表情を取り繕っておすまし顔になった。十四歳になっても彼女のプライドの高さは相変わらずというか、むしろますます拍車がかかっていた。それは良いことでもあり、危険なことでもあるように思えた。

僕は、ようやくソーネチカに彼女の父親と母親の話ができることを嬉《うれ》しく思った。

「すごく素敵な人たちだったよ。ソーネチカのお父さんは僕の先輩の宇宙飛行士で、僕にたくさんのことを教えてくれたんだ。お母さんは最後までソーネチカのことを愛しているって言っていた。二人ともすごい宇宙飛行士で、とても素晴らしい人たちだった。世界中の人たちが、二人を英雄だと讃《たた》えているんだ」

「でも、月で子供をつくっちゃうようなおっちょこちょいだったんでしょう？」

その痛烈な皮肉に、僕は苦笑いを浮かべるしかなかった。この話題ではソーネチカに圧倒的なアドバンテージがあることを認めざるを得なかった。それこそサービスエースだけで試合が終了してしまうくらい。

「でも、私は両親に会いたいって思ったことはないなあ。ここにはたくさんの大人たちがいて、みんなが私を大切にしてくれたもの。みんな、私の親代わりになろうとしてくれたのね。それに友達や先生になろうとしてくれた。いまいちピンとこないけれど」

ソーネチカは今まで歳の離れた大人としか触れ合ってこなかったので、あまり親というものを意識したことがなかったのだろう。この月には恋人関係の人は大勢いても、家族というものは存在していなかったので、なおさらそういったものを意識しづらかったんだと思う。

だけど、たくさんの子供たちが月に上がってきたことで、ソーネチカに新しい考えや意識が芽生え始めている。父や母という存在を強く意識して、両親に会いたいという気持ちが高まっている。僕はそんなことを考えたんだけれど、その予想は大きく外れていた。

「私、両親に会いたいとは思わないし、今さらお父さんやお母さんがいなくて寂しいとか悲しいとは思わないけれど——母親には、なってみたいなあ」

そのいきなりな台詞《せりふ》に、僕は飲んでいたコーヒーを噴き出しそうになった。

「子供を十人くらい産んで、私が監督の野球チームをつくりたいなあ。きっと『ニューヨーク・ヤンキース』だって目じゃないんだから。『シカゴ・カブス』なんてボコボコよ」

ソーネチカは将来の最強球団について語ってみせた。彼女は月で大流行の月面ベースボールの大ファンなのだ。

「チーム名は――『ソーネチカ・アルテミスズ』か、『アームストロング・イーグルス』にしようかしら？　ちょっと聞いてる？」

「もちろん聞いてるよ」

僕はいきなり子供を産みたいなんて発想になったソーネチカに、なんて言葉を返せばいいのか分からなくて混乱していた。野球のチーム名なんてどうでもよかった。

だけど、よくよく考えずともソーネチカはもう十四歳なのだ。

彼女は思春期を迎えている。異性というものを強く意識して、誰かに恋愛感情というものを抱いたとしても、何もおかしくはないことだった。愛した誰かの子供を産みたいと思ったとしても、それはごく自然なことで当たり前のこと。

全ての女性がいつか恋に落ちるように――ソーネチカも、いつか恋に落ちる。もしかしたら、もうすでに恋に落ちているのかもしれない。そんなことを考えると、僕は気が気じゃなかった。

ソーネチカがどこの馬の骨とも分からない男と付き合って、まさか子供を産もうなんて考えているのだと思うと、僕は何としてでもその男を冷たい宇宙空間に放り出してやらなければならないという間違った使命感に駆られさえした。身勝手な話だけれど。

「ねぇ、あなただったら、私の未来の花婿《はなむこ》候補にしてあげてもいいんだけれど――あなたはそのことについてどう思う？　光栄かしら？」

　だけど、話はさらに込み入った方向に進んでいった。

　僕はソーネチカが突然そんなことを言い出したので、かなり面食らってしまった。それこそ、鳩《はと》が宇宙空間に放り出されたみたいに。

「僕？」

「ええ、そうよ」

　ソーネチカはとびきり澄ました顔で、とびきりおしゃまに頷《うなず》いてみせた。まるで舞踏会でダンスに誘われるのを待つ淑女みたいに。

「まぁ、少し冴《さ》えないところはあるけれど、あなたは優秀な宇宙飛行士だし、月面開発の功労者でしょう？　だから私の結婚相手としても、そこそこにはふさわしいと思うんだけれどなあ」

　ソーネチカはなにかを期待するような目で僕をちらりと見た。澄ました顔とは対照的に、灰色の瞳がきらきらと輝いている。

「でも、僕とソーネチカとじゃずいぶんっていうか、かなり年齢が離れているんだぜ？　ふさわしいかなあ？」

「あら、つい最近も有名なハリウッド俳優が結婚したけれど、奥さんは四十五歳も年下だったのよ？　あなたと私くらいの歳の差なんて、どうってことないわ」

「う～ん？　彼らは特殊な人種だからなあ。自分たちが世の中のルールやスタンダードだと思ってるような奴らだし、何事も自分を中心に回らなければ気が済まないってタイプなんだよ。彼らは常識ってものをスピード違反と同じくらいにしか考えてないんだ。つまり――」

「そんなこと関係ないし、今はどうでもいいでしょ？　そもそも恋愛に年齢や性別は関係ないわ」

ソーネチカは不機嫌な声でさらにまくし立てた。

「それに、そういうものの言いかたってとってもつまらない気持ちになるし、とってもうんざりしちゃう。私はあなたに——私の花婿《はなむこ》候補の一人に選ばれて光栄でしょって言っているのよ。どうなの？」

ソーネチカは癇癪《かんしゃく》を起こしながら、ぴしゃりと言ってみせる。その口調は自分の価値を完璧に知り尽くしているといった雰囲気で、そしてとても高飛車だった。

確かに、ソーネチカが自分につけた値打ちは何一つ間違っていない。その価値と値打ちは常に右肩上がりで、一度として下落したことはない。未来においても天井知らずで、その株価が高騰していくことに疑いの余地もない。

ソーネチカは世界で最も特別な女の子で、世界で唯一無二の存在だ。

月のお姫さまであり——いずれ月の女王になる女の子。

十四歳を迎えたソーネチカは、すでに世の中の大半の男性を虜《とりこ》にする魅力を獲得していたし、その美しさは日に日に増している。そんなソーネチカが結婚相手を探しはじめたとなれば、世の中の男性陣が列をなして彼女に群がることは間違いないだろう。

それこそ、ありとあらゆる贈り物を持参して。

『竹取《たけとり》物語』のかぐや姫みたいに。

だけど僕にまでその価値が通用するかといえば、それは別の話だった。

「まぁ、光栄といえば光栄だけど——ソーネチカは一つ大きな勘違いをしているみたいだ」

「まず、僕はこれでもかなり有名な宇宙飛行士だし、地球には僕を応援してくれている僕のファンが二億人くらいはいる。男性も含めればもっといるだろうね」

「勘違いですって?」

ソーネチカの表情が一気に不機嫌になる。

「とくに日本での僕の人気はすさまじくて、僕が地球に帰れば割れんばかりの黄色い歓声が巻き起こるんだ。それこそ、耳を塞いでも意味がないくらいの歓声がね。ラブレターだって月に二千通くらいもらう。なにより——僕にだって花嫁を選ぶ権利というものがある」

「私を選ばないっていうの?」

ソーネチカは顔を真っ赤にして言った。今にも爆弾が爆発しそうだった。

「さぁ、どうだろう?」

僕は大人の余裕を見せつけながら、やれやれと首を横に振ってみせる。

「まぁ、今のところはソーネチカを僕の花嫁にするつもりはないなあ。だって、僕はソーネチカが生まれた時から知っているんだぜ? 赤ん坊のソーネチカをあやしたのも僕だし、ソーネチカにミルクを一番飲ませたのも僕だ。それに、ソーネチカのオムツをかえてあげたのも——」

その瞬間、僕の顔面を目がけて分厚い本が飛んできた。その後、流星群のように次から次へと部屋の中のものが飛んできた。

「次にそのことを持ち出したら——絶対に許さないっ」

ついに爆発したソーネチカは、猛烈な怒りを表明して大声を上げた。

「もうっ。きらい、きらい、きらい、きらい、きらい、だいっきらい。出てけっ。冷たい宇宙空間に放り出されて、永遠に月の周りを回ってればいいんだわ。デブリになって帰ってくるな」

僕は怒り狂ったソーネチカによって部屋の外に追い出された。まるで宇宙怪獣が襲来したかのようだった。いささか大人げなかったというか、少しばかり冗談が過ぎたというのは分かっていたけれど――そう言って誤魔化す以外の方法を見つけることができなかった。大人になるにつれて、僕は自分がどんどん不器用になっているような気がした。素直に好意というものを受け止めることができず、自分の気持ちをうまく表現できなくなっていた。自分というものを見失っていたのかもしれない。

ソーネチカに放り出されるまでもなく、現在の僕は宇宙空間をさまよっていたのかもしれない。

「あなたの顔なんて二度と見たくない」

その日から一週間、ソーネチカは僕と口を利いてくれず、それどころか目も合わせてくれなかった。

完璧に僕という存在を拒絶していた。

僕たちの静かな喧嘩《けんか》を――周りのクルーたちは、陰で月の冷戦と呼んでいた。

4　月の子供たちはみな願う

月に上がってきた難病の子供たちは、ソーネチカにひと時の触れ合いと心安らぐ時間と心の交流をもたらしてくれたけれど――最終的には、ソーネチカをとことんまで傷つけた。徹底的に打ちのめし、ソーネチカの心を複雑に歪《ゆが》ませてしまった。

ソーネチカは、上手く理解できていなかったんだと思う。子供たちの多くが――片道切符しか持たずにこの月に上がってきたということを。帰りの切符を手に入れることができる子供はごくわずかで、それはとても幸運な子供だけだということを。夜空を見上げて、流れ星に願いをかけられるくらいに。

子供たちは患っていた病によって命を落としていった。子供たちは難病と複雑な事情を抱えていて、そのために月に送られてきた。言ってしまえば、世界的な孤児だった。

地球のマスメディアは、そんな子供たちを月のモルモットなんて揶揄《やゆ》し、真実からまるでかけ離れた報道を繰り返した。ゴシップ紙以下に成り下がっているマスメディアにはこれっぽっちも期待していなかったけれど、それでも僕はそんな下らない報道をした奴らを一生許さないと誓った。目の前にいたら、間違いなくぶん殴っていたと思う。

ソーネチカは、日に日に弱っていく子供たちに献身的に尽くし続けた。

「大丈夫。絶対に良くなるわ」

ソーネチカは一日も欠かすことなく月の医療研究センターに出向いて、子供たちの面倒を見てあげた。自分にできることを必死に考え、自分にできるせいいっぱいのことを子供たちにしてあげた。だけど、ソーネチカにできることは限りなく少なかった。もちろん、僕たち大人たちにできることだって少ない。

その無力さに打ちひしがれながらも、ソーネチカは子供たちの面倒を見続けようとした。

「調子はどうかしら？　あら、今日はずいぶん顔色が良いのね。きっとすぐに良くなるわ」

「ほんとうに？」

「ええ、本当よ。私が言うんだもの。あなたたちのお願いなんて、私がぜんぶ叶《かな》えてあげるんだから。ほら、私に何かお願いしてみなさいよ」

ソーネチカは男の子の手を強く握り、ベッドの上で今にも消えてしまいそうな命を勇気づけた。男の子の手は小さく震えていて、その声は限りなく小さかった。耳を澄まさなければ聴こえないほどに。

「だったら、僕はソーニャに笑っていてほしいな。僕は、笑っているお姫さまが一番好きだから。お母さんの笑顔みたいで、僕はとっても、好き、なんだ」

「バカね。今だって笑っているでしょう？　もうすぐ病気が治って退院できるのよ。そんな素敵な日に、笑顔じゃないわけがないでしょう？　そんなお願い——楽勝なんだから。にいっ」

ソーネチカは男の子の優しさに胸を打たれながら、懸命に笑顔をつくってみせる。涙で濡れた彼女の表情にはわずかな笑みも浮かんでいなかったけれど——男の子は微笑《ほほえ》みを返した。

「にいっ」

その男の子には、たしかにソーネチカの笑顔が見えていたんだと思う。その魂で、笑顔を見ていたんだ。

「お姫さまのその笑顔が、僕は好きだなあ。僕だけじゃなく、みんなその笑顔が大好きなんだ。ずっとその笑顔でいてほしいなあ」

「ええ、ずっと笑顔でいるわ。約束よ。だから、ほら、私のことをよく見て？　にいって笑ってるでしょう」

「うん。笑ってる。とっても眩《まぶ》しいや。眩しすぎて――」

僕はそれ以上その光景を見ていられなくなり、逃げるように病室を後にした。

僕はこれから先の人生で――これ以上に美しいものを見ることはないだろうと思った。この世界はきっとこうあるべきなんだろうという光景が、ソーネチカと子供たちの間には溢《あふ》れすぎていた。

それ以上の悲しみとともに。

「ちくしょう。これはいったい何なんだ？」

僕は、怒りでどうにかなってしまいそうだった。

月で治療をする患者の枠を児童にまで拡大し、難病の子供たちが月に上がってくると聞いた時、僕たち宇宙飛行士は懸念と反対を表明した。地球では宇宙飛行士による署名運動が起きていたし、専門家やマスメディアも懸念を伝えた。マスメディアは相変わらず役に立たず、問題を複雑にしたり単純化したりしてかき回しただけだったけれど。

そもそも、この計画には無理がありすぎたんだ。

いくら月や宇宙空間で新薬の投与や最新の医療研究が試せるといっても、宇宙はまだ過酷な空間で、子供たちが適応するには厳しすぎる環境だと、僕たちは何度も指摘した。病気の進行をわずかに遅らせることができるだけで、病気そのものを克服できる子供はわずかだと強く説明した。それでも、子供たちを月に送りたいという親や医療関係者は後を絶たなかった。彼らは願いを叶《かな》えてくれる流れ星に縋《すが》りつくように、最後の希望に懸けることを選択した。

でも、無理やり月に上げられた子供はいなかったのだ。

誰一人として。

子供たちは人類のエゴで宇宙船に乗せられて打ち上げられたライカ犬じゃない。クドリャフカとは違って、自分たちの意思で月に上がってきた。僕たち宇宙飛行士にはどうしようもなかった。だけど僕が何よりも懸念し、不安に思っていたのは、ソーネチカのことだった。

地球から子供たちが上がってくると知って、彼女が子供たちを大切に思わないわけがなかった。誰よりも子供たちに心を配り、献身的になるだろうなんてことは、子供たちと出会うまでもなく分かりきったことだった。そんなソーネチカが子供たちの死を前にして、それが彼女にどのような影響を及ぼすことになるのか——僕は、それが心配でならなかった。

だけど、それらはもう月面開発のスケジュールに組み込まれていた。

近い将来——人類の何割かが宇宙で生活する時代がやってくる。

宇宙のみで人生を完結させる時代が。

その時代の幕開けのために、スケジュールは秒刻みで進行していた。時計の針は前に進み続けていた。

ちくたくちくたく。

予定を書き換えるなんてことは、誰にもできないことだった。列車は定刻通りに出発し、そして予定通りに駅に着かなければならない。たとえ、人類最初のルナリアンであるソーネチカを苦しめたとしても。

ちくたくちくたく。

僕の不安と懸念は、当たり前のように的中した。ソーネチカは、人一倍感じやすい女の子だった。そして誰よりも優しくて、この世界でいちばん好奇心が旺盛《おうせい》な女の子だった。彼女は難病の子供たちが月にやってくれば必ず出迎えに行き、必ず手を差し伸べようとした。地球で暮らす人たちの、そして大人たちの願いを叶《かな》えることが自分の使命だと感じていたように――月にやってくる子供たちの面倒を見ることも、彼女は自分の大切な使命であると感じ、それを心から誇りに思った。

ソーネチカにとって、そんなことは当たり前のことなんだ。だからこの時、何一つ子供たちの力になることができないでいる自分の無力さに、ソーネチカは徹底的に打ちのめされていた。彼女が胸に抱いていた使命や誇りが、月で生まれた最初の人類であるというプライドが――ソーネチカの中で、無意味に崩れ去ろうとしていた。

「今日、ペーターがお星さまになったの」

ソーネチカは開発されていく月面を眺めながら、聞くものをゾッとさせるような凍《こご》えた声で言った。

「あの子も、最後まで私にお願いをしなかったわ。僕の病気を治してって言わなかった。いつもみんなでお星さまにお願いをしているくせに。私に、笑っていてって言ったのよ?」

ソーネチカは、短冊《たんざく》の飾られた笹竹を恨めしそうに見て言った。

今日は七月七日。

七夕《たなばた》の日。

短冊は子供たちの無邪気な願い事で溢《あふ》れていた。

悲しすぎるくらいに溢れていたんだ。

その日は、ソーネチカにとっても特別な日のはずだった。

「あの子たちは、みんな死んでしまうためにこの月にやってきたのね?」

ソーネチカは無力感に苛《さいな》まれながら言った。

「違う。あの子たちは病気を治すためにやってきたんだ」

僕は、なんとかソーネチカが抱いている誤解を解こうとした。子供たちにとって必要なことだったんだと説明しようとした。僕自身、そんなことを思っていないにもかかわらず。

「違わないわ」

ソーネチカは、そんな僕を信じられないと見つめる。まるで僕を軽蔑するかのように。

「病気が治る可能性なんてわずかじゃない？　治療法だって見つかっていない病気の子供がどれけいると思っているの？　治るかどうかも分からないのに、こんな過酷な場所に——何もない場所につれてこられて、あの子たちがあんまりかわいそうだわ」

「それでも、あの子たちは病気と闘うことを選んだんだ。わずかな希望に賭けて月に上がってきたんだよ」

「あの子たちが病気と闘うことを選んだですって？　よくもそんなことが——」

ソーネチカは自分が声を荒らげそうになったことに気がついて、自分を律した後にもう一度口を開いた。そんな大人びた態度が僕を心から苛立《いらだ》たせた。大声で怒鳴って、僕に向かって罵声《ばせい》を浴びせかけるほうが何倍もマシに思えたから。

「どうしてそんなことが言えるの？　大人たちが無理やり戦わせているだけじゃない？　戦えって命令しているのよ。病気が治るなんて言われたら、子供たちの多くは月に上がることを選ぶわ。だって、そうでしょう？　そんな言いかたってあんまりよ。だって、これは流れ星に願いをかけるのとは話が違うのよ。子供たちの気持ちを何だと思っているのよ」

全てソーネチカの言う通りだった。今、彼女が僕に向かって言っている言葉は、僕たち宇宙飛行士が懸念したこととまるで同じことだった。

それは当然の疑問であり、怒りだ。

僕たちだって同じように疑問に思い、同じように怒りを覚えた。だけど僕は今、大人たちの言葉を代弁している。僕の意見とはまるで違う言葉を発している。僕は自分が下らない大人になってしまったことに、そこで気づかされた。徹底的に気づかされたんだ。

僕は、自分が間違っていると確信しているものを守ろうとしてしまった。宇宙を間違った場所につくり変えることに加担していた。

その瞬間――僕は、自分に絶望した。

「地球の人たちって、なんて残酷なの？　こんな何もないところに子供たちを送り付けてきて。いつから、ここはシベリアのようになってしまったの？　あの子たちは流刑囚《るけいしゅう》じゃないのよ？　こんな監獄のような場所につれてくることなんてないのよ」

その瞬間、ソーネチカは自分が生まれたこの月を監獄と呼んだ。

流刑囚が送られてくるシベリアだと。

その言葉を聞いた時、僕はどうしようもない悲しみを覚えた。僕たちのこれまでの関係が、一瞬で崩れ去っていくような予感さえした。

僕たちはお互いの間に国境線を引いてしまう。

僕とソーネチカを、無慈悲で冷たい何かが隔ててしまう。

そんな予感がした。

「ソーネチカ、あの子たちは少しでも長く生きられる可能性に懸けてこの月にきたんだ。この月には可能性がある。決してシベリアなんかじゃなく、この月は未来があるんだ。ここは、そういう場所なんだよ」

　僕は自分に言い聞かせるように、何かに縋《すが》りつくようにそう絞り出した。

「可能性なんてないわ。この月にあるのは、人類が肥え太っていくために必要な資源だけよ。都合のいいように言ったって、あの子たちの病気は治らないし——あの子たちは帰ってはこないのよ？」

　ソーネチカは攻撃的になってそう反論した。

　僕はその正しすぎる言葉に、何をどう説明すればいいのか分からなくなってしまった。ソーネチカはもう何も知らない純真無垢《むく》な女の子じゃない。僕たち宇宙飛行士と同様に、この月と月面開発のことを理解している。多くの宇宙飛行士よりも、彼女のほうが深く理解していたんだ。

「私、みんなの願いを叶《かな》えてあげられるんだって思ってた」

　ソーネチカは攻撃的な態度を引っ込めて、嘆くように言った。

「私、本当に宇宙人だったらよかったのにって思うわ。私なんて、ぜんぜん特別でもなんでもなかったのね？　少しだけ宇宙に適応できた女の子ってだけ。私、あの子たちの力になってあげられない。何もしてあげられない。みんなが苦しんでいるのに。私だけが一緒に苦しんであげられない。私は、ただ見てるだけ。ただ傍《そば》にいるだけ——」

　ソーネチカは、歯を食いしばりながら泣いた。灰色の瞳から大粒の涙が止めどなく流れた。願いをかけそこねた流れ星のように。子供たちの悲しみを全て洗い流してしまうんじゃないかってくらい泣いたけれど――状況は何一つ変わらない。そのことを、僕もソーネチカも痛いほど理解していた。

子供たちの多くが月で亡くなった。

この月を墓標にした。

そのたびにソーネチカは涙を流し、胸を痛め、傷つき、とことん打ちのめされ、絶望し、自分と月を呪って――また子供たちに会いに行った。ソーネチカは悲しみに暮れるたび、それまで以上に子供たちに優しくなり、よりいっそう献身的になっていった。まるで深いところに沈んでいくみたいに。

そして、その燃えるような灰色の瞳には妖《あや》しげな光が灯《とも》り始めていた。

先に音《ね》を上げたのは僕のほうだった。

「ソーネチカ、そんなに苦しい思いをするなら、しばらく子供たちに会いに行くのはやめて休暇をとってみたらどう？　『アームストロング市』を離れて、コペルニクスに新しくできた月のホテルに視察に行こう？　それでしばらく月での仕事から離れよう」

何かに取《と》り憑《つ》かれたようになるソーネチカを見ていられなくなって、僕はそんな下らない提案をしてしまった。

そんな僕を見て、ソーネチカは冷たく言い放った。

「ねぇ、あなたはどうしてあんな下らないところに行きたいなんて思うの？　月に観光に来ている地球人なんて――全員もれなく宇宙空間に放り出されちゃえばいいんだわ。あの人たちは、自分たちと同じ地球の子供たちがすぐ近くで苦しんでいるっていうのに、お見舞いにすら来ないで、自分たちだけで好き勝手に楽しんでいるのよ。そうよ。あの人たちこそ、子供たちのお見舞いに来るべきなのよ。どうしてそれが分からないのかしら？」

ソーネチカのその言葉には、執念や怨念《おんねん》のようなものが詰まっていた。

この日を境に――ソーネチカは、はっきりと地球で暮らす人を『地球人』と呼ぶようになった。自分の心の中に、絶対に消えることのない境界線を引いてしまったみたいだった。そしてソーネチカの瞳の奥の妖しげな炎は、彼女の身すら焦がしてしまうほどに激しく燃え盛った。

地球と月のように良好な関係を維持していた僕たちの絆《きずな》は――少しずつちぎれはじめていた。お互いを引き合い、留《とど》め合っていた二つの引力はその力を失い、僕たちはどこか別の場所に飛んで行ってしまいそうだった。

月は、もう見えなくなっていた。

それどころか、自分たちがどこにいるのかさえ。

5　アリョーシャ

僕とソーネチカはだんだんとすれ違うように、お互いを避けるようになっていった。

ソーネチカは本格的な思春期に――そして反抗期に入り、まわりの大人たちに対して日に日に刺々《とげとげ》しく、よりいっそう過敏になっていった。いつの間にか、ソーネチカはこの月そのものが人類の欺瞞《ぎまん》の産物であり、インチキの塊《かたまり》であると思い込んでいた。

ある意味で、それは正しかった。

この月は人類のエゴのために開発されていた。欺瞞やインチキの産物でしかない。それでもそこで働く人たちの全てが、宇宙開発や月面開発に情熱と誇りを持っていた。それだけは間違いない。人類の未来に貢献できることに、心からのやりがいを感じていた。

ソーネチカだって、そんなことは分かっていた。分かっているはずなのに、彼女はそれをうまく信じられなくなっていた。複雑に歪《ゆが》み、複雑にこんがらがってしまった今のソーネチカの心は、物事を素直に受け止められなくなっていた。目の前のできごとを正しく認識することが難しくなっていたんだと思う。

ソーネチカの胸の中に浮かんだ月は消え去ってしまい——そして、僕たちは互いをうまく見つめ合えなくなっていた。

僕は見えていたはずの月を見つけられなくなり、ソーネチカはあれほど恋焦がれ、手を伸ばし続けた青い星を——地球を上手く見つけられなくなっていた。それでも地球へ降りるための激しいトレーニングは続けていた。だけどそれはどこかおざなりで、それまであった情熱のようなものは感じられなくなっていた。日課として、義務として淡々とこなしているだけ。

そんなソーネチカの拠《よ》り所《どころ》は——月に上がってきた子供たちだけとなった。子供たちは残されたわずかな時間を、わずかに延ばすためだけにつれてこられた不幸な存在だった。月面開発のため、いずれ人類が宇宙空間のみで生活を営むための計画の一部。

だけどソーネチカにとっては、何一つ罪のない純真無垢《むく》な存在だった。

この月で、汚れていない唯一の存在。

そんな子供たちが、こんなシベリアの流刑地《るけいち》のような場所につれてこられ、こんな監獄のような場所で一生を終えようとしていることに、ソーネチカは耐えがたい怒りと失望を感じていた。絶望を。

子供たちに尽くすことだけが、ソーネチカに残されたたった一つの救いのようなものになっていた。月に上がってきた子供たちがいなかったら、きっとソーネチカは完全におかしくなってしまい——そして完璧なまでに壊れてしまっていたと思う。

ソーネチカは、月での生活に限界を感じていた。人類でただ一人のルナリアンであるという特別さや、その小さな体に理不尽に与えられた大きすぎる使命の重さに耐えられなくなっていた。

そして月面での生活に耐えられなくなっていたのは、ソーネチカだけじゃなく僕も同じだった。僕自身も精神的に参っていて、そのストレスは限界に達していた。何かの拍子に爆発してもおかしくないくらいに。僕の体も、とことんまでボロボロになっていた。

僕はもう三年以上地球に降りていなかった。一時的な帰国もせず、連続での月面勤務を続けていた。これは全宇宙飛行士の中で最長記録であり、ぶっちぎりの宇宙記録。

本来、全ての宇宙飛行士は一年に一度地球に降りることを義務付けられている。僕は今日まで、その義務を拒否し続けている。その結果、僕の骨や筋肉はとことんまで弱りきり、心臓を含めた循環器系はぎりぎり地球の重力に耐えられるだろうというところまで縮み切っていた。月での仕事をこれ以上続けたら、僕は間違いなく地球に帰れなくなるだろうという診断が下った。

僕は最後まで地球に降りることを拒否し、抵抗を続けたけれど、ＮＡＳＡやＪＡＸＡは地球に帰還する命令を取り下げたりはしなかった。

『ねぇ、とにかく一度地球に降りてきなさいよ。あなたのメディカルデータを見ているけど、本当に限界なのよ？　これは脅《おど》しでもなんでもなく、本当に多くの人があなたのことを心配しているの。これから先も宇宙飛行士を続けるなら、今地球に降りることは必要なことなのよ。あなただってそれは分かっているでしょう？』

エリーは青い瞳を不安で曇らせながら、そう説得した。

地球に降りた後、結婚して子供を二人生んだ彼女は、子育てをしながらＮＡＳＡでの仕事に復帰していた。現在、地上勤務で宇宙飛行士のメディカルチェックを担当している。

『なぁ相棒、そろそろ地球に帰って来いって。久々にビールと日本酒でも飲みながら、思い出話でもしようぜ？　お前に賭けで負けた酒代がずいぶん溜《た》まってただろ？　そろそろ借りを返させてくれよ』

バーディも必死に説得してきた。

僕たちは、よく下らない賭けをしていた。賭けに勝つのは、いつも僕。そんなことをしていたのが大昔のことのように感じられた。はるか昔の出来事に。僕が黙ったままでいると、バーディが話を続ける。

『お前はよくやったよ。本気で言ってるんだぜ？　月面開発に携わった宇宙飛行士の中で、お前ほど貢献した宇宙飛行士はいない。それくらいよくやったんだ。誰もが、お前を尊敬してる。一度地球に降りて羽を休めたって、誰も文句は言わない。それに、これ以上——最長月面滞在日数を増やすなよ。これから月に上がる新米宇宙飛行士がやる気をなくすだろ？　マイケル・ジョーダンやウサイン・ボルトにでもなる気か？』

「ありがとう。そう言ってもらえて光栄だよ」

『俺はいつだってお前を尊敬しているし、誇りに思ってる。冗談抜きでな』

最終的に多くの宇宙飛行士に説得され、そして半ば強制的に、僕は地球に帰還することになった。

僕に帰還するべきだとハッキリと告げたのは、アレクセイだった。

「あなたは、一度地球に降りるべきだ。故郷に帰って、自分と月について考え直す必要があります。あなたは今――道を見失っている。迷子になっているんですよ」

アレクセイは僕を真っ直ぐに見つめたまま続ける。

「あなたは地球に帰るべきなんですよ。今すぐにでも月を離れ、家に帰る必要があります。あなたを待つ人のいる家に」

アレクセイは神のお告げのように僕に地球に帰らなければならないと言い、悲しそうに微笑《ほほえ》んで僕の隣に腰を下ろした。神に祈るための十字架を握りしめながら。

「だけど、寂しくなりますね」

僕は何も言わずアレクセイの言葉の続きを待った。

「あなたは、とても偉大な宇宙飛行士だ。月面の開発と発展の多くは、あなたの功績と呼べるものです。その偉大さはガガーリンにも勝る。あなたは英雄ですよ」

「ガガーリンを超えられる宇宙飛行士は存在しない」

僕は、そう断言をして続ける。

「アームストロング、テレシコワ、オルドリン、秋山豊寛《あきやまとよひろ》、毛利衛《もうりまもる》、向井千秋《むかいちあき》、野口聡一《のぐちそういち》――その他、多くの宇宙飛行士たち。何より、殉職《じゅんしょく》した宇宙飛行士たち。彼らの存在がなければ、今の僕たちは存在していない。僕たち宇宙飛行士は、そうやって次の宇宙飛行士にバトンを繋《つな》いできたんだ。誰一人欠けても、僕たちはここに存在していない」

僕が言うと、アレクセイはとても優しい表情で頷《うなず》いた。

「あなたの、そういうところが好きです。誰に対しても敬意と尊敬を忘れないところが。確かに、ガガーリンの偉大さに勝る宇宙飛行士は存在しないかもしれない。彼の勇気と功績は人類の輝ける星です。でも、あなたも最高の宇宙飛行士です。私にとって――あなたは兄であり師だった。今は、父のように感じています」

「やめてくれよ。結婚もしてないのに父だなんて。でも、悪い気はしないな。ありがとう。そう言ってもらえて光栄だ」

嘘《うそ》やごまかしを絶対に口にしない正直者のアレクセイだったので、僕はその言葉を素直に受け止めることができた。同時に、その言葉にいくぶんか救われていた。

「だけど、あなたの人生はこの月のみで完結するわけではありません。地球には、あなたの帰りを待っている多くの人が――あなたを愛する多くの人がいるのですから」

「でも、僕がこの月を離れたらソーネチカはどうなるんだ？」

「ソーニャの近くにいるのは、あなただけじゃありませんよ。私たちの全員が彼女を愛している。あなたと同じようにね――」

そう言った後、アレクセイは小さく首を横に振る。

「いや、あなたとは少し違うのかもしれない。あなたたちは特別だ。あなたたちはお互いに引かれ合う特別な星です。ソーニャは、あなたにとっての衛星なのかもしません。かつて、あなたが誰かの衛星だったように」

「特別な星？」

アレクセイは、すぐに愛という言葉を使いたがる。僕は、最後までそれに慣れることができなかった。だけどこの時、僕が気になった言葉は別の言葉だった。

それは、とても懐かしい言葉たち。

「僕にとっての――衛星？」

そこで、ようやく僕は気がついた。

アレクセイが――

アリョーシャが、僕のことを覚えてくれていたことに。

「アリョーシャ、僕のことを覚えていたのか？」

「わーお。ようやくそう呼んでくれましたね。ええ、ずいぶんと前から気がついていましたよ。本当にお久しぶりです、スプートニク。あなたとこの月でこうして一緒に働けるなんて、これはやはり神のお導きなのでしょうね。だって、私は神を見つけるためにこの宇宙に上がってきたのですから」

僕は一瞬、思い出の引力にのまれて身動きが取れなくなっていた。アリョーシャとの思い出がよみがえり、あの時の光景が目の前に広がっていく。

僕の意識は一瞬で過去へと落ちていった。

ロシアの星の街で出会った男の子。

それが、アリョーシャだ。

あの時――僕の一番特別な女の子が、アリョーシャに僕のことを紹介してくれた。

『お兄ちゃんは、私のスプートニクなのよ。いつだって私の後ろをくっついて――私の背中を追いかけてくるんだから』


スプートニクと。

私の衛星――特別な星だと。

僕は、彼女のスプートニクだった。世界で一番特別な女の子のスプートニク。そのことが、僕にとって何よりの誇りだった。

女の子は、月を目指していた。世界で一番宇宙に近い島で、世界で一番宇宙に遠い体で――せいいっぱいに手を伸ばし続けたんだ。この宇宙と、この月に向かって。

その女の子は今、この月で静かに眠っている。

僕とダンスを踊って。

「驚かせてしまってすみません。あなたをスプートニクと呼んでいいのは、この宇宙に一人だけだ。ユーリヤ・アレクセーエヴナ・ガガーリナ。彼女――ただ一人だけ」

アレクセイは、はっきりとユーリヤの名前を呼んだ。

ユーリヤ・アレクセーエヴナ・ガガーリナ。

彼女だけの特別な名前で。

僕が世界で一番好きだった名前――今も、大好きな名前。

僕はあの時、ユーリヤがアリョーシャに言った言葉を思い出した。

『アリョーシャだって、きっとあなただけの特別な星を持てるわよ』

それは思い出すまでもないことだった。

片時も忘れた時がなかったから。

『ええ。あなただけの星を持つのに大切なことは一つだけ。世界で――いいえ、宇宙で一番特別な人を見つけることよ』

ユーリヤとの思い出の多くが――今も思い出にならずに、僕の胸の奥の宇宙に浮かんでいる。星空のように僕の胸の奥で輝いているんだ。

「僕も、彼女のおかげで宇宙に上がることができた宇宙飛行士の一人です。くじけてしまいそうになった時、足を止めてしまいそうになった時、僕はいつも彼女の言葉を思い出していました。宇宙に上がるための理由を、何度も思い出させてもらったんです」

『アリョーシャ。あなたならきっと、立派な宇宙飛行士になれると思うわ。でも、宇宙飛行士になるなら――どうして宇宙に行きたいのか、その理由がなきゃダメよ。その理由が、きっとあなたを宇宙まで引っ張って行ってくれる』

僕は、アリョーシャを真っ直ぐに見つめた。そこにはかつて遠い異国で出会った男の子ではなく、立派な宇宙飛行士がいた。

僕は目頭が熱くなるのを、胸の奥から激しい何かがこみ上げるのを感じた。

「そうか、アリョーシャ。久しぶり」

「お久しぶりです。本当に。ようやく、あなたに再会することができた」

僕がそう言って手を出すと、アリョーシャはにっこりと笑って僕の手を握った。僕たちは強く握手を交わした。

「僕も再会できて嬉《うれ》しいよ。まさか覚えていてくれたなんて思いもしなかった」

「はい」

アリョーシャは頷《うなず》いた後、申し訳なさそうに頬を赤くした。

「正直に白状すると、あなたが幼い頃に星の街で出会ったスプートニクだと気づいたのは、宇宙飛行士になってしばらくしてからなんです。ユーリヤに比べると、あなたはずいぶんと印象が薄かったから」

「悪かったな。僕はさえない男なんだよ」

僕が言うと、アリョーシャは楽しそうに笑った。

「僕があなたのことを思い出したのは、訓練ではじめて宇宙に上がった時のこと――軌道エレベーターに乗った日のことです」

アリョーシャは、穏やかな口調で僕を思い出した日のことを話しはじめた。

僕はその言葉を一言一句たりとも聞き逃すまいと耳を傾けた。優しい歌に身をゆだねるみたいに。

「僕たち新米宇宙飛行士の訓練を担当する先輩の宇宙飛行士たちが、軌道エレベーターのことを『彼女（ｓｈｅ）』と呼んでいたんです。どうして『彼女』と呼ぶのかと気になった僕は、その場で質問をしました。『なぜ彼女なんですか？』とね。だって、おかしいじゃないですか？　赤道上につくられた第一号軌道エレベーターの正式名称は別にあります。それは女性の名前ではありません。どうして宇宙飛行士たち――それだけじゃなく、教官たちや多くの整備士やスタッフまでも――が、軌道エレベーターを彼女と呼ぶのか？　その答えを聞いた時、僕は魂が震えるのを感じましたよ。その場で涙してしまうほどに」

アリョーシャは、その時のことを思い出すように目を瞑《つぶ》る。

「第一号軌道エレベーターには、その開発と建設に携わったある女性技術者の愛称がつけられていたんです。その女性は日本人で、彼女自身も宇宙に――月に上がることを目指して軌道エレベーターの建設に情熱と力を注いできた。軌道エレベーターの建設には、彼女の存在が欠かせなかった。その女性の名前はユーリヤ。でも、彼女は宇宙に上がることはできなかった。だから、宇宙飛行士と宇宙開発に携わっている多くの人たちは、軌道エレベーターを彼女と――『ユーリヤ』と呼ぶ」

アリョーシャの話を聞きながら、僕は涙を流しそうになっていた。

「彼女が、今も多くの人を宇宙に打ち上げている。あなたや僕を宇宙に打ち上げてくれたように。

軌道エレベーターが『ユーリヤ』と呼ばれていると知った時、僕はあなたのことを思い出したんです。最年少で月に上がった日本人宇宙飛行士。月の発展に最も貢献した偉大な宇宙飛行士が――ユーリヤの特別な星、スプートニクであると。その後、あなたのバックアップクルーに任命された時は、喜びでどうにかなってしまいそうでした。わーお。こんな素晴らしいことが世の中にあるのか、ってね」

軌道エレベーター。

それは、ロケットやスペースシャトルに頼らずに宇宙に上がるための新しい道。いずれ来る未来――誰もが宇宙に上がることができる時代を実現するために、絶対に欠かすことができない懸け橋。何かを分かつためじゃなく、なにかを結ぶために引かれた一本の線。

ユーリヤは、そんな時代の第一歩になりたいと語った。

人類の飛躍の一歩になりたいんだと。

その言葉通り、ユーリヤは軌道エレベーターの開発と建設に多大な貢献をした。そしてアリョーシャが言う通り、今も多くの人々を宇宙に送り出している。彼女と――『ユーリヤ』と呼ばれる軌道エレベーターに多くの人を乗せて。

彼女は、僕たち人類が宇宙に上がるための第一歩。今この瞬間も、ユーリヤは多くの人々を宇宙に打ち上げている。僕やアリョーシャを宇宙に打ち上げてくれたように。

かつて小さな女の子が語った未来――神さまのいない平和な宇宙を目指すために見つけた未来は、全てユーリヤが言った通りになっていた。軌道エレベーターの建設も、月面での資源採掘も、ヘリウム3による経済の発展と社会モデルの変化も、宇宙時代の幕開けも、全てユーリヤが語った通り。

まるで未来を予知したかのように、その全てが実現してきた。

僕自身も、それが実現するように力を尽くしてきた。ユーリヤが願った未来が訪れるように全力を注いできた。宇宙が平和で静かであるように。

人類は、この先も宇宙開発を続けて発展していくだろう。

月面はこれまで以上に開発され、地球のどの都市よりも大きな都市になるだろう。

そう思った瞬間――僕は、自分にできることは全てやり尽くしたんじゃないか？

そんなことを思った。

僕にできることは、もうない。

そんなことを思ったんだ。

僕の長い旅はここで終わり――ようやく足を止めるべき時が来たんじゃないかって。

「アリョーシャの言う通り、ユーリヤは今も多くの人を宇宙に打ち上げている。この月に導いている。アリョーシャを打ち上げたように。僕は、もう必要ないのかもしれない。僕にできることはもう何もないのかも。僕は地球に降りるべきなのかも――帰るべきなのかもしれないな」

僕はそこでようやく、地球に帰るべきだと自覚した。地球に降りて、この長い旅を終えるべきなんだと。

僕の言葉を聞いたアリョーシャは、不安そうに僕を見た。

「あなたは今、自分の道を見失っている。月にいる理由を、宇宙に留《とど》まり続ける意味を見出《みいだ》せずにいる。当たり前です。あなたは人類と月のために十分働いた。これ以上、いったい何をすると言うんです？　だからこそ、あなたは一度地球に降りて故郷に帰るべきなんです。あなた自身の道と、未来を見つめなおすために。これから先のあなたに何ができるのか、何をするべきなのか、どこに向かうのか、どこにたどり着くべきなのか——それを知るために地球に降りるんです」

落ち着いた様子に戻ったアリョーシャは、いつも通り落ち着いた口調でそう言った。まるで、僕を教え諭《さと》すように。道を示すように。

「ソーニャのことなら、私たちが傍《そば》で支えます。あなたの代わりが務まるとは言えませんが、私たちもソーニャのことが大好きなんです。私たちだって、ソーニャと一緒にこの月での生活を営んできた。これからだってそうするだけです」

アレクセイは僕の心残りを取り除き、僕を安心させるようにそう言った。

それでも、僕は不安だった。今のソーネチカを置いて地球に降りてしまうことが。

「ソーニャだって分かってくれますよ。あなたのことも、今のこの月で起きていることの意味も——彼女は、もちろん理解しているはずです。今は世の中の多くに疑いの眼差《まなざ》しを向けていたとしても、彼女はすぐに世の中の全てを愛するようになります」

アリョーシャは、どこか達観したようにそう話した。

僕はなんだか自分の罪を告白したような気持になっていた。そして、全てが許されたような気に。

僕は、地球に帰る決意をしていた。旅の終わりを理解した。

「分かったよ。後のことはお前に任せる」

「はい。神に誓って——私のもてる全てを注ぐとお約束します」

「頼む。それと、今までありがとう」

「こちらこそ、ありがとうございます。あなたの今後のご活躍を、この月から祈っています。きっと、あなたはこれから先も多くのことを成し遂げるでしょう」

僕たちは、もう一度握手をして別れた。

再会と別れの握手をして――次の再会を約束した。

僕の役目は、全て終わったような気がした。次の世代にバトンを渡したような気が。だけど、長い旅の終わりを決めたはずなのに――

僕には、旅の終わりの景色がまるで見えていなかった。

6 国境線

「ソーネチカ――僕、一度地球に降りることにしたよ」

アレクセイとの会話の後、決心が鈍らないうちにソーネチカにそう告げると、彼女は感情をこめずに僕を見つめた。そして、小さく――「そう」とだけ呟《つぶや》いた。

白金色《プラチナ》の髪の毛を頭の高いところでまとめ、大人っぽい赤いワンピースを着た女の子は、もう大人の女性に見えた。一度も陽を直接浴びたことのない透明な肌に、長い睫毛《まつげ》に縁どられた灰色の瞳。すらりと伸びた身長は170センチを超えていて、僕と大差ないほどに成長している。月では地球ほど重力の影響を受けないために、背が伸びやすくなると言われている。

そんなまだ十六歳の女の子は、神秘的なまでに美しかった。

僕たちは、彼女の部屋の中で向かい合っていた。お互いに距離を詰めようとせず、僕たちの間には不自然な間があった。まるで互いを隔てる線が引かれてしまっているみたいに。

ソーネチカの部屋も、彼女と同様にとても大人びていた。ワイン色のカーペットに、古い木でつくられた大きな本棚。執務用の黒檀《こくたん》の机の上は殺風景で、可愛らしい小物の一つもない。たくさんの書類や、調べものをするための分厚い本、ノートPCやタブレットが置かれているだけ。ぬいぐるみの一つも、ポップスターのポスターも、気を紛らわすためのグッズもない。

その部屋からは、子供っぽさの全てが排除されていた。徹底的に。意図的に切り捨てたのではと思ってしまうほどに。必死に大人になろうと背伸びをしているみたいに。

唯一、月に上がってきた子供たちの写真だけが飾られていた。そこには、すでに亡くなった子供たちの写真も多く飾られていて――僕の目には、まるで墓標のように見えた。

子供たちの笑顔が眩《まぶ》しければ眩しいほど、その写真は悲しかった。

僕はこの部屋を見ているのがつらくなって、目を伏せたまま言葉の続きを口にした。

「またいつ月に戻ってこられるかは分からないけど、それでも――」

「別に構わないわよ。あなたは地球の人なんだし、地球に降りるのが当たり前だわ」

ソーネチカは、僕の言葉を遮るように言って続ける。

「ここは――この月は、単なる通過駅だもの。少しばかり滞在して、ひと時の旅を満喫したら、また列車に乗って帰って行くだけ。それが当然のことなのよ。通過駅なんだものね。私にとっては終着駅というだけ。片道切符しか与えられなかった子供たちにとってもね。あなたたちは好きに帰ったらいいのよ。私は笑顔で手を振ってあげるわ。今までありがとうって」

ソーネチカの声はとても冷たくて、とても刺々《とげとげ》しかった。彼女はとても意地悪になっていて、とても興奮していた。その表情や声音には出さなくても、彼女は激しい感情をその胸の内に滾《たぎ》らせていた。燃え盛る炎のような、荒れ狂う嵐のような感情を。

「僕は、また帰ってくるよ。この月に上がってくる。だから、そんなことを言わないでくれ」

「あなたこそ、できもしない約束をしないでよ」

そこで、ソーネチカはたまらずに声を荒らげた。これまで胸の内に留《とど》めていたものをすべて吐き出してしまうように、もう我慢できないとぶちまけるように、彼女は強い口調で言葉を続けた。

「私が、あなたの体のことを知らないと思っているの？　メディカルチェックのデータも、健康診断の結果も、ぜんぶ知ってるんだから。あなたの体は、もう限界なのよ？　地球に降りるだけでも、相当な苦痛だわ。普通の生活に戻るのにも、多くの時間がかかってしまう。そんな人が、また月に上がってくるなんてできるわけがないじゃない？　無理に決まっているじゃない？　また宇宙に適応できる体をつくるのに何年もかかってしまう。ＮＡＳＡだって許さないわ。自殺行為だもの。あなたはもう引退するべきロートルの宇宙飛行士なのよ。私たちはこれでお別れなの。だから、できもしない約束なんかしないでよ。子供扱いして適当にあしらったりしないでよ」

ソーネチカが振り絞るように発した悲鳴に、僕の胸は潰されそうになった。地球の重力よりも何倍もつらい重力が、僕の胸にのしかかった。

ソーネチカの言っていることは全て正しかった。僕の体は確かに限界で、地球の重力に適応するのにすら長い時間が必要になるだろう。そして地球の重力に適応できた後で、もう一度宇宙に上がるための体をつくるには膨大な時間を必要とするだろう。おそらく何年もかかる。宇宙飛行士に戻ることはできないかもしれない。ソーネチカの言う通り、僕は引退するべきロートルの宇宙飛行だった。

だけど僕はソーネチカに言われるまで自分がロートルだとも、引退するべきだとも思っていなかった。僕の心や魂は、今も月に上がった時とまるで変わっていなかった。最年少で月に上がった日本人宇宙飛行士のまま。

僕は、自分のことをまるで理解していなかったのかもしれない。

自分のことを見失っていたのかもしれない。

「ソーネチカ、僕は、ソーネチカを子供扱いなんて──そんなつもりじゃないんだ。ただ僕は、もう一度月に上がりたいと思っているし、そのためにできることをしようと──」

僕はなんて言葉をかけたらいいのか分からなくて、意味のない言葉をこぼし続けた。僕の言葉は、迷子になっていた。そして、とても臆病になっていて──大切な言葉が喉の奥から出てこなくなっていた。固く扉を閉ざしてしまったみたいに。

ソーネチカも固く扉を閉ざしてしまったような瞳と表情で、僕を見ていた。

「あなたは、地球に帰るべきなのよ。あなたはもう、十分よくやったわ。次の宇宙飛行士にバトンを渡して地球でゆっくりすればいいのよ。それが一番いいんだわ。私は、あなたに感謝しているのよ。こんな形になってしまって申し訳なく思うし、本当にやれやれって感じだけれど、あなたが傍《そば》にいてくれたことで私はとても幸せだったわ。だから、これまで──ありがとう」

そんな「ありがとう」を、僕は受け取りたくなかった。

その「ありがとう」には、寂しさと悲しさしか詰まっていなかった。そんな手向けの花束みたいな「ありがとう」の言葉が欲しかったんじゃない。

ソーネチカを悲しませたくなくて、寂しい思いをさせたくなくて、彼女を支えてあげたかっただけだ。ただそれだけだったはずなのに。彼女はそれ以上何も言うことはないという感じで、困ったように笑ってみせる。これまでだったら必死に涙をこらえた後に、大粒の涙をぽろぽろとこぼしていたのに、彼女は涙すら流さずにどこか清々《すがすが》しい顔で僕を見ていた。

これまでなら、僕はソーネチカに「おいで」と言ってあげられた。そして、僕の胸に勢いよく飛び込んでくる彼女を抱きしめてあげられたのに、今の僕には「おいで」の一言も出てこない。

僕たちは、どちらも相手に寄り添おうとはしなかった。どちらも一歩を踏み出さず、その引かれてしまった線を乗り越えようとはしなかった。

僕たちの間には、はっきりと境界線が――国境線が引かれていた。月と地球を隔てる国境線が。

僕も、それ以上なにも言わずに部屋を出た。彼女に背を向けて。閉まった扉が小さな音を立てた時、何かが終わってしまう音が聞こえた。

旅の終わりを迎える音が。

それは――

列車の発射を告げるベルの音によく似ていた気がした。

7 僕はいったい、どこにたどり着いたというのだろうか？

僕が地球に降りる日、ソーネチカは僕を見送りに来てはくれなかった。僕たちは、あの日——僕が彼女に地球に降りることを告げた日——から会話をしておらず、それは僕たちの最長記録だった。

僕は月の宇宙港に一人佇《たたず》み、ソーネチカのことを思っていた。本当は今すぐにでもソーネチカのもとに駆け出して、彼女に別れを告げたかった。あの日できなかった約束を交わしなおして、もう一度——僕は、この月に帰ってくると言いたかった。

ソーネチカに「待っている」と言ってほしかった。

だけど、僕はロビーの椅子から立ち上がらなかった。宇宙船の出発時刻が迫っていたから。宇宙のスケジュールは地球以上に秒刻みで、僕一人の都合で出発を遅らせることなどできない。

いや、それは言い訳だ。

僕は、恐れていたんだと思う。

最後の最後に、僕とソーネチカとの関係が決定的に壊れてしまうのを。

僕たちは、まだわずかな引力でお互いを繋《つな》ぎ止めていた。それがかろうじてだったとしても、僕たちはまだ弱い繋がりで結ばれていた。少なくとも、僕はそう思っていた。月は見えなくても、そこにあるはずだった。昼の月のように。

だからこそ、その月がどこか遠くに行ってしまうことを、彗星《すいせい》のように遠くの宇宙へと消えてしまうことを、僕は恐れていたんだ。僕は、いつの間にか臆病者になっていた。どうしようもないくらいに。

そして僕は、宇宙船に乗って月の宇宙港を離れた。

地球までの距離を知っているだろうか？

答えは、38万４４００㎞。

地球を約９・６周する長さ。

時速３００キロの新幹線で約五三日間。

宇宙船に乗ったとしても、かつては最低三日かかっていた。

38万４４００㎞。

それが、月から地球までの距離。

高校生の頃――僕は、この六桁の数字を何度も何度も頭の中で繰り返していた。この六桁の数字が僕の人生の多くを占めていて、僕はこの六桁の数字を――その距離を埋めることだけを考えていた。その距離を埋めるまでには、ずいぶんと長い時間がかかった。僕の人生の全てを、そのために費《つい》やしたと言ってもいいくらいに。走り続けることで、ようやくそこにたどり着くことができた。

だけど、その途方もなかった38万４４００㎞という距離は、今の人類にとってはずいぶんと短い距離へと変わっていた。

宇宙開発の進歩とともに、宇宙船の新しい推進法や新型のエンジンの開発が行われ、地球と月の間の移動時間は約一日――貨物ならば十二時間ほど――と、極端に短くなっていた。宇宙開発は日々進歩している。

現在、地球からロケットやスペースシャトルで宇宙に上がる人はほとんどいない。多くの人々が、軌道エレベーターに乗って宇宙に上がるからだ。軌道エレベーターは、人類を安価で安全に宇宙に送り出すことができる唯一の手段。ユーリヤがその人生を費やして宇宙に架けた人類の橋。

僕とユーリヤが再会したインドネシアの島で聞かせてくれた彼女の言葉が、今も僕の胸の奥で響き渡っている。


『ねぇ、スプートニク、あれが私のつくった軌道エレベーターよ。とっても素敵でしょう？　まるで、宇宙――いいえ、月にまで届きそうな階段みたいでしょう』


あの時、開発途中の軌道エレベーターを指して自分がつくったと言い切ったユーリヤの軌道エレベーターは現在、宇宙開発の最前線として機能している。完璧に。より完成された形で。

軌道エレベーターの『停車駅』となるステーションは全部で四つあり、まずは地球から宇宙への入り口となる『地上ステーション』がある。続いて静止軌道上に建設された『静止軌道ステーション』。高軌道上に建設された宇宙船の離発着を行う『高軌道ステーション』。そして宇宙ステーション全体の管制と運航、そして安全を司《つかさど》る『指令ステーション』。他にもいくつかの区画には、エレベーターが緊急停止をした際や、事故などの緊急時のために使われる『中間ステーション』や『避難場所』が設置されている。カーボンナノチューブでつくられた10万キロを超える長さのエレベーターは、常に細心の注意を払って運行されている。

現在では赤道上に建設された第一号機『ユーリヤ』に続いて、三号機まで軌道エレベーターは建設されて運行されている。三機の軌道エレベーターは、今この瞬間もフル稼働で人々を宇宙へ送り続けている。

　そして、地球に着くまでの時間を潰すために読みはじめた論文やレポートには、四号機となる軌道エレベーターの建設に関しても詳しく書かれていた。

「なになに？　四号機となる次世代型の軌道エレベーターの建設計画が持ち上がり――各国や各宇宙開発の機関はこぞって建設地の誘致活動や資金集め、情報戦やロビー活動を行っていると。近々大規模なコンペも行われるみたいだな？　それに次世代型の軌道エレベーターは赤道上を大きく離れても運用に問題がない？」

　そのことに僕は驚いた。

「ずいぶんと軌道エレベーターの開発技術も進歩したんだな。もう地球君の胸でハンマーを回す必要もないのか」

　僕は遠い過去を懐かしみながらそう漏らした。僕が月に留《とど》まり続けている間にも、人類はずいぶんとその歩みを進めていたみたいだ。僕は、浦島太郎にでもなった気分だった。月に留まり続けている間に、ずいぶんと世の中のことから置いてけぼりになってしまったらしい。

　不意に、地球に降りてからこんな自分に何かできることがあるのだろうかと不安になった。自分が本当に役立たずのロートルになってしまっていたらと思うと怖くてたまらなかった。そんな不安という荷物を抱えながら、僕は軌道エレベーターの『高軌道ステーション』にたどり着いた。

　宇宙船を下りて手狭な駅のホームといった感じの空間に足を踏み下ろし、密閉された区画を抜けてステーション内に出ると、そこには見慣れた人物が立っていて僕はひどく驚いた。

「相棒、ようやく帰ってきたか。待ちくたびれたぜ？」

「バーディ？　わざわざ出迎えに来てくれたのか。忙しいだろうに」

「そんなこと言うなよ？　みんな、お前の顔が見たくて駆けつけたんだぜ？」

『高軌道ステーション』には多くの宇宙飛行士やスタッフがいて、皆が僕のことを出迎えてくれた。たくさんの拍手が響き渡り、僕はバーディと抱き合った後、他の宇宙飛行士たちとも同じように抱き合い、握手を交わし合った。見知った宇宙飛行士や技術者が多くいて、そこには月で一緒に働いた人たちもいた。新人の宇宙飛行士やスタッフもわざわざ出迎えに来てくれたみたいで、彼らはピカピカの新品みたいな表情で僕を見ていた。

その顔がとても眩《まぶ》しかった。

僕を打ちのめしてしまうくらいに。

「おかえりなさい」

「おかえりなさい」

「ほんとうに、お疲れさまでした」

「お会いできて光栄です」

一人一人が僕に労《ねぎら》いの言葉をかけてくれた。僕は本当に引退したみたいな気分になり、正直なところ、底抜けに落ち込みはじめていた。

宇宙船の離発着を行うフロアから地球に降りるためのエレベーターフロアのロビーに出ると、さらに大きな拍手や歓声が響いた。それはまるで地球に隕石《いんせき》でも降り注いだみたいで、僕は思わず耳を塞ぎたくなった。たくさんの人が、僕の帰りを待ってくれていた。

「――見てください。今、月面から我が国の英雄が帰還しました。月面滞在の最長記録をもつ日本人宇宙飛行士が、ようやくこの地球に帰ってきてくれました。彼の経歴は皆が知るところでしょう。最年少で月に上がり、そして月面での資源採掘任務をこなした後に帰還——その後、月のお姫さまであるソーネチカの誕生に立ち会うために再び月に上がり、それからは何度も地球と月とを往復してきました。資源採掘の第一人者であり、現在、地球で使われているヘリウム3は、彼によってもたらされたものだと言っても過言ではありません。その功績を称《たた》えられ、この度、日本政府より勲章が——」

当たり前だけれどマスメディアまでもが押しかけていて、月面滞在の最長記録をもつ僕の帰りを祝福してくれた。ライブ中継も行われているらしく、アナウンサーが必死に声を届けている。

僕は軽く手を振って挨拶《あいさつ》をした。メディアへの対応も宇宙飛行士の大切な任務の一つなのだ。僕はたくさんの花束を受け取り、何名かの人と握手をした。

「おかえりなさい」

「おかえりなさい」

「無事に帰ってきてくれてよかったです」

「ゆっくり休んでください」

多くの人が心からの労いの言葉をかけてくれた。

「ありがとうございます。皆さんのおかげで無事に月での任務をこなすことができました。また地球に帰ってこられて嬉《うれ》しいです」

だけど、僕の頭の中には帰還の喜びはまるでなかった。宇宙飛行士たちの会話も、マスメディアの質問もまるで頭に入ってこない。

僕の耳に聴こえていたのは、そして僕の胸の中で響いていたのは――

『フライ・ミー・トゥー・ザ・ムーン』の音楽だけ。

僕は、はじめてこの軌道エレベーターに乗った日のことを思い出した。

それは、僕の人生初の月面ミッションの最後の日のこと。

任務を終えて地球に帰還する僕たちは、それまで使用されていたソユーズの帰還カプセルではなく、はじめて稼働する軌道エレベーターに乗って帰還するという世界初の任務を受けた。もちろん実験用モルモットの意味も込めて。それか不幸なライカ犬か。

そしてエレベーターに乗り込んで地球への帰還を目の前にした時、僕はオペレーターからこの軌道エレベーターのテーマソングに『フライ・ミー・トゥー・ザ・ムーン』が使用されていることを知らされた。『フライ・ミー・トゥー・ザ・ムーン』は軌道エレベーターの離発着のメロディとなり、宇宙に上がった全ての人類を迎え入れ、地球に降りる全ての人類を送り出している。

『フライ・ミー・トゥー・ザ・ムーン』が使われることになった理由は、一人の日本人技術者だった。誰よりもこの軌道エレベーターの開発に貢献し、情熱を注いだ日本人技術者の思いが――ユーリヤの思いが、この軌道エレベーターの建設に関わった多くの人たちの心に響いて、そして多くの人を動かした。彼女のマイ・フェイバリット・シングスである『フライ・ミー・トゥー・ザ・ムーン』こそが、この軌道エレベーターにはふさわしいと。その思いは今も響き続け、この軌道エレベーターは宇宙飛行士たちの間で『ユーリヤ』と呼ばれている。

『フライ・ミー・トゥー・ザ・ムーン』は、僕にとって永遠の音楽だった。僕の心のビルボードチャートの一位に君臨し続けるマイ・フェイバリット・シングス。それは人々を宇宙と月に送り届けるための音楽。

ユーリヤが幼い頃に自分の思いを乗せていた一曲。

彼女の願いであり——幼い彼女に寄り添った歌。

ユーリヤの思いの詰まったメロディを聴きながら、僕は地球へと降りていった。『ユーリヤ』と呼ばれる第一号軌道エレベーターに乗って。

初めてこの軌道エレベーターに乗って地球に還った日、僕は迷子じゃないと思うことができた。この軌道エレベーターに乗るたびに、僕は自分の人生の意味を思い出せると思った。ユーリヤに「おかえりなさい」を言ってもらうために、ユーリヤに「ただいま」を言うために帰ってくるんだと気がつくことができた。

そして再び宇宙に上がる時、ユーリヤに「行ってらっしゃい」と言ってもらうために。

だけど今、ユーリヤの「おかえりなさい」は聞こえなかった。

それどころか、僕はエレベーターの中で地球の重力に耐えられずに気分が悪くなり、いつの間にか気を失っていた。あらかじめ同行していた医療スタッフのおかげで大きな問題はなかったけれど、それでも僕は自分が寝たきりの老人にでもなった気分だった。

長すぎる月面生活で弱り切った僕の筋肉は地球の重力に適応できず、体を思うように動かすことすらできなかった。立っていることもままならず、酸素マスクをつけていなければ意識を保つこともできない状況だった。まるで潰れた蛙《かえる》だ。僕はタンカに乗せられて地上ステーションを後にしなければならなかった。

人類を宇宙と月に打ち上げる『フライ・ミー・トゥー・ザ・ムーン』が流れる地上ステーション

を――『ユーリヤ』を後にしながら、僕は自分の情けない姿から目を背けたくなった。

僕の細くなった両足はまるで動きそうもなかった。これまで走り続けてきたこの両足は、もう動かなくなっていた。当たり前だ。僕には、もう目的地がないのだから。目指す場所がないのに、走り続けられるわけがない。走る理由がないのに走り続けられるランナーはどこにもいないんだ。

僕の旅は終わり、僕は地球に帰ってきた。

足を止めるのにこれほどふさわしい理由もないだろう。

僕は足を止めたんだ。

あの満月の夜の再会の日――月に手を伸ばすユーリヤの言葉を聞いて、僕は月に行くんだって思った。

あの日から僕は、ただ走り続けてきた。

38万4400kmの距離を。

走るのをやめる理由は、星の数だけあった。

だけど、走る理由は一つだけ。

38万4400kmの距離を埋め――ユーリヤを月につれて行くこと。

そのたった一つのためだけに、僕は今日まで走り続けてきた。

僕の人生はそれが全てだった。

それは、叶《かな》った。

僕は、やり遂げたんだ。僕は立派に自分の任務をこなしたんだ。

それなのに、どうして地球に帰ってきた僕の心は、こんなにも沈んでいるんだろう？

僕は、自分が何一つなしていないような気分にさえなっていた。僕の功績なんてものは、まるではじめから存在していなかったみたいに。全てが夢か幻に思えてしかたなかった。

僕は、自分がどこにもたどり着けなかった迷子にでもなった気分だった。

僕はいったい、どこにたどり着いたというのだろうか？

〈『ひとりぼっちのソユーズ 下』へつづく〉

この作品に対するご感想、ご意見をお寄せください。

●あて先●

〒101-0052
東京都千代田区神田小川町3-3
主婦の友インフォス

「七瀬夏扉先生」係
「まごつき先生」係
「ぽぷりか先生」係

衝撃の後編！
圧巻のクライマックスへ。
感動の玉手箱から溢れる
感情の洪水に胸が熱くなります。
ひとりぼっちのソユーズ㊦
七瀬夏扉
同時発売

JASRAC 出 2107126-101

FLY ME TO THE MOON
Words&Music by Bart Howard
TRO - ©Copyright1954 by Palm Valley Music,LLC.
Rights for Japan controlled by TRO Essex Japan Lyd.,Tokyo
Authorized for sale in Japan only

IT'S ONLY A PAPER MOON
Words by BILLY ROSE and E. Y. HARBURG
Music by HAROLD ARLEN
©1933 (Renewed) WC MUSIC CORP.
All Rights Reserved.
Print rights for Japan administered by Yamaha Music Entertainment Holdings, Inc.

ひとりぼっちのソユーズ　上

七瀬《なな せ》夏扉《なつ ひ》

2021年10月10日　第2刷発行

発行者　前田起也

発行所　株式会社　主婦の友インフォス
〒101-0052 東京都千代田区神田小川町 3-3
電話／ 03-6273-7850（編集）

発売元　株式会社　主婦の友社
〒141-0021 東京都品川区上大崎 3-1-1 目黒セントラルスクエア
電話／ 03-5280-7551（販売）

印刷所　大日本印刷株式会社

© Natsuhi Nanase 2021　Printed in Japan

ISBN 978-4-07-449579-5

■本書の内容に関するお問い合わせは、主婦の友インフォス ライトノベル事業部（電話03-6273-7850）まで。■乱丁本、落丁本はおとりかえいたします。お買い求めの書店か、主婦の友社販売部（電話03-5280-7551）にご連絡ください。■主婦の友インフォスが発行する書籍・ムックのご注文は、お近くの書店か主婦の友社コールセンター（電話0120-916-892）まで。
※お問い合わせ受付時間　月～金（祝日を除く）　9:30～17:30
主婦の友インフォスホームページ　http://www.st-infos.co.jp/
主婦の友社ホームページ　https://shufunotomo.co.jp/

Ⓡ〈日本複製権センター委託出版物〉
本書を無断で複写複製（電子化を含む）することは、著作権法上の例外を除き、禁じられています。本書をコピーされる場合は、事前に公益社団法人日本複製権センター（JRRC）の許諾を受けてください。また本書を代行業者等の第三者に依頼してスキャンやデジタル化することは、たとえ個人や家庭内での利用であっても一切認められておりません。
JRRC〈 https://jrrc.or.jp　eメール：jrrc_info@jrrc.or.jp　電話：03-6809-1281 〉